Em Brasília, 19 horas

EUGÊNIO BUCCI

Em Brasília, 19 horas

A guerra entre a chapa-branca
e o direito à informação
no primeiro governo Lula

EDITORA RECORD
RIO DE JANEIRO • SÃO PAULO

2008

CIP-Brasil. Catalogação-na-fonte
Sindicato Nacional dos Editores de Livros, RJ

B933e Bucci, Eugênio, 1958-
          Em Brasília, 19 horas : a guerra entre a chapa-branca
       e o direito à informação no primeiro governo Lula / Eu-
       gênio Bucci. – Rio de Janeiro: Record, 2008.
          Inclui bibliografia
          ISBN 978-85-01-08151-3

          1. Bucci, Eugênio, 1958-   . 2. Radiobrás. 3. Rádio na po-
       lítica – Brasil. 4. Radiodifusão – Aspectos políticos –
       Brasil. 5. Brasil – Política e governo – 2003-   . 6. Comu-
       nicação – Aspectos políticos – Brasil. I. Título.

                                       CDD 384.540981
07-4739   CDU 654.195(81)

Copyright © Eugênio Bucci, 2008
Preparação de original e checagem das informações: Aloísio Milani
Capa: João Baptista da Costa Aguiar
Projeto gráfico e diagramação de miolo: Regina Ferraz

Todos os direitos reservados. Proibida a reprodução, armazenamento
ou transmissão de partes deste livro, através de quaisquer meios, sem
prévia autorização por escrito.

Direitos exclusivos desta edição reservados pela
EDITORA RECORD LTDA.
Rua Argentina 171 – 20921-380 – Rio de Janeiro, RJ – Tel. 2585-2000

Impresso no Brasil

ISBN 978-85-01-08151-3

PEDIDOS PELO REEMBOLSO POSTAL
Caixa Postal 23.052
Rio de Janeiro, RJ – 20922-970

EDITORA AFILIADA

Para Mário, meu filho querido,
que me deu de presente o título
deste livro e tantas idéias mais.

AGRADECIMENTOS

A Shirlane Paiva, pelas pesquisas relativas à execução orçamentária.

A Jefferson Cruz e Fanuel de Souza Cerqueira, pelas pesquisas de legislação.

A Rodrigo Savazoni, Bruno Vichi, Celso Nucci, Angelo Bucci, Gustavo Bucci, Cacalo Kfouri, Amir Labaki, Maria Rita Kehl, Paulo Fernando Pereira de Souza, Mário Dallari Bucci, Maria Paula Dallari Bucci, Afonso Borges e Ana Paula Cardoso, pela atenta leitura e pela correção dos originais.

Mas as coisas findas,
Muito mais que lindas,
Essas ficarão.

Carlos Drummond de Andrade

SUMÁRIO

PRÓLOGO	Dentro da nuvem	13
PRÓLOGO II	Não tem importância...	15
APRESENTAÇÃO	...e no entanto é preciso contar	19
CAPÍTULO 1	O direito que se entende errado	21
CAPÍTULO 2	A ingenuidade "de oposição"	31
CAPÍTULO 3	Sob fogo cerrado do governo	37
CAPÍTULO 4	O cafezinho da ambigüidade	49
CAPÍTULO 5	Quando o marketing eleitoral se converte em valor	67
CAPÍTULO 6	Publicidade para lá, jornalismo para cá e o Estado longe dos dois	73
CAPÍTULO 7	Uma empresa híbrida demais	81
CAPÍTULO 8	Com a alma ferida	87
CAPÍTULO 9	Tantos planos, um tabu e balões verdes	99
CAPÍTULO 10	O vintém faltou ao encontro	117
CAPÍTULO 11	O erário agradece ao fusca dos dominicanos	127
CAPÍTULO 12	O dia em que virei chefão do DIP	137

CAPÍTULO 13	A voz dos avós do Brasil	151
CAPÍTULO 14	Os males públicos da obrigatoriedade, em três textos derrotados	167
CAPÍTULO 15	O jovem professor de direito que gostava de rádio	179
CAPÍTULO 16	O Haiti é aqui. Ou não?	191
CAPÍTULO 17	A decupagem do sintagma obscuro	201
CAPÍTULO 18	O aspirante	209
CAPÍTULO 19	Um caso de bem-estar entre o presidente e a imprensa	223
CAPÍTULO 20	...tá bonces	231
CAPÍTULO 21	Construção por estilhaços	247
CAPÍTULO 22	Breve ensaio sobre o público, o estatal e o corporativismo disfarçado	255
CAPÍTULO 23	Roda-gigante	269
CAPÍTULO 24	Na arena pública	277
EPÍLOGO	Próximo!	283
ÍNDICE		289

PRÓLOGO

Dentro da nuvem

O dia 1º de janeiro de 2003, quando o ex-metalúrgico Luiz Inácio Lula da Silva tomou posse do cargo de presidente da República, foi uma boa véspera: teve solenidade, discurso e festa popular. Quando escureceu, jantei com moderação e tomei dois copos de chope na companhia de bons amigos num restaurante na Asa Sul da capital federal. Eu tentava disfarçar, mas, enquanto eles festejavam o dia 1º, eu me preocupava com o dia 2.

Naquela véspera, lembro bem, fui me deitar depois da meia-noite, quando já era o dia seguinte. Hóspede da Academia de Tênis, fiquei alojado num quarto úmido, muito úmido, como se um cúmulo-nimbo estivesse passando uma temporada ali dentro, disputando espaço comigo. Tinha chovido muito naquela semana. Custei a pregar os olhos e, se é que adormeci, garanto que dormi mal. Assombrações burocráticas trovejavam à minha volta para me atormentar e fazer me arrepender mil vezes de uma decisão já tomada. Eu assumiria dentro de poucas horas a presidência de uma estatal, teria de assinar contratos, documentos, ordens de todo tipo, sofreria o controle do Tribunal de Contas da União (TCU), não escaparia de usar gravata diariamente. Aborrecimentos que eu jamais conhecera vieram puxar o meu pé, lançando maldições horrendas: infernos processualísticos, formalismos sádicos, padecimentos administrativistas esperavam por mim. Acometido de litisfobia, entre um susto premonitório e outro surto paranóico, eu me revirava sobre o côncavo colchão. Foi aí que, bafejado por uma lembrança alentadora, a de que minha mulher era advogada e, mais ainda, doutora em Direito Administrativo, achei que a ocasião era propícia para uma consulta jurídica. Acordei-a aos cutucões:

— Onde eu estava com a cabeça quando fui aceitar esse negócio?

Ela começou a ouvir o quadro catastrófico que eu descrevia, um poltergeist que aflorava dos monumentos brasilienses, com tentáculos zunindo na escuridão e me alcançando justo no pescoço. Sem abrir os olhos, ela descansou a mão direita nos meus cabelos ameaçados de extinção, guiando a minha cabeça para o seu ombro. Falou baixinho:

— Dorme, Eugênio, isso não tem a menor importância.

PRÓLOGO II

Não tem importância...

Maria Paula tinha razão, mas como eu poderia dormir? Por que é que tinha topado entrar nessa? Iria ganhar menos, bem menos, e não tinha nenhuma intenção de, na linguagem das tias velhas, "entrar para a política". O que é que me levava ao cargo de presidente da Radiobrás? Como seria a primeira tarde no meu novo emprego? Como seria a primeira semana? Eu sobreviveria ao primeiro mês?

As justificativas de ordem profissional eram superficiais. Currículo para o posto não me faltava. Além de diretor de revistas, eu tinha sido repórter, crítico, editor, secretário editorial de uma grande empresa jornalística. Havia ainda a qualificação acadêmica, com uma breve carreira de professor universitário e um doutorado em Ciências da Comunicação. É verdade que o título não me serviria de distinção numa terra onde as telefonistas, as secretárias e o restante da humanidade chamavam todo mundo de "doutor", mas me agarrava a ele como agarrava o travesseiro, clamando por um pouco de descanso antes do amanhecer. Inutilmente. Diplomas, credenciais, conhecimento presumido, nada me aquietava. Algo estava fora de lugar, e provavelmente esse algo era eu mesmo.

Dias antes, eu prevenira o então futuro ministro da Secretaria de Comunicação de Governo e Gestão Estratégica, Luiz Gushiken, portador do primeiro convite para que eu me mudasse para Brasília:

— Eu nunca fui presidente de estatal.

Ele não deu muita confiança:

— Eu também nunca fui ministro. — Ele foi seco. Eu engoli seco.

Tentando driblar as aflições noturnas, lembrei-me de um churrasco, no Instituto da Cidadania, ao lado do Museu do Ipiranga, em São

Paulo, uma quinta-feira, 19 de dezembro de 2002, quando Lula, ao vir me cumprimentar, passou o braço sobre o meu ombro e disse que era dele a idéia de me levar para a Radiobrás. Ao sabor da insônia, ponderei comigo mesmo que o próprio presidente eleito nunca havia sido presidente. Nem governador. Nem prefeito. Nem mesmo ministro. Sequer presidente da Radiobrás ele tinha sido. O meu desafio, comparado ao dele, era refresco. E nada de dormir.

Na véspera do dia 2 de janeiro de 2003, eu sabia, uma boa parte dos meus colegas de novo governo exultava do alto de suas mais heróicas fantasias petistas, sedentos para pôr a mão na máquina. Quanto a mim, rolava na cama com temores pequeno-burgueses. Eu estava impondo uma transferência de cidade à minha família. Será que era justo?

* * *

Contra a minha vontade, o dia 2 de janeiro amanheceu. Como se fosse um dia qualquer, teve o desplante de clarear. Depois da posse de Luiz Gushiken na Secretaria de Comunicação de Governo e Gestão Estratégica (Secom), foi a minha vez, numa solenidade que, a meu pedido, não chamou a atenção pela suntuosidade. Removeram os móveis da sala de reuniões no gabinete da presidência da empresa, no quarto andar de um prediozinho residencial adaptado para virar repartição, e ali mesmo, no cômodo de $31,9m^2$, diante de trinta convidados, todos de pé, virei presidente de estatal. Passava um pouco do meio-dia.

Quando me foi passada a palavra, comecei a longa travessia de dois ou três passos até o microfone, pois havia um microfone no ambiente exíguo. Minha cabeça levitava, como se não conseguisse despertar da noite em que não dormira. Eu não trazia discurso escrito, estava de mãos abanando, e uma velha idéia sobre direito à informação num governo democrático veio me acudir. O sentido da minha escolha começava a se revelar, a despeito de mim mesmo.

Tendo ouvido a fala protocolar e rápida do ministro Gushiken, pensei na primeira conversa que tivera com ele, no finalzinho de 2002, no Hotel Hilton, no centro de São Paulo, onde o Partido dos Trabalhadores realizava uma grande reunião. Foi quando o conheci. Depois de sintetizar os rumos que pretendia imprimir à Secom, falando com a rapidez de uma metralhadora, Gushiken quis ouvir a minha opinião sobre comunicação pública. Tentei parecer igualmente categórico. Disse que já era tempo de os governos pararem de tentar difundir mensagens para se promover à custa da máquina pública. Em lugar disso, deveriam atender o direito do cidadão à informação. Nada mais. Havia já muitos anos que eu insistia na tese: assim como a educação, a moradia, a saúde e o trabalho, a informação também era um direito fundamental. O futuro ministro reagiu de um modo aparentemente interessado.

Com essas lembranças, cheguei ao microfone. Após uns cinco, talvez seis segundos de silêncio, a hesitação passou, de repente. Na hora H, na hora do meu discurso, a clareza me apareceu e os medos se dissiparam. Falei com uma firmeza que não sei de onde brotou, mas brotou. Falei um texto final, como se eu tivesse decorado a minha fala. Diante das testemunhas, proclamei aquilo que, no fundo, era a razão para eu estar ali assumindo o comando da empresa. Disse que, a partir daquele instante, o nosso trabalho seria "presidido pelo direito à informação do cidadão brasileiro", pois "não há democracia onde há miséria de informação". Eu prossegui, conforme ficou documentado numa fita de vídeo que guardei de recordação. O que segue é uma transcrição literal:

> A ética da informação e a ética do jornalismo são inseparáveis da ética republicana, a ética obsessivamente republicana que deve governar cada instituição da nossa democracia e do nosso país. Não há contradição, ao contrário, há uma complementaridade necessária entre a idéia radical de democracia e a idéia de direito à informação. Há com freqüência um equívoco, e esse equívoco é o de achar que nós pomos no ar as informações que nos interessam e ponto. Isso é um equívoco, porque quando as informações que nos interessam não correspondem às necessidades do cidadão a credibilidade começa a ser ferida. Portanto, as informações que nos in-

teressam veicular são as informações a que o cidadão tem direito. Isso é a construção da credibilidade. Quem está no topo de todo esse trabalho é o cidadão. É aquele que muitas vezes não exige porque não sabe que pode exigir. E o nosso trabalho é ensiná-lo sobre isso, ensiná-lo que ele pode exigir.

Era uma promessa solene em minha posse tão pouco solene. A Radiobrás, durante a minha gestão, serviria não mais à finalidade de construir uma imagem favorável de governantes, mas à missão de dar ao público a informação que ele tem o direito de ter.

* * *

Somente ao discursar eu acordei da noite maldormida — ou não-dormida. Acordei enquanto anunciava o óbvio: cumprir o dever de informar. Era uma pretensão pequena, era tão pouco, mas, à medida que eu falava, senti, nos olhos dos que me ouviam, que aquele pouco talvez não fizesse parte do mundo real. Num relance, desconfiei: o mal-estar que me mantivera em vigília na noite anterior não vinha do medo de oficialismos burocráticos nem dos purgatórios em forma de papelórios, mas da intuição oblíqua de que eu fracassaria, de que o propósito de contribuir para democratizar a comunicação do Estado brasileiro não passava de veleidade. A inércia da administração me impediria de livrar aquela empresa pública do papel de propagandista das autoridades. Eu fracassaria, eu fracassaria fatalmente: tive esse pressentimento num átimo, um hiato entre uma cena e outra, que logo fugiu, como se eu tivesse lido por antecipação uma sentença à minha espera e logo em seguida tivesse esquecido, mais ou menos como a gente se dá conta de um sonho que sabe que sonhou, mas que ao abrir os olhos já não consegue saber como era.

Quando eu proclamei o que proclamei, o meu pior fantasma me encarou sob a face inconscientemente incrédula dos convidados: para os meus futuros interlocutores, o que eu estava prometendo era apenas o impossível.

APRESENTAÇÃO

...e no entanto é preciso contar

Quando eram passados quase quatro anos daquela noite na Academia de Tênis, bateu em mim a necessidade tirânica de contar ao menos alguns capítulos da minha história à frente da Radiobrás. É uma história pública, transcorrida em repartições públicas, e ao público pertence. Eu precisava prestar contas do que fiz, do que desfiz e, principalmente, do que não fiz — porque não pude, porque não soube ou porque não quis — enquanto estive no emprego. Comecei a tomar notas.

Não me preocupei em arrolar apenas os acertos ou as vitórias — e tomei o cuidado de não pintar com cores de acertos e vitórias o que foram erros e derrotas. Contar onde, como e por que falhei — e perdi — pode ajudar aqueles que têm a habilidade de aprender com os erros dos outros. Para quem se interessa pelos descaminhos da comunicação pública no Brasil, e sabe tirar lições dos percalços alheios, este relato será de algum proveito.

Ainda que todo relato seja uma defesa, procuro não me justificar em demasia. Não falo bem de mim mesmo, ainda que fale bastante de mim e fale na primeira pessoa. Tinha que ser assim. Usar o "nós" para encobrir o "eu" seria apenas um protocolo demagógico e desinformativo, mais que majestático. Sei que uma experiência como a que agora decidi contar só pode existir quando resulta da dedicação de uma grande equipe — como a que eu tive —, mas as decisões que tomei são de minha responsabilidade e não devem pesar sobre outros ombros. Nesta narrativa o fator subjetivo constitui parte da realidade objetiva. Expor abertamente os desvãos da minha subjetividade, turvada, às vezes, por aspirações fantasiosas ou medos pueris, foi uma exigência que a própria objetividade me impôs.

Se na minha gestão — como neste meu depoimento — alguns identificarem traços personalistas, digo apenas o seguinte: para o bem da administração pública, investi o que de melhor havia na minha personalidade para construir a impessoalidade. Tratar a empresa pública como coisa pública, até o fundo, até o limite, foi o foco da minha gestão. Explicar a razão e o método com que trabalhei é o foco destas páginas. Que não querem valer mais do que valem. No vasto universo de um governo, isto aqui não passa de uma crônica de aldeia: uma estatal menor, suas ondas eletromagnéticas e suas implicações.

CAPÍTULO 1

O direito que se entende errado

Isso posto, era uma vez o impossível: dar a uma empresa pública de comunicação uma direção apartidária, impessoal, para servir à sociedade, atendendo o direito à informação. Deveria ser o óbvio, mas era o impossível aos olhos de quase todos, e isso por uma razão intrigante: a impossibilidade não estava na lei, não havia um só decreto que me impedisse de seguir na direção mais óbvia; a impossibilidade estava na cultura, nos hábitos, nas práticas e nas idéias feitas.

De minha parte, eu acreditava que daria para mudar, talvez subestimando as muralhas seculares, de alicerces que desciam às profundezas do caráter nacional. O projeto ia contra a cultura do Estado, dos partidos, da Radiobrás e também de boa parte da esquerda. O bloqueio cultural era uma unanimidade que afirmava e reafirmava sem descanso: uma estatal com emissoras de radiodifusão existia para defender o governo e para preservar a imagem dos governantes.

Quando eu e meus colegas de gestão percebemos a extensão do bloqueio, já tínhamos percorrido boa parte do caminho. Já tínhamos até mesmo fincado estacas, desafiando as probabilidades e, com algumas pequenas conquistas firmadas na prática, era tolice desistir. Seria melhor tocar adiante para ver até onde poderíamos chegar, mesmo sabendo que, depois, um retrocesso poderia se dar, como acomodação ou como vingança da unanimidade de chumbo.

O fato de alguns passos terem sido palmilhados na direção de livrar a comunicação pública da praga do partidarismo e do governismo — que é uma forma de partidarismo com agravante — não desmonta nem revoga o que estou aqui chamando de impossível, ou de impossível cultural. Ele permaneceria, armado para dar um bote de retorno. A cultura que eu ousei vencer sobreviveria à minha gestão.

* * *

Nos primeiros meses de trabalho em Brasília, conheci de perto aquela cultura ancestral, tão pesada quanto um continente. Embora a lei não autorizasse expressamente que os governantes se aproveitassem dos serviços de comunicação social sob seu controle, direto ou indireto, a administração pública no Brasil aceitava esse costume como se ele fosse natural, pré-ideológico: aos olhos da direita e da esquerda, assim era porque sempre tinha sido assim. O partidarismo nos órgãos públicos de comunicação podia não ser escancarado o tempo todo, mas era intocável, como se fosse, e talvez fosse exatamente isso, uma reserva de honra do nosso patrimonialismo atávico.

Eu olhava para os lados e constatava. A maioria das instituições encarregadas da comunicação pública no Brasil, quando apresentava noticiários no rádio, na televisão ou na internet, não praticava jornalismo, não informava o cidadão com a objetividade que ele merecia e à qual ele tinha direito. O que se fazia era propaganda, às vezes subliminar, às vezes expressa, das autoridades da vez. As explicações de praxe primavam pelo comodismo. A mais comum delas perdoava a subserviência das instituições em relação aos governos porque, afinal, essas instituições dependiam de recursos governamentais. Não era uma dependência meramente financeira: para funcionar, para atuar, para viver, essas instituições dependiam de autorizações, de apoios, das bênçãos do poder. Na tentativa de ganhar o seu naco de sustentação de cada dia, elas viviam de adular os poderosos oficiais. Por inércia. Em conseqüência, ofereciam ao público um arremedo de comunicação promocional, de má qualidade, que fingia ser informativa.

A bajulação era a regra, não havia dúvidas, mas uma regra cultural — e contrária à lei. Em nenhuma alínea sequer a lei determinava que a comunicação das emissoras de rádio e televisão vinculadas a governos estaduais ou ao governo federal devesse fazer promoção de pessoas ou de partidos. A lei ordinária e a Constituição, ao contrário, condenavam a utilização de equipamentos e instituições públicas para fins particulares ou partidários. A lei, ora, a lei era ignorada. Eu lia os textos legais e me desconcertava: a chapa-branca, essa modalidade de discurso oficialista e adulador que se consagrou no Brasil, era praticada ilegalmente.

Tudo por força dos costumes, dos vícios culturais. As normas que valiam para hospitais e escolas públicas não eram levadas a sério quando, em lugar de hospitais ou escolas, o cenário fossem as rádios e as televisões vinculadas à administração pública. Parece inacreditável, mas era assim — e assim seguiria.

A partir de janeiro de 2003, passei a buscar exemplos de situações tipificadas e definidas como ilícitas pela legislação para, com base nelas, explicar, em pequenos textos e em reuniões com funcionários ou membros do governo, que as mesmas regras tinham que valer para os meios de comunicação públicos. Eu criava casos hipotéticos.

— Se um servidor federal de alto escalão consente que sua mulher vá até o cabeleireiro no automóvel do Estado que ele utiliza em serviço, conduzido por um motorista da repartição, ofende a lei.

Enquanto meus interlocutores faziam que sim com a cabeça, eu procurava mostrar os artigos aos quais me referia. Dizia que esse servidor, para começar, desobedece à Lei nº 8.112, de 1990, que institui o regime jurídico dos servidores públicos civis da União, das autarquias e das fundações públicas federais, segundo a qual o servidor não pode "valer-se do cargo para lograr proveito pessoal ou de outrem, em detrimento da dignidade da função pública" (art. 117, inciso IX). Ele também desobedece ao Código de Ética Profissional do Servidor Público Civil do Poder Executivo Federal (Decreto nº 1.171, de 22 de junho de 1994), que impede o servidor de "desviar servidor público para atendimento a interesse particular". Isso sem falar na Instrução Normativa nº 9, de 26 de agosto de 1994 (Ministério do Planejamento), que proíbe, no item 12.1.4, "a utilização de veículos oficiais no transporte de familiares do servidor".

Com a lei me servindo de abre-alas, eu arrematava: se não aceitamos que o automóvel sirva a fins privados, por que somos tolerantes quando o desvio se dá com os microfones, as câmeras ou as antenas?

Outra comparação que rendia bem nas conversas era com as escolas públicas:

— Se um diretor de escola pública dá preferência aos filhos de seus correligionários na distribuição de vagas, ofende antes de tudo a Constituição Federal, que estabelece, em seu artigo 37: "A administração pública direta e indireta de qualquer dos Poderes da União, dos Estados, do Distrito Federal e dos Municípios obedecerá aos princípios de legalidade, impessoalidade, moralidade...".

Esse fictício diretor, além de atentar contra a impessoalidade, a legalidade e a moralidade, fere diretamente o artigo 206 da mesma Constituição, que garante a todos "igualdade de condições para o acesso e permanência na escola". Ele ainda viola o inciso XV do Código de Ética Profissional do Servidor Público Civil do Poder Executivo Federal (Decreto nº 1.171, de 1994), que repele "o uso do cargo ou função, facilidades, amizades, tempo, posição e influências, para obter qualquer favorecimento, para si ou para outrem".

Os dois exemplos eram hipotéticos, mas as pessoas percebiam. Se numa escola pública a proteção aos correligionários era proibida, por que é que nas emissoras públicas ela era consagrada pelos costumes?

Elas também concordavam que, se comportamentos desse tipo acontecessem de verdade, a opinião pública reagiria com indignação, em perfeita consonância com os valores que a lei procura preservar. No entanto, quando se tratava do direito à informação, tão fundamental quanto os outros, a mentalidade era diferente, era mais frouxa. Na fotografia dos direitos fundamentais, o direito à informação aparecia mal, sem destaque, como um personagem posto meio de lado. O direito fundamental à informação não era considerado tão fundamental assim. O uso de uma rádio pública para fins governistas, tão ilegal quanto o uso de um hospital ou de uma escola para fins pessoais, era tacitamente aceito.

Eu descrevia o cenário, e os funcionários da Radiobrás, sobretudo eles, sabiam que era exatamente isso que se passava. Quando um administrador público mandava que o rádio do Estado falseasse o noticiário para proteger sua própria imagem, incorria no desvio de se valer da máquina pública para obter vantagem particular, mas passava impune: se o ofendido era o direito à informação, ninguém ligava. A mesma sociedade que condenava um médico que cobrasse consulta particular no posto de saúde da prefeitura, não era tão rigorosa com o apresentador da televisão pública que promovesse diariamente o governador, o ministro ou o presidente.

A lei brasileira podia não ser grande coisa em matéria de comunicação pública — ela apresentava muitas debilidades quando assumi o posto e assim permaneceu pelo menos até o final do primeiro governo Lula —, mas em nenhum momento autorizava ou corroborava a prática dominante. A explicação para os desmandos — era preciso insistir e será ainda preciso repetir por muito tempo — não estava na lei, mas na leniência da cultura política, que não respeitava a norma legal.

* * *

Em janeiro de 2003, a Radiobrás não era exceção à regra: era, isto sim, a regra encarnada. Criada pela ditadura militar em 1976, sob o signo da Doutrina de Segurança Nacional, ela não serviu para outra coisa além de falar bem dos manda-chuvas federais, mesmo quando para isso era preciso mentir — só um pouquinho ou desbragadamente. Sua função propagandística sobreviveu à ditadura, invadindo sem cerimônia o período precariamente democrático que se seguiu a 1985.

Fixou-se, desde então, o costume de que o partido do governo, qualquer que fosse ele, poderia aparelhar a Radiobrás. Raramente, muito raramente mesmo, a opinião pública se levantou contra esse hábito. No ano de 2000 houve um caso que, de tão escabroso, gerou algumas reações, que logo seriam esquecidas. Foi um pequeno escândalo, que a Radiobrás absorveu em silêncio e de cabeça baixa.

Naquele ano, 2000, ela retransmitia em Brasília, em rede com a TVE do Rio de Janeiro, um programa gerado pela TV Cultura de São Paulo. Um belo dia, 5 de maio, a retransmissão foi suspensa, minutos antes, após o telefonema de um ministro. Por motivos políticos. O jornalista Luiz Egypto, do *Observatório da Imprensa*, em uma reportagem da edição de 12 de maio de 2000, registrou o fato:

> Na noite de sexta-feira 5 de maio, a Rede Pública de TV viveu um episódio de censura como há muito não se via. É para guardar e não esquecer: o ministro Andrea Matarazzo, da Secretaria de Comunicação Social, vetou a participação do dirigente do MST João Pedro Stedile no programa *Opinião Nacional*, apresentado por Gabriel Priolli e Mônica Teixeira, produzido pela TV Cultura (São Paulo) e pela TVE (Rio).
>
> Matarazzo quis convencer Jorge Cunha Lima, diretor-presidente da Fundação Padre Anchieta, mantenedora da TV Cultura, sobre a pertinência do veto. Consta que bateram boca ao telefone. Cunha Lima recusava-se a impedir a presença de Stedile no programa.
>
> Nos estúdios da TVE, no Rio, estavam a jornalista Vera Barroso e Amaury de Souza, debatedor convidado. Um minuto antes de *Opinião Nacional* ir ao ar, pelo rádio da mesa de corte veio a informação de que a TVE estava fora da rede e não transmitiria a entrevista de Stedile. A este foi dito tratar-se de uma falha técnica. Se o dirigente do MST acreditou, não se sabe. Durante a entrevista — conduzida por Priolli e a que só os telespectadores da TV Cultura assistiram —, Stedile não reclamou. Mas agora tem do que reclamar.

Daquela vez, a selvageria foi tanta que houve reações. Um funcionário da TVE, Eugênio Viola, escreveu para o *Observatório* um pequeno artigo para mostrar que o ministro ficara isolado em sua truculência: "O governador de São Paulo, Mário Covas, foi duro e classificou de 'arbitrária' a atitude do ministro Andrea Matarazzo. Covas disse ainda que 'não é com censura que o governo vai conseguir reprimir as ações do MST'."

Em declaração à repórter Mônica Bergamo, da *Folha de S.Paulo*, publicada no dia 6 de maio, Matarazzo procurou se defender:

> Ao ser indagado pela *Folha* se a ordem não poderia ser entendida como censura ao departamento de jornalismo da emissora estatal, Matarazzo respondeu: "Eu acho que não. Para polemizar, até podem achar que é censura. Mas foi apenas uma decisão de pauta." Pauta é o primeiro roteiro para a produção de material jornalístico numa redação. Matarazzo alega que apenas mudou o roteiro. A decisão do ministro deixou perplexas tanto a direção da TVE — que é subordinada a ele — quanto o comando da TV Cultura, que responde ao governo de São Paulo.

Os indícios de censura eram claros, ainda que mais tarde o diretor-presidente da TVE, Mauro Garcia, tenha vindo a público para declarar que a decisão de não pôr o programa no ar tinha sido tomada por ele, Garcia — depois, claro, de conversar com o ministro ("TVE afirma ter tomado decisão", *Folha de S.Paulo*, 9.5.2000, matéria de Cristina Grilo). O corte abrupto do programa afetou não apenas a TVE, mas as outras emissoras que captavam os sinais da TVE para retransmitir o programa, entre elas a Radiobrás. O argumento usado por Matarazzo para se explicar, dizendo que aquilo era uma decisão de pauta, não se sustentava. Um ministro de Estado não tinha — e não tem — atribuições de decidir a pauta sobre a TVE, uma instituição que, na condição de organização social, não estava subordinada ao governo, mas apenas vinculada a um ministério, nos termos da lei, e, assim, dispunha de autonomia administrativa, ao menos autonomia formal.

A Radiobrás, vinculada ao mesmo ministério, não retransmitiu o *Opinião Nacional* naquele dia e não fez nenhum protesto público. Em sua ética interna, forjada na servidão, ela devia obediência ao governo, mesmo num caso como aquele, de agressão à liberdade.

* * *

A despeito da exacerbação e da falta de delicadeza, a atitude de Matarazzo guardava coerência com a tradição não apenas das emissoras públicas, mas, de um modo mais amplo, com a tradição de uso político que sempre caracterizou a radiodifusão no Brasil, nas emissoras públicas e nas comerciais também. Ou principalmente nas comerciais.

A verdade é que, por meio de procedimentos em geral mais sutis, a radiodifusão no país tem sido aparelhada recorrentemente. A debilidade cultural específica que tolera a apropriação partidária das instituições públicas de comunicação é a mesma que fecha os olhos ao engajamento partidário das emissoras privadas. São as duas faces de uma mesma doença política.

Ainda que existam exceções, emissoras de rádio e televisão têm servido de bordunas eletrônicas para veicular golpes baixos entre famílias, partidos e caciques. Elas se deixam reger pelos interesses imediatos — familiares, políticos, religiosos ou comerciais — de seus donos ou dirigentes. Os cânones do jornalismo objetivo não vêm sendo cultuados pela maioria dos seus proprietários. No campo da radiodifusão, a comunicação social é vista em primeiro lugar como trampolim para ambições particulares; em segundo lugar, como um negócio — ou como fachada legal para negócios nem tão legais assim —, e apenas em terceiro lugar como função social.

Embora definida como serviço público na Constituição Federal (art. 21, XII, a), a programação de rádio e TV muitas vezes atua como jagunça virtual dos "coronéis" encastelados em concessões obtidas de favores dos ocupantes do Executivo. O setor expressa com crueza a promiscuidade entre Estado e interesses privados. O compadrio entre empresários e políticos — sem falar nos políticos que se tornam empresários de mídia e dos empresários que também obtêm mandatos políticos — dá o tom da promiscuidade.

Nesse ambiente um tanto pantanoso, o uso partidário das instituições públicas de radiodifusão não destoou do hábito nacional, mas seguiu à risca o mesmo padrão, numa simbiose maligna mais ou menos estável, cujo ponto de equilíbrio sempre residiu no vício do uso privado de uma função pública. Em resumo, a mentalidade que autoriza o aparelhamento dos meios de comunicação públicos aflorou como um espelho da mentalidade que já triunfou no setor privado — não raro em benefício de políticos no exercício de cargos no Estado. Dentro dessa cultura, o que se deu foi um desdobramento mais ou menos lógico, uma repartição de territórios: já que as emissoras privadas estavam aí para dar curso aos desígnios de seus donos em associação com grupos políticos, ficou tacitamente combinado que aquelas ligadas aos governos deveriam agradar aos mandatários, sem outras mediações. Desse modo, na comunicação social feita por empresas ou instituições públicas, vicejou o desvio de finalidade como se fosse a regra, como se fosse a própria natureza, como se fosse uma conseqüência biológica da vida pública. Tudo em casa: uma mão suja a outra.

* * *

Foi aos poucos que a gestão que tomou posse no dia 2 de janeiro de 2003 teve consciência do alcance e da profundidade desse bloqueio cultural. Por sorte ou intuição, escolhemos o ponto exato para apoiar a construção de um novo projeto: esse ponto de apoio foi a lei. Se a cultura nesse campo era imprestável, a alternativa que restava era justamente a lei. Com base na lei, então, a nova direção da Radiobrás arriscou-se a iniciar uma transformação da cultura. Em geral o que se dá é o contrário, nós sabíamos: a cultura é quem impõe a mudança da lei. Mas, sem outra alternativa, decidimos nos basear na lei para chacoalhar a cultura.

É verdade que a Radiobrás sempre tinha sido encarregada, por lei, de noticiar atos do governo, entre outros acontecimentos de interesse geral. Alguns entendiam que isso significava que ela deveria fazer a promoção propagandística das "realizações" do governo e das autoridades. Nós entendíamos de outro modo. Para nós, ela deveria apenas informar, sem omitir fatos relevantes e sem fazer propaganda, pois a mesma lei não incumbia à Radiobrás as funções de assessoria de imprensa, de porta-voz, de publicidade governamental — essas funções pertenciam diretamente à Presidência da República e às suas secretarias. No mais, a Radiobrás, sendo uma estatal, estava obrigada aos princípios constitucionais da impessoalidade e da moralidade, que vedavam qualquer desvio partidário ou governista. Nessa sutileza se apoiou a estratégia de trabalho. A nova direção da Radiobrás começou a repetir em todo lugar que a máquina pública, para cumprir suas funções legais, deveria estar a serviço da cidadania e do direito à informação, não mais a serviço das causas pessoais dos governantes.

Eu e os outros diretores da empresa não tínhamos dúvidas quanto a isso. O nosso problema, então, era convencer os novos ocupantes do Poder Executivo de que nós, ali dentro da estatal, tínhamos razão. Um probleminha de nada.

CAPÍTULO 2

A ingenuidade "de oposição"

— Em Brasília, 19 horas!

Nos dias que antecederam o réveillon de 2002 para 2003, esse deve ter sido o mote que mais ouvi. Eu estava em Brasília com Maria Paula e nossos dois filhos, Mário e Martha. Todo mundo sabia do cargo que me esperava. Naquela semana, era comum que uns saudassem os outros com alguma anedota alusiva ao novo emprego de cada um. Sobrou para mim o bordão que dava início ao velho programa diário *A voz do Brasil*, logo após os primeiros acordes de *O guarani*, de Carlos Gomes. A brincadeira parecia óbvia, mas todos que vinham com ela para o meu lado faziam pose de que tinham tido uma idéia originalíssima. Abriam os braços, sorriam e mandavam ver:

— Em Brasília, 19 horas!

Suponho que imaginassem que eu morria de orgulho de *A voz do Brasil*, o que não vinha ao caso. Eu apenas acreditava que era preciso mudá-la inteiramente, mexendo inclusive no regime de obrigatoriedade — e tinha um palpite forte de que poderia mudar isso. Naqueles dias, diante das saudações efusivas, a minha sensação era de que o vulto sombrio de *A voz do Brasil* me espreitava de todos os lados: nas ruas, nos restaurantes, nas vielas encharcadas da Academia de Tênis, onde se alojaram dezenas de integrantes do futuro governo. *A voz do Brasil* era a única face conhecida da Radiobrás.

— Em Brasília, 19 horas!

Alguns, mais criativos, zombando do sotaque que ainda hoje carrego, às vezes mais acentuado, às vezes menos — isso não sei bem

31

como é que funciona, mas o sotaque é um pouco parecido com rinite alérgica, você sempre tem, embora às vezes passe —, brincavam com o "erre" meio bovino que aparece no nome da minha cidade natal. Em vez de "Em Brasília, 19 horas", preferiam uma adaptação:

— Em Orrrrlândia, 19 horas!

* * *

A Radiobrás não era nenhum conglomerado da mídia globalizada, mas era muito, muito maior que *A voz do Brasil* — que, naqueles dias, não empregava mais do que quatro ou cinco radialistas. Com 1.147 funcionários e um orçamento executado, em 2002, de 72,4 milhões de reais, a estatal que eu iria presidir tinha um porte respeitável. Para que se possa comparar, a Fundação Padre Anchieta, mantenedora da TV Cultura de São Paulo, com emissoras de rádio e televisão, apresentava na mesma época um orçamento da ordem de 120 milhões de reais, com 1.316 empregados.

Além de quatro estações de rádio, a empresa contava com duas emissoras de TV, uma agência de notícias na internet e outros serviços. Entre as rádios, lá estava a histórica Nacional do Rio de Janeiro, que, nas décadas de 1940 e 1950, foi o fator de integração nacional do Brasil. Em 2003, a Radiobrás era responsável também pela Rádio Nacional da Amazônia, em ondas curtas, cobrindo toda a Região Norte, e por outras duas emissoras, ambas no Distrito Federal, uma FM e outra AM — esta com capacidade de atingir potencialmente o país inteiro durante a noite, quando as ondas médias viajam com mais facilidade. Uma das estações de TV, a NBr, encarregada de cobrir os atos do presidente da República e do Poder Executivo Federal (a NBr estava para o governo federal assim como a TV Senado estava para o senado ou a TV Justiça para o Supremo Tribunal Federal), distribuída por operadoras de cabo, já alcançava cerca de 1,5 milhão de lares no Brasil, com 18 horas de programação diária. A segunda emissora de TV, a TV Nacional, de sinal aberto, atingia o Distrito Federal, também com 18 horas de programação. A agência de notícias da Radiobrás era a Agência Brasil.

Esse conjunto mudaria bastante a partir de 2003, numa evolução que, em quatro anos, aumentaria a produção de conteúdo, elevaria o número de emissoras e a qualidade do jornalismo oferecido ao cidadão.

* * *

Para começar a trabalhar, a nova gestão percebeu que teria de remover um *modus operandi* calcificado e enrijecido ao longo de três décadas, o *modus operandi* da servidão privada que se fazia passar por serviço público. Com dois pigarros, qualquer ministro mandava e desmandava nas equipes. Os funcionários acatavam diligentemente ordens de parlamentares, de assessorias ministeriais e de "aspones" de todo gênero. Não havia linhas hierárquicas definidas. Muita gente não sabia apontar quem era o próprio chefe — e muitos chefes não tinham idéia de quem eram os seus subordinados. Nenhum dos programas do rádio e da televisão tinha missão definida. As equipes não sabiam responder qual era a razão de ser do conteúdo que produziam. Não sabiam dizer a quem esse conteúdo se dirigia. Alguns, individualmente, tinham lá as suas opiniões, mas não havia clareza coletiva quanto a metas, missões, objetivos ou perfil do público.

Eu não poderia mudar aquilo com uma ordem: "De hoje em diante vocês farão jornalismo objetivo!" Não mudaria com duas ordens, nem com um milhão de ordens. Era preciso envolver os empregados, construir uma visão junto com eles. Por mais improvável que fosse, era preciso começar a trabalhar.

Com o tempo, alteramos o enfoque do noticiário. As notícias iam para o ar segundo o seu valor informativo. Se podiam render interpretações "positivas" ou "negativas" para uma alegada "boa imagem" do governo, isso ficou num plano secundário, ou melhor, não ficou em plano nenhum: não era problema da Radiobrás. De vez em quando, uma chamada da Agência Brasil ganhava reprodução imediata na primeira página dos mais importantes sites jornalísticos do país. Algo foi se transformando na cultura interna da empresa, dando conta de que estávamos caminhando. Os resultados eram encorajadores. Começou a nascer ali algo diferente, inesperado para a maior parte dos observadores. O que não foi exatamente bom: o tempo só começou a fechar porque a Radiobrás começou a melhorar aos olhos da sociedade.

Passamos por 2003 enfrentando pequenas resistências, que arranhavam mas não quebravam o curso do projeto que ganhava corpo. Tocávamos adiante. Em 2004, a tensão aumentou. Em fevereiro daquele ano, explodiram as denúncias contra Waldomiro Diniz, então subchefe de Assuntos Parlamentares da Presidência da República, que antes se reportava ao ministro da Casa Civil, José Dirceu, e, quando o escândalo veio a público, respondia a Aldo Rebelo, ministro da Articulação Política. Diniz, que era acusado de pedir propina a um empresário em 2002, antes, portanto, do início do governo Lula, saiu do seu cargo rapidamente, mas não impediu a elevação da temperatura jornalística. A Radiobrás, empenhada em noticiar os fatos sem governismo, tentou se comportar de modo profissional, tanto nesse quanto nos demais episódios. O retorno não vinha em forma de aplausos.

A pressão contra nós subia. Eu a amortecia, procurando preservar a equipe dos desgastes mais selvagens. De vez em quando, surgiam pancadas que me pegavam de mau jeito. Em meados de junho de 2004, eu estava fechando um dia de trabalho normal no meu gabinete, quando um portador veio me trazer um envelope branco, lacrado por um adesivo azul, onde se lia "confidencial". Chegara a mim a pedido do ministro da Secom, Luiz Gushiken. Ao abri-lo, encontrei a fotocópia de um bilhete que Gushiken recebera do ministro-chefe da Casa Civil, José Dirceu, datado de 15 de junho. Mantive a confidencialidade até o final da gestão. Somente agora, quando o primeiro governo Lula se encerrou e quando eu, Gushiken e Dirceu estamos fora da administração federal, permito-me revelar o seu conteúdo:

Prezado Ministro Gushiken,
Sou total e radicalmente contrário à proposta do Bucci de não obrigatoriedade de transmissão da Voz do Brasil. *Só faltava essa. Já não basta a Radiobrás e sua "objetividade", que na maioria das vezes significa um misto de ingenuidade e na prática mais uma emissora de "oposição".*

CAPÍTULO 3

Sob fogo cerrado do governo

O bilhete do ministro José Dirceu era curto e, com o perdão do termo, grosso. Fazia referência à minha proposta de que o governo federal tomasse a iniciativa de tornar a transmissão de *A voz do Brasil* não mais obrigatória, mas facultativa. O ministro Gushiken conhecia o meu pensamento e dialogava comigo sobre isso, sem problemas. Eu não me manifestava sobre o tema publicamente, mas em reuniões internas, quando solicitado, tentei convencer a tantos quantos pude de que a obrigatoriedade de uma rede diária de rádio não fazia mais sentido na democracia brasileira. Eu procurava demonstrar que havia formas mais eficientes de comunicação a serviço do cidadão, entre elas as que fortalecem as emissoras públicas.

Não me surpreendia que José Dirceu tivesse tido acesso ao documento. Eu não concordava com a opinião dele, é claro, mas não julgava descabido ou absurdo que ela fosse defendida dentro do governo. Era, aliás, uma posição compartilhada por muitos. Eu é que era minoritário. Portanto, nada de errado com o fato de ele criticar a minha proposta. Era legítimo. Eu também compreendia que, não sendo o ministro responsável pela Radiobrás, ele não poderia se dirigir a mim diretamente para comentar ou avaliar o meu desempenho ou o desempenho da empresa; estaria atropelando a área de outro ministro se assim agisse. O que me atingiu no contrapé foi o tom ríspido do bilhete. Achei bem estranho. Não era naqueles termos que conversávamos quando nos encontrávamos.

Nós nos conhecíamos havia mais de vinte anos. Acho que nos vimos pela primeira vez num final de semana em São Joaquim da

Barra, no interior de São Paulo, em 1981, quando os irmãos José Ivo e Paulo Vannuchi, naturais da cidade, fundaram ali o diretório municipal do Partido dos Trabalhadores. Ex-presos políticos, os dois iniciavam uma promissora carreira na legalidade: José Ivo se tornaria prefeito de São Joaquim da Barra e Paulo Vannuchi assumiria, em 2005, a Secretaria Especial dos Direitos Humanos, com status de ministério. Naquele fim de semana de 1981, eu estava em Orlândia, na casa de meus pais, a 17 quilômetros da terra dos Vannuchi. Um deles me convidou para falar em nome do Diretório Central dos Estudantes da USP, cuja direção eu integrava. Aceitei o convite. Fiz um discurso incendiário sobre a revolução internacionalista, que, pela cartilha que eu rezava, estaria àquela altura passando pela Nicarágua, se a memória não me trai. Minhas palavras empolgaram alguns dos presentes e eles subiram nas cadeiras para aplaudir.

O que não estava no programa. Em síntese, a minha performance foi uma gafe. Havia fazendeiros no recinto, e a intenção dos organizadores era apresentar o PT como algo mais institucional, pacífico, não como a algazarra esquerdista que eu tinha ido aprontar ali depois da janta. Para o bem do diretório, José Dirceu falou depois de mim, com a ponderação exata para dar um sentido mais construtivo ao nascimento do partido. Ficou tudo bem.

Nos anos seguintes nós nos aproximamos lenta e naturalmente. Em 1982, como dirigente do PT, ele me ajudou a fundar um núcleo do partido na Faculdade de Direito do Largo de São Francisco, onde eu estudava. Naqueles tempos, ele já era um personagem da História do Brasil, com seu inquebrantável sotaque caipira e sua mística de líder estudantil banido. Em 1986, foi por meio dele que eu me juntei ao núcleo que discutia um projeto de revista, que depois viria a ser a *Teoria e Debate*, da qual eu fui o primeiro editor. Em 1991, já deputado federal, ele concedeu a mim, então editor da revista *Playboy*, uma longa entrevista, que transformei, depois de bastante apuração complementar, num perfil que seria lembrado por vários anos. Nessa reportagem, contei a história até então desconhecida de sua clandestinidade em Cruzeiro do Oeste, no interior do Paraná, no final dos anos 1970, quando todos o julgavam um habitante de Cuba. Depois disso, jantamos um na casa do outro duas ou três vezes. Mesmo nos vendo pouco, estabelecemos uma relação de amizade.

Em dezembro de 2002, falei com ele poucos dias depois de aceitar o convite para presidir a Radiobrás. Estávamos de pé, no hall do segundo andar do quartel-general da campanha de Lula, em São Paulo, perto do parque do Ibirapuera. Foi um diálogo telegráfico. Perguntei o que ele achava da minha ida para Brasília. "Para mim será ótimo", ele disse, e me felicitou. Era o que eu esperava ouvir.

Com o início do governo, veio o afastamento. Quando eu solicitava uma audiência, o que fiz várias vezes, os assessores se desculpavam e me diziam que não sobrava tempo ao ministro para falar com os amigos. Assim mesmo. Eu continuava insistindo. Ao ler as palavras do bilhete, nada amistosas, cheguei a pensar que elas não tinham sido redigidas pelo próprio ministro, embora o estilo pesadão fosse inconfundível. Também achei esquisito ele se referir a mim pelo sobrenome; no contato pessoal, ele sempre me tratou pelo primeiro nome. Aquilo me incomodou.

Devo ter relido aquela folha de papel umas quatro vezes antes de ligar para o ministro Gushiken. Enquanto esperava por ele na linha, pensei que talvez eu estivesse levando o projeto a um ponto além do que seria prudente. O nosso jornalismo objetivo começava a ser chamado de "jornalismo de oposição", essa era demais. Gushiken atendeu. Cumprimentei-o, anunciei o assunto e perguntei, quase gaguejando:

— O senhor quer que eu peça demissão? Estou pronto para ir embora tão logo seja preciso.

— O que é isso? Vai desistir e entregar os pontos logo na primeira?

Em nenhum momento Luiz Gushiken me empurrou para fora, nem quando contrariado com erros do nosso noticiário — erros acontecem em qualquer veículo de informação, mas os nossos eram demasiados naquela época. A seu modo, ele soube compreender e respeitar a linha que seguíamos. Deixou-me à vontade para compor a equipe: não me recomendou nomes nem me pediu que contratasse um único diretor de sua preferência. Preenchi os postos de direção segundo os meus discernimentos, com autonomia. O mesmo se deu com os cargos jornalísticos. Houve, sim, tentativas de gente do governo de "emplacar" indicações para cima de mim, das quais eu me esquivei. Nunca essas tentativas partiram do ministro-chefe da Secom. Recebi, é claro, boas recomendações me indicando bons profissionais, que se encaixavam em perfis que nós estávamos procurando. Algumas dessas sugestões, que não tinham motivações fisiológicas, foram aproveitadas por mim. Um cuidado que tomei desde o início foi o de nunca perguntar aos meus contratados ou subordinados em quem tinham votado. Mantive esse distanciamento de propósito, para não poluir as relações funcionais na empresa. Não fiz contratações, promoções ou demissões partidárias.

Além de não ter desrespeitado a Radiobrás, Gushiken deu declarações que reforçavam a minha linha de ação. Eu me lembro bem de uma delas. No dia 6 de abril de 2005, na abertura do Encontro Latino-Americano de Rádios Nacionais, evento que a Radiobrás organizou em Brasília, coube a ele o discurso de abertura. Em sua fala, deixou explícito seu compromisso contra o uso partidário dos veículos públicos. Para mim foi um marco, tanto que conservei comigo uma cópia em vídeo desse pronunciamento.

"A comunicação pública não pode ficar prisioneira de uma visão transitória e imediatista de quem ocupa o poder", afirmou o ministro. "A comunicação pública não é para servir de promoção ao governante que está no poder."

Era isso, justamente isso, que nós tentávamos fazer valer dez meses antes, naquele mês de junho de 2004, quando me chegou o bilhetinho-bomba de José Dirceu. Como ele não era endereçado a mim, mas ao ministro Gushiken, eu não teria como tocar no assunto com o remetente. Seria uma indiscrição, no mínimo. Dias depois, num encontro rápido, no Alvorada, ele comentou que discordava da minha visão sobre *A voz do Brasil*, mas o fez de modo brando, com um sorriso afável. Fiquei na minha. Não falei de bilhete nenhum, apenas respondi que ele deveria me ouvir para amadurecer sua posição, e ele assentiu, dizendo que marcaria uma conversa. Foi um contato bastante tranqüilo, e me pareceu que, da parte dele, não havia nada contra mim, pessoalmente. Naqueles dias, muitos acreditavam existir um clima tenso entre a Secom e a Casa Civil. Toquei a vida adiante, acreditando que tinha ali uma escaramuça, mas que não me dizia respeito. Os ministros que se entendessem.

Eu já tinha digerido o episódio quando, passadas duas semanas, chegou à minha mesa outro envelope do mesmo naipe. De novo, a fotocópia de um bilhetinho no mesmo formato, com o brasão da República no canto superior esquerdo, com os dizeres "Presidência da República, Casa Civil". Dizia o seguinte:

> *Prezado Ministro Gushiken,*
>
> *Você está acompanhando os problemas na Radiobrás?*
> *As notícias da mídia e a crise com o sindicato do Chico Vigilante?*
> *Você está a par da posição pública do Eugênio pelo fim da* Voz do Brasil?
> *Você tem acompanhado o conteúdo do noticiário da Radiobrás?*
>
> *José Dirceu de Oliveira e Silva*
> *Ministro de Estado Chefe da Casa Civil da*
> *Presidência da República.*

Bem, o ministro podia não ter nada de pessoal contra mim, mas eu tinha de admitir que a minha reputação não vivia dias dourados no quarto andar do Palácio do Planalto. De novo, o destinatário não era eu. Não havia o que eu pudesse ou devesse fazer, a não ser me aborrecer. Dessa vez, porém, as interrogações do ministro-chefe da

Casa Civil me intrigaram bastante. Elas torciam um pouco os fatos. Eu não postulava "o fim" de *A voz do Brasil*, mas o fim da obrigatoriedade, o que é outra coisa. Depois, a minha posição não era pública, ao contrário do que ele afirmava. Havia uma crise entre a Radiobrás e o Sindicato dos Radialistas do Distrito Federal, isso era verdadeiro, em função de demissões que nós havíamos feito e que tiveram uma pequena repercussão na imprensa, mas as demissões eram justas, bem-fundamentadas.

Quanto ao deputado distrital Chico Vigilante, do PT, este apresentara, de fato, uma lista de acusações contra a direção da Radiobrás, falando em autoritarismo e irregularidades na gestão. Eram todas infundadas. Tão logo elas chegaram oficialmente ao meu conhecimento, determinei que fossem apuradas e, em seguida, abertas a todos os funcionários que desejassem consultá-las, fossem ou não fossem corretas. Depois de investigadas pela Secretaria de Controle Interno da Presidência da República (Ciset), um órgão setorial da Casa Civil, não se sustentavam de pé. Todas foram desmentidas. Ficaram um tempo na portaria da empresa, seguidas das respostas, amarradas por um barbante ao balcão de entrada, para que qualquer um pudesse tomar conhecimento do que elas continham. Não deram mais nenhuma dor de cabeça.

O segundo recado da Casa Civil, este sim, me deu dor de cabeça. Pessoal. Solitária. Apenas minha mulher e dois amigos próximos leram os dois bilhetes. Nem com os companheiros de diretoria eu os dividi — achei que poderia inspirar medo neles e, para que o nosso barco pudesse prosseguir, eu não poderia ter gente amedrontada no comando das equipes.

Depois, os dias se passaram, a rotina seguiu, e na vida, alguém ensinou, a gente se acostuma. Por fuga ou por espírito de sobrevivência, tentei me convencer de que não tinha que despender mais energia com aquilo, por mais chateado que eu estivesse. Não era problema meu. Se tinha alguém insatisfeito com a Radiobrás, que me convocasse oficialmente. Voltei a me apegar à teoria de que a tensão deveria ser debitada à alegada queda-de-braço entre os dois ministros, se é que ela existiu de fato. Continuei encontrando com o Zé, como eu continuei a chamá-lo, em eventos sociais. Ele seguiu atencioso comigo e com minha família. Mantive a conduta de não o inquirir sobre sua correspondência com Gushiken. Mais adiante, passei a receber sinais de reconhecimento tanto dele como de seus assessores.

Não houve crise entre nós, mas eu sabia que não contaria com o apoio explícito do chefe da Casa Civil para as bandeiras que defendi. Tudo bem. Desde os tempos da pequenina São Joaquim, aquela não seria a nossa primeira divergência. De minha parte, procurei evitar que os descaminhos políticos estragassem uma história de estima pessoal. A minha admiração por sua combatividade permaneceu intacta. Mais de um ano depois, quando ele foi cassado na Câmara dos Deputados, eu lhe telefonei para dizer exatamente isso. Ele agradeceu. Quando eu deixei a Radiobrás, no inicio de 2007, ele me mandou um e-mail e depois telefonou para me cumprimentar pelo trabalho. Também agradeci.

* * *

Em 2004, quando tive esses pequenos dissabores, o presidente Lula dizia que o ano seguinte seria o ano da colheita. Eu até acreditei, e me animei, mas o presidente errou. O ano seguinte foi o ano da tempestade. Na edição com data de 18 de maio de 2005, a revista *Veja* publicou cenas de um vídeo que flagrava Maurício Marinho, chefe do Departamento de Contratação e Administração de Material, recebendo dinheiro em seu local de trabalho. Marinho dizia estar sob o comando de Roberto Jefferson, deputado federal pelo Rio de Janeiro e então presidente do PTB: "Ele me dá cobertura, fala comigo, não manda recado. Eu não faço nada sem consultar." Imediatamente, a criação de uma Comissão Parlamentar de Inquérito entrou na ordem do dia no Congresso Nacional. No mês seguinte, em junho de 2005, eclodiu a crise que iria destituir ministros, cassar parlamentares, demitir assessores, derrubar presidentes de partidos e diretores de estatais. Mais exatamente, no dia 6 de junho de 2005, em entrevista a Renata Lo Prette, da *Folha de S.Paulo*, Roberto Jefferson atacou e declarou que havia na Câmara Federal um sistema de compra de votos de parlamentares, pelo qual o governo aliciaria deputados mediante pagamentos mensais de trinta mil reais. Explodiu aí o escândalo que logo seria nacionalmente conhecido pelo apelido de "mensalão".

Abriu-se uma temporada de caça a qualquer coisa que se movesse. Investigações oficiais foram abertas nos três poderes da República. O Conselho de Ética da Câmara dos Deputados foi a primeira arena da batalha. Ali começou logo o julgamento de Roberto Jefferson, que terminaria cassado por fazer denúncia sem prova — e também por ter admitido ter recebido dinheiro de "caixa dois". Na mesma trilha trabalhavam as Comissões Parlamentares Mistas de Inquérito — a da Compra de Votos, que terminou sem votação de relatório final, e a dos Correios, cujo relatório seria apresentado somente em março de 2006 —, e, no Senado, instalou-se a CPI dos Bingos. Outras frentes de investigação surgiram na Controladoria Geral da União, no Tribunal de Contas da União, no Ministério Público Federal, na Polícia Federal e até no Supremo Tribunal Federal, acionado porque alguns dos denunciados tinham foro privilegiado, porque alguns deputados alegavam cerceamento de defesa e também porque alguns depoentes nas CPIs solicitavam *habeas corpus*, para se assegurar de que não sairiam presos do depoimento.

O saldo ceifou pedaços da administração federal. José Dirceu deixou seu ministério, a Casa Civil, no dia 16 de junho de 2005. Voltou à Câmara dos Deputados e de lá se despediria em 1º de dezembro, por força da cassação. Em julho daquele ano, o ministro Luiz Gushiken, da Secom, primeiro viu sua pasta perder o status de ministério e, em seguida, acabou se desligando dela, carregando consigo apenas o Núcleo de Assuntos Estratégicos, que já estava sob seu comando, onde sobreviveu até o final de 2006. No meio de setembro de 2005, o governo já contabilizava 47 exonerações e afastamentos de dirigentes e servidores de empresas estatais — entre elas: Empresa Brasileira de Correios e Telégrafos, Instituto de Resseguros do Brasil, o Banco do Brasil, Casa da Moeda, Banco do Nordeste, Cobra Tecnologia e Furnas Centrais Elétricas. Os presidentes do PT, José Genoino, e do PSDB, Eduardo Azeredo, converteram-se em ex-presidentes. A crise atingiu a direção nacional do PT, que teve de abrir mão de três de seus quadros mais destacados: o tesoureiro, Delúbio Soares, o secretário-geral, Sílvio Pereira, e o secretário de Comunicação, Marcelo Sereno. Isso para listarmos apenas algumas das conseqüências da crise no segundo semestre de 2005. Na Câmara dos Deputados, dezenas de parlamentares e assessores foram apontados como suspeitos de integrar o esquema de caixa dois. As Comissões de Inquérito indicaram que 13 deputados teriam ferido o decoro parlamentar. Até 2006, desse total, onze seriam absolvidos, outros três, cassados e quatro fugiram das acusações com a renúncia do mandato.*

Para a Radiobrás, o desafio parecia estar acima de suas forças e de sua autonomia: não seria simples cobrir um escândalo de tão grandes proporções, envolvendo diretamente personagens ligados ao governo. Nós não sabíamos se os parâmetros de objetividade e de apartidarismo resistiriam. Foi para nós um período de imenso desgaste físico. No final, constatamos que valeu a pena. O noticiário da Radiobrás atravessou aquelas trevas sem se dobrar, nem ao governismo nem ao sensacionalismo. Só a Agência Brasil, naquele ano, publicou, apenas a

---

* A chamada Crise do Mensalão foi se desmanchando no ar e perdendo peso. Após a reeleição do presidente Lula, o tema voltou à ordem do dia com o julgamento da denúncia do procurador-geral da República, Antonio Fernando Souza, no plenário do Supremo Tribunal Federal, em agosto de 2007. Quarenta denunciados passaram a responder por denúncias de lavagem de dinheiro, corrupção ativa e passiva, peculato, formação de quadrilha etc.

respeito das denúncias e das apurações do chamado "mensalão", nada menos que 3.500 reportagens. Não sofreu uma única acusação de sonegação de dados e algumas das notícias que veiculou em primeira mão foram reproduzidas em seguida por inúmeros órgãos de imprensa do país e do exterior. Nossa credibilidade cresceu.

À medida que o terremoto causado pela revelação do esquema ganhava mais intensidade, os ânimos de setores menos afeitos ao valor da verdade factual, compreensivelmente, subiam na escala Richter. A Radiobrás era objeto de queixas, de dentro e de fora do governo, às vezes mais duras, às vezes amenas; às vezes vindas de burocratas inexpressivos, às vezes dirigidas a nós por ministros de Estado. Evitavam reclamar comigo diretamente, mas às vezes me chegava uma lamúria ou outra, um desaforo, um muxoxo. Não tivemos baixas. Tivemos, isto sim, um saldo de aprendizado jornalístico. E político. Acostumamonos ao clima de asperezas.

* * *

Em matéria de asperezas, há outro episódio que mostra com nitidez a contundência das críticas que recebíamos, e isso mesmo em tempos de relativa calmaria. No dia 2 de junho de 2005 — cerca de duas semanas antes de eclodir o fato Roberto Jefferson, portanto — uma pequena nota da Agência Brasil sobre a paralisação dos servidores públicos federais, que estava convocada para aquele dia, deu ensejo a uma dessas críticas. Naquele dia, o ministro da Secom, Luiz Gushiken, recebeu um e-mail e providenciou para que ele chegasse rapidamente até mim. Era de Ricardo Berzoini, então ministro da Previdência. Os termos do e-mail refletem com precisão a mentalidade que se voltava contra nós.

> *Caro Gushiken,*
> *Bom dia.*
> *Tem coisas na Radiobrás que não entendo. Tudo bem que a agência não deva ser um Diário Oficial, ou ser submetida à censura prévia.*

Mas fazer propaganda de um movimento minoritário puxado pelo PSTU e PFL, claramente em oposição ao governo, e que apregoa mentiras sobre a política de RH de nosso governo, é demais para o meu espírito democrático.

Na minha modesta opinião, está faltando direção na Radiobrás.

Um abraço (desculpe a irritação)
Do seu escudeiro
Berzoini.

Antes de qualquer comentário, é preciso dizer que a acusação não procedia. Apenas naquele dia, 2 de junho, quando teve início a paralisação de servidores, a Agência Brasil tinha publicado 29 pequenas notícias sobre a greve, ouvindo tanto representantes do governo como os líderes grevistas, além de outros personagens. Todos tiveram as mesmas oportunidades de apresentar e sustentar seus pontos de vista. Os termos com que o ministro da Previdência se referia à Radiobrás, contudo, davam a entender que ele não tinha visto o conjunto da nossa cobertura. Antes de me preocupar em responder e esclarecer os fatos, experimentei um sentimento de vitória ao saber que Ricardo Berzoini admitia, por escrito, que a Agência Brasil não deveria ser um Diário Oficial nem sofrer censura prévia. Já era alguma coisa. Nos dias subseqüentes, chegamos a preparar uma resposta oficial ao ministro da Previdência Social, em que listávamos aproximadamente três dezenas de pequenas reportagens da cobertura do movimento de paralisação. Queríamos preparar um caderno circunstanciado, em detalhes, extenso, que fosse uma resposta definitiva. Mas os fatos se precipitaram tanto a partir daquela data, mas tanto, que o próprio Berzoini deixou o cargo umas semanas depois e acabamos nunca enviando a tal resposta.

CAPÍTULO 4

O cafezinho da ambigüidade

Há no Alvorada um cômodo subterrâneo, ou quase subterrâneo, que não chega a ser uma caverna, mas por pouco. É um grande salão retangular, abaixo do nível do chão da área externa. A parede mais extensa, de uns 18 ou 20m de comprimento, é rasgada bem no alto por um vitrô estreito, que deixa entrar a luz do dia. Com parcimônia. Deixa passar também uma ventilação simbólica, suficiente para arejar aquele porão, ou melhor, a sala de jogos do Palácio: lá estão uma boa mesa de sinuca, uma televisão avantajada, quatro computadores perfilados, lado a lado, e três pequenas mesas quadradas, que devem ter sido projetadas para a prática do carteado. Há ainda, emoldurado por três bancos mais altos, um bar de madeira que, desconfio, nunca foi abastecido. O ambiente melhorou depois da reforma que terminou em 2006: o ar-condicionado ficou mais silencioso; a iluminação ganhou um tom leitoso, mais elegante; o carpete, ao menos quando novinho, despertava no visitante a vontade de caminhar descalço pelas dependências.

Encontrei o presidente da República nesse cenário algumas dezenas de vezes. Ali gravamos muitas edições do programa de rádio *Café com o presidente* (entre outubro de 2004 e abril de 2006, quando o Alvorada esteve em obras, as gravações aconteciam no salão ao lado da churrasqueira da Granja do Torto). Sempre, desde o seu início, o *Café*, com duração de rígidos seis minutos, apenas seis minutos, foi exibido às segundas-feiras de manhã. A Radiobrás o transmitia por satélite e também em suas emissoras próprias, em quatro horários diferentes, além de oferecê-lo livremente pela internet. A rotina se iniciou no final de 2003, com uma periodicidade quinzenal, tornou-se semanal em 2005 e se estendeu até junho de 2006, quando, por força da legislação, o programa foi suspenso: candidato à reeleição, Lula estava proibido de manter um programa de rádio. Depois disso, ele só seria retomado no finalzinho de dezembro de 2006. Até o início de 2007, fiz questão de acompanhar as gravações.

No início, elas costumavam acontecer nas manhãs de sábado ou de domingo e, mais para o final, eram agendadas para o domingo à noite. Em quase todas as vezes, o presidente trajava camisetas dos mais diferentes clubes dessa curiosa modalidade esportiva a que designam futebol. Não sou um adepto dos jogos, mas calculo que devem existir mais de setenta ou oitenta times no mundo, pois nunca vi o presidente repetir um uniforme.

Com freqüência, esses encontros propiciavam conversas, ora duras, ora divertidas, nas quais Lula avaliava o andamento de sua administração. Eram poucos os participantes, não mais do que quatro ou cinco, além dos três profissionais da Radiobrás responsáveis pelas operações. O chefe do gabinete pessoal do presidente da República, Gilberto Carvalho, era a figura mais assídua. O ministro Gushiken, depois substituído por Luiz Dulci — titular da Secretaria Geral da Presidência da República, que em 2005 assumiu as funções da extinta Secom —, também marcava o ponto, assim como o secretário de Imprensa e porta-voz André Singer. Vez ou outra, dependendo do assunto, um ministro a mais se juntava ao grupo para esclarecer eventuais dúvidas relacionadas à sua pasta, que seria o tema da entrevista. Esses ministros visitantes, a pedido do presidente, acabavam falando no programa.

As conversas que antecediam a gravação se estendiam por até mais de uma hora. Fui descobrindo uma capacidade que eu desconhecia no presidente: ele tinha números de memória e sabia relacioná-los em raciocínios rápidos e criativos, aliando um sólido princípio de realidade a uma sensibilidade delicada com relação às expectativas das pessoas, dos movimentos sociais, dos políticos, de outros chefes de Estado. Ele conhecia os meandros dos processos do Estado e descrevia minuciosamente os programas de governo. Dezenas de vezes eu o vi pedir ligações para seus auxiliares, ministros ou não, e questioná-los sobre o andamento de cada providência, retocando os cronogramas com uma precisão que deixava o sujeito do outro lado da linha sem argumentos. Às vezes, durante as conversas, acontecia de ser apresentado a ele algum relatório. Ele o lia com rapidez e imediatamente apontava acertos, inconsistências ou riscos que, não raro, haviam escapado aos próprios autores do documento.

Outro aspecto em sua personalidade me chamava a atenção: fibra. Nos períodos mais sangrentos das crises políticas que seu governo atravessou, eu o vi rabugento, contrariado, irritadiço, eu o vi levantar a voz e xingar até as paredes, mas jamais o vi desanimado. O moral de Lula é uma fortaleza. Não admitia pessimismo ou desalento em nenhum interlocutor. Não se deixava intimidar. No segundo semestre de 2005, nos piores dias, quando alguns chegaram a aventar a hipótese de impeachment nos jornais, a determinação do presidente foi o principal fator para que o *Café* passasse de quinzenal a semanal. Eu era contrário; temia que a alteração da periodicidade desembocasse num desgaste, numa vulgarização da fórmula, e duvidava de que o presidente conseguisse abrir em sua agenda um horário semanal para as gravações. Fui voto vencido — e só fui vencido porque não podia dar ordens ao presidente da República. O *Café* se tornou semanal. Quanto mais o clima pesava, mais ele queria falar para o país. Lula partiu em visitas a todo tipo de comunidade, ampliando a sua pesada jornada de trabalho, que já era intensa, numa carga que extenuava seus assessores, um a um, e que não dava descanso nem nos fins de semana. Eram comícios em inaugurações, acompanhamentos de obras, compromissos que não acabavam mais. Contra as minhas recomendações, o *Café* se tornou semanal. Contra as minha previsões, o presidente cumpriu religiosamente os horários de gravação. Contra as minhas projeções, o sucesso do programa aumentou.

As melhores lembranças que ficaram desse período são as conversas preliminares, que se alongavam livremente antes de ligarmos os microfones. O presidente discorria sobre política externa, sobre biodiesel, sobre juros reais e sobre combate à corrupção. Contava casos engraçados e passagens trágicas, falava de futebol, esse tema árido para mim, e também de churrasco. Contava piadas de mau gosto das quais eu me recusava a rir, bancando o chato. As sessões acabavam servindo de aquecimento para o programa — que se beneficiou muito disso. Em todas essas ocasiões, a pauta melhorava. De vez em quando, graças ao aquecimento, o presidente aceitava tratar de tópicos mais delicados, sensíveis, que antes lhe soavam indevidos. Foi assim quando concordou em se manifestar a respeito das acusações que pesavam sobre Waldomiro Diniz, então assessor do ministro da Secretaria de Coordenação Política e Assuntos Institucionais da Presidência da República, Aldo Rebelo.

Para que se dimensione a delicadeza do momento, vale a pena uma breve recapitulação. Na edição com data de 16 de fevereiro de 2004, que foi para as bancas poucos dias antes, na sexta-feira, 13, a revista *Época* trouxe uma reportagem assinada por Gustavo Krieger e Andrei Meirelles, com fotos e transcrições de um vídeo gravado em 2002, em que Diniz aparecia pedindo propina a um empresário no Rio de Janeiro. O empresário era Carlos Augusto Ramos, ligado ao setor de jogos. Waldomiro, naquele ano de 2002, era o presidente da Loteria do Estado do Rio, a Loterj. Benedita da Silva, do PT, era a governadora em exercício do Rio (eleita como vice em 1998, assumira o cargo porque o governador Anthony Garotinho, do PDT, tinha renunciado para concorrer à Presidência da República nas eleições de 2002). De acordo com a revista, Waldomiro teria negociado contribuições mensais de 150 mil reais para Benedita, então candidata ao governo do estado, e para Rosinha Matheus, esposa de Garotinho, que terminaria eleita pelo PSB. Ao final da reunião, ele pedia 1% dos valores a título de comissão pessoal. A conversa gravada acontecera antes do início do governo Lula, mas, mesmo assim, a reportagem acendeu o pavio de um escândalo nacional. Waldomiro era um assessor muito próximo do núcleo do poder do Planalto.

No mesmo dia em que a revista circulou, o presidente Lula exonerou o funcionário — a pedido deste. Não queria mais falar disso. Cerca de uma semana depois, durante o aquecimento da gravação do *Café* que iria ao ar no dia 23 de fevereiro de 2004, o presidente se recusava a tocar na ferida, resistindo com agressividade:

— Por que é que vou chamar atenção pra esse assunto, pô?

Eu argumentava que o tema já estava nas manchetes, que era inútil tentar evitá-lo (sim, nas gravações, eu mesmo, que defendia um jornalismo apartidário e impessoal, atuava como conselheiro do presidente, numa ambigüidade flagrante e incômoda que vou comentar mais adiante). Dei mais um argumento para reforçar o meu conselho:

— O país precisa de uma palavra sua para se tranqüilizar, presidente.

Ele deveria dar publicamente uma garantia de que as apurações iriam avançar, sem percalços. O presidente disse não e não. De cara fechada, determinou:

— Vamos começar a gravar.

O entrevistador — jornalista Luiz Fara Monteiro, da Radiobrás — fez duas ou três perguntas triviais, devidamente respondidas, e, a seguir, falou do escândalo. Sem se alterar, o presidente, para surpresa de todos nós, entrou normalmente no tema. Desenvolveu uma argumentação franca, desarmada e convincente:

— O presidente da República tem que ter tranqüilidade, sempre contar até dez antes de falar alguma coisa.

Nós nos entreolhamos. Lula estava decidido a dar uma declaração. Ele continuou, calmamente:

— Pegue essas denúncias que envolveram o governo agora, quer dizer, o que é que eu tinha que fazer? Eu soube da notícia às dez e meia da manhã e ao meio-dia eu já tinha exonerado o cidadão que estava envolvido. Esse cidadão cumpria uma função das relações entre o governo federal e o Congresso Nacional. Até agora não se tem nenhuma prova de que ele cometeu algum ato ilícito nessa função. Ora, se ele cometeu alguma coisa antes ou fora da sua função, é um problema da Polícia Federal, é um problema do Ministério Público, é um problema da polícia. O presidente da República não tem poder de prender ninguém. Se vai ter ou não uma CPI, o Congresso Nacional tem maioridade, tem inteligência, tem homens muito capazes que poderão decidir se vai ou não haver uma CPI.

Na conclusão da resposta, afirmou:

— Eu queria por fim dizer ao povo brasileiro que eu aprendi nesse um ano de presidente da República a não perder a calma em nenhum momento, a estar sempre tranqüilo, porque da minha tranqüilidade é que eu posso passar tranqüilidade para o meu povo. Eu muitas vezes agradeço o comportamento que a imprensa tem, mesmo um adversário político quando faz uma denúncia, sempre é importante a gente não ficar dizendo que é um adversário, é preciso saber se tem fundamento ou não, se tem indício de prova ou não, e o nosso papel é apurar. O nosso papel é apurar. (...) Tudo que houver de denúncia desse governo vai ser apurado, a Polícia Federal vai ser acionada, o Ministério Público tem autonomia para fazer as suas investigações, o Congresso Nacional tem as suas autonomias, ou seja, em nenhum momento, qualquer pessoa no Brasil pode imaginar que uma denúncia qualquer cause crise política no país. Esse país é muito sólido. Esse país tem instituições democráticas muito fortes. (...) E eu estou pronto para superar qualquer dificuldade com a tranqüilidade que vocês sabem que eu tenho.

Quando o *Café* foi ao ar, na segunda de manhã, dia 23 de fevereiro, tinha a primeira declaração do presidente para os meios de comunicação sobre aquelas acusações. Edições como aquela fizeram com que o *Café* se transformasse numa pauta habitual da imprensa. Com o tempo, cerca de 1.400 emissoras passaram a reproduzi-lo regularmente, no todo ou em parte. Voluntariamente. Estimávamos esse número consultando as rádios, por amostragem, e depois projetando o total, pois não havia nenhum sistema que permitisse um levantamento preciso da quantidade de emissoras que transmitem um programa como esse. A repercussão em outros meios era expressiva. No segundo semestre de 2005, nós quantificamos alguns índices, estes sim, medidos criteriosamente, pois tínhamos todo o material em mão: uma edição do *Café* gerava, em média, sete minutos de reportagens em telejornais de alcance nacional, que o citavam diretamente, e, nos grandes jornais impressos, cerca de 240 linhas, com pelo menos duas chamadas de capa a cada semana. Os sites de agências de notícias ou de edições eletrônicas de veículos jornalísticos apareciam nesse mesmo levantamento com outras 320 linhas semanais e quatro chamadas de capa. Com freqüência, os telejornais costumavam repetir os trechos de mais impacto, dividindo a tela em duas partes: de um lado ficava a foto do presidente Lula e, de outro, a frase mais importante. Como o presidente não concedia entrevistas com regularidade, o *Café* se tornou, na opinião de alguns observadores da mídia, o principal meio de comunicação direta de Lula com o grande público.

A fórmula deu certo graças a uma combinação de fatores. O andamento descontraído da entrevista ajudava, certamente. O linguajar do presidente era natural, sem impostação e sem ares oficiais. Em lugar de ler um texto pronto, ele falava com espontaneidade. O principal atributo do *Café*, contudo, foi o fato de que o entrevistado não fugia dos temas espinhosos. O que ele comentava no programa correspondia, com freqüência, à pauta jornalística da semana e às indagações da opinião pública.

* * *

A pequena saga do *Café com o presidente* revela traços da relação da Radiobrás com o governo. De um lado, ajuda a mostrar de que modo a empresa, por meio dele, obteve prestígio no Planalto. De outro lado, deixa ver a confusão que sempre existiu, no Estado brasileiro, entre o que é informação e o que é propaganda de governo. Comecemos pelo prestígio, que é o lado bom da história.

Quando o governo começou, dei um jeito de me meter nas conversas sobre os projetos de um programa de rádio do presidente Lula. Sabia que aquilo era comunicação de governo, que não figurava na lista de atribuições da Radiobrás, mas enxerguei ali uma oportunidade de nos credenciar aos olhos do presidente. Uma tacada arriscada, sem dúvida. Nas primeiras discussões, tínhamos como referência os modelos de José Sarney e Fernando Henrique Cardoso, que também tiveram os seus programas de rádio. A fórmula era inspirada em Franklin Roosevelt, que, desde seus tempos de governador de Nova York, costumava se valer do rádio, num estilo de comunicação informal, bastante peculiar, em programas que ficaram conhecidos como *"fireside chats"*, ou "conversas ao pé da lareira". Quando se tornou presidente, em 1932, Roosevelt manteve essa utilização dos microfones, em falas que atingiam até oitenta milhões de ouvintes. Numa homenagem um tanto canhestra a essa origem americana, o programa de José Sarney se fizera batizar de *Conversa ao pé do rádio*. Os antecessores de Lula, porém, acomodaram-se em formatos sem maiores atrativos, que não corriam riscos nem compravam brigas: eram textos lidos, monótonos, protocolares e frios, sem temas explosivos e, portanto, sem vocação para ganhar as manchetes.

Nós mudamos o padrão. Adotamos a receita de entrevista e demos preferência ao critério jornalístico para a escolha da pauta. Claro que isso aumentou o estresse da produção. O processo era sofrido. Muitas vezes, as conversas de aquecimento com o presidente eram debates acalorados sobre o que deveria ser perguntado a ele. De todo modo, o resultado foi melhor com Lula do que com Sarney ou Fernando Henrique.

Em meados de 2003, quando estávamos gravando pilotos — o programa só estrearia no dia 17 de novembro daquele ano —, pouca gente no governo apostava que a Radiobrás tivesse competência para assumir a responsabilidade operacional por um programa daquele tipo. "Vai ser uma *Voz do Brasil* piorada", amaldiçoavam os mais modderninhos. A estatal que eu presidia definitivamente não tinha a imagem de ser um núcleo criativo e, talvez por isso mesmo, nunca tinha sido convidada para a tarefa — produtoras privadas tinham merecido a incumbência de criar e manter os programas dos antecessores de Lula. Achei que tinha espaço para mudar isso e assumi o desafio de ganhar o serviço. Na falta de um modelo consagrado da própria Radiobrás que eu pudesse apresentar, apelei para o argumento ideológico: insisti que, para sermos coerentes e para valorizarmos a qualificação da empresa pública, deveríamos confiar o programa à Radiobrás. Gushiken me apoiou. O publicitário Duda Mendonça lhe sugeriu o nome de *Café com o presidente* para o projeto, sugestão que encampei na hora.

Como a Radiobrás não tinha experiência nesse tipo de produção, nem inspirava confiança no pessoal da Secom e do Planalto, decidi contratar a produtora de Luiz Henrique Romagnoli, a Toda Onda, para produzir a primeira fase e também para capacitar os profissionais da casa para que assumissem, depois, sozinhos, a confecção do programa. Romagnoli, que já trabalhara com Lula durante a campanha e desenvolvera com o presidente um relacionamento franco e fácil, não ficou só nisso. Preparava pessoalmente a pauta, em detalhes, o que incluía o levantamento minucioso e a checagem dos dados que pudessem ser necessários.

Com um versátil traquejo no rádio, Roma, então com 46 anos, foi o *band leader* do *Café* presidencial. Figura ímpar, pode-se dizer. Figura grande, ele mesmo acrescentaria, com seu humor corpulento. Quando íamos ao restaurante Porção ou às feijoadas do Bar Brasília, nos fins de semana de trabalho, costumava forrar a extensa camisa com um guardanapo. Depois de esticar bem a peça como quem estende uma toalha sobre a mesa, encarava os convivas com os olhos apertados sob as sobrancelhas de peso e explicava a precaução: "Já faz tempo que eu estou nesse corpinho." E ria. Confortável em seus 160 quilos e 1,88m, rigorosamente balanceados com temporadas em spas, ele se orgulhava de não deixar que uma gota de molho o alvejasse enquanto o garfo sobrevoava o extenso território do seu "corpinho". Se caísse, seria amortecida no guardanapo. Dono de um vozeirão de *subwoofer*, sabia ser locutor, diretor, produtor, professor, inspirador e trator de uma vez só. Esteve presente em todas as gravações do primeiro ano do *Café*. Fazia pessoalmente a edição final, que eu, depois, aprovava.

Para contratá-lo, a Radiobrás não fez licitação. Com base num extenso parecer da área jurídica da empresa, examinado e aprovado pela Auditoria Interna, a diretoria concluiu que, de fato, não era obrigatório nem razoável que licitássemos um serviço tão específico, de tão baixo custo, cujo prestador teria acesso, regularmente, ao interior da residência do presidente da República. Fechamos o contrato por cinco mil reais por mês. Isso mesmo: apenas cinco mil reais por mês. Para quem gosta de comparações, aí vai: no governo anterior, a produtora que fazia o programa de rádio de Fernando Henrique Cardoso, chamado *Palavra do presidente*, e que também prestava serviços de clipping de notícias ao Planalto, recebia, mensalmente, R$ 29.532,00, isso em valores do ano 2000.

Embora o montante fosse irrisório, o contrato nos rendeu dissabores nada irrisórios. De tempos em tempos, alguém o "denunciava" na imprensa, com cifras incorretas. Era uma chateação sem-fim: tínhamos de desmentir, escrever cartas, mandar fotocópias do contrato aos jornais e às emissoras. No final de 2004, o Tribunal de Contas da União recomendou que ele não fosse renovado, o que motivou mais diz-que-diz-que. Para nossa sorte, àquela altura nós já não tínhamos intenção de mantê-lo. Nem necessidade. E, antes mesmo da manifestação do TCU, a Radiobrás já comunicara, em carta à Toda Onda, a sua decisão de não renovar o acordo. Não havia mais por quê.

No final de 2004, os profissionais da estatal tinham passado pela capacitação e estavam prontos para assumir sozinhos a empreitada. Em janeiro de 2005, o *Café com o presidente* se converteu em mais um produto cem por cento Radiobrás. A jornalista Helenise Brant, que já havia dirigido uma profunda reforma editorial na *Voz do Brasil*, assumiu a direção. Ex-professora de Edição de Rádio na PUC de Belo Horizonte e ex-gerente de jornalismo da CBN da mesma cidade, Helenise era uma das mais completas profissionais da estatal. Nas mãos dela, o *Café* só melhorou. A estratégia tinha funcionado. Sendo a responsável pelo programa do presidente, a Radiobrás ganhou trânsito e também um pouco mais de respeito dentro do governo. Se isso atrapalhou ou ajudou a garantir a linha de jornalismo objetivo e apartidário que eu precisava construir, é uma pergunta a que não posso responder de pronto. A resposta depende de uma análise da mesma história a partir de um outro ângulo.

* * *

Portanto, mudemos logo de ângulo. Vista de outra perspectiva, a mesma história descortina um lado menos edificante do vínculo que atava a Radiobrás ao Planalto. Por esse lado menos favorável, pode-se entender um pouco melhor como a função de informar o público se confundia perigosamente com a função de fazer propaganda. A trajetória do *Café* foi pródiga em explicitar essa confusão traiçoeira: o programa oferecia informação de valor jornalístico, mas também, por mais que procurasse evitar, esbarrava a toda hora no proselitismo. Em quase todas as áreas da Radiobrás, essa ambigüidade foi abolida. No *Café com o presidente*, porém, ela comparecia semanalmente, como se fosse castigo, como se estivesse ali para rir de nós, como se quisesse proclamar que não estava superada coisa nenhuma e que a qualquer momento poderia voltar com tudo, enterrando de vez as nossas pretensões de fazer jornalismo com foco no cidadão. A estratégia do *Café* tinha dado certo, para nossa infelicidade.

O problema do sucesso de um programa como o *Café* estava exatamente aí: ele gerou prestígio no governo para o nosso trabalho, mas esse prestígio era diretamente proporcional à ajuda que ele prestava à construção da boa imagem do presidente. O prestígio gerado pelo *Café* não decorria dos seus alegados méritos jornalísticos, mas dos seus efeitos propagandísticos. Com isso, ele valorizou a Radiobrás, mas, ao mesmo tempo, contribuiu para que ela fosse vista como parte da máquina de propaganda do governo.

Por minha responsabilidade, entramos nessa vereda ambígua. Quando comecei com o projeto, achei que teria como separar mais claramente as coisas. Eu repetia que nós não éramos os responsáveis pela pauta, pela aprovação, pela condução política; apenas fazíamos a parte operacional. Caí do cavalo nas primeiras semanas. Nós nos preparávamos para gravar a quarta ou quinta edição, já com os microfones a postos na sala de jogos, quando Gushiken me chamou para uma conversa num pequeno hall ao lado, em frente ao cinema do Alvorada:

— Eugênio, deixa eu falar pra você: eu tenho uma falta gravíssima de quadros, gravíssima, e não tenho gente para mais essa tarefa, Eugênio. Eu preciso que você assuma a coordenação total do programa.

Eu não queria aquele pacto. Na concepção que eu propunha, a Radiobrás assumiria, com o apoio da produtora que estava contratada para o primeiro ano, as funções técnicas, não a direção editorial. Esta, eu insistia, deveria permanecer a cargo da Secom, órgão encarregado da comunicação de governo. A Radiobrás não tinha esse tipo de incumbência, pois a lei não lhe atribuía esse papel. Pelo meu entendimento, a Secom teria de chamar para si o controle da pauta e a aprovação da edição final. O meu argumento era simples, lógico e convincente. Todos sabiam que, funcionalmente falando, eu tinha toda a razão. Mas, funcionalmente falando, bem, funcionalmente falando aquilo não ia dar certo de jeito nenhum.

Gushiken não tinha gente, ou achava que não tinha gente, e não tinha mais conversa. Eu tive de assumir a direção, a coordenação, a supervisão geral, enfim, virei dono do produto. Ou seria aquilo ou sobreviria uma pequena crise que poderia retirar da Radiobrás a tarefa inclusive técnica, e isso seria muito negativo. Comprei o risco de ter, sobre as definições do *Café*, mais responsabilidades do que deveria ter. Por isso é que digo que enveredei voluntariamente pela ambigüidade. Claro que a Secom ajudava na definição das pautas e também comparecia às gravações, dando diretrizes, mas a edição final acabou pesando mesmo sobre as minhas costas. Aprovei absolutamente todos os programas e, como gravávamos bem mais do que os seis minutos que cabiam no formato, tínhamos de cortar sempre. Desse modo, eu trouxe para mim funções de comunicação de governo, que extrapolavam, no meu modo de ver, as minhas atribuições originais de presidente da Radiobrás. Eu as assumi por delegação direta do ministro da Secom, o que não constituía uma ilegalidade, por certo, mas configurou uma situação, repito, ambígua e um tanto penosa.

Abriu-se aí um novo flanco. Se estava sob a minha responsabilidade, o programa teria de ser jornalístico, não uma arma banal de propaganda. Em nenhum momento o programa adotou técnicas de veiculação publicitária, não foi exibido ou retransmitido em espaços pagos nas emissoras. Por isso, rigorosamente, não poderia ser chamado de publicidade. Felizmente, prevaleceu a fórmula jornalística de distribuição. O *Café* sempre ocupou espaços editoriais nas emissoras que o reproduziram e nunca foi exibido como peça publicitária.

Também nunca foi pensado, pautado, gravado ou editado como peça publicitária. É claro que o presidente tinha a prerrogativa de não responder às perguntas que julgasse esdrúxulas ou inoportunas — mas, de outro lado, eu e outros tínhamos o espaço de questioná-lo quando discordávamos do critério. No limite, o presidente era soberano sobre a pauta, mas nós defendíamos as perguntas que julgávamos de interesse público, e muitas vezes, como no programa em que ele falou sobre o caso Waldomiro, nós convencíamos o nosso entrevistado de honra a não se desviar das interrogações desconfortáveis. Isso foi gerando um fluxo interessante e, não raro, era o presidente quem trazia a sugestão de pauta mais quente. Nessas ocasiões, o programa rendia.

Mesmo assim, a fronteira estava ali, a um passo. Com formato de entrevista, o *Café* não se parecia com uma peça de propaganda, mas, sob determinados ângulos, poderia ser definido como um programa de formato jornalístico que promovia a divulgação das realizações de governo. O abismo sempre ali. Para conservar-lhe credibilidade, eu precisava manter uma vigilância constante, neurótica, do tipo que cansa todo mundo, desgasta, corrói. Muitas vezes, aos olhos do presidente, eu passei a impressão de não defender o governo que ele chefiava. "Isso eu não vou falar", ele protestava. "Então o presidente vai falar no rádio para dar notícia ruim?"

A experiência do *Café* acabou sendo a experiência de um atrito prolongado, que deitava raízes na falta de fronteiras claras entre a propaganda e a informação. Às vezes, Lula olhava para mim e via um jornalista distanciado, indiferente aos seus dramas. E tinha razão. Outras vezes, ele me encarava e via um quadro político a seu dispor. De novo, tinha razão.

* * *

Nunca o presidente da República pediu que a Radiobrás deixasse de dar alguma notícia, nem sugeriu que direcionássemos o noticiário para proteger as autoridades. Mais de uma vez, eu o ouvi dizer: "Se é verdade, tem que ser publicado." Freqüentemente, ouvia queixas contra a Radiobrás e, de vez em quando, comentava uma ou outra comigo, tentando não transmitir no comentário um tom de cobrança. Nessas horas, vinha à tona o custo da ambigüidade que marcava a relação dos jornalistas que eu chefiava com o Palácio do Planalto.

Nas conversas preliminares ao *Café*, era raro que a Radiobrás fosse o objeto do colóquio, mas acontecia. Na gravação do segundo ou do terceiro programa, deu-se um diálogo que me marcou. Dias antes, Nilmário Miranda, então ministro dos Direitos Humanos, concedera uma entrevista que imediatamente seria considerada infeliz por todo mundo no Planalto. O caso, contado depois de tanto tempo, vai soar anedótico. Naqueles dias, porém, fazia franzir a testa do pessoal. A matéria saiu na Agência Brasil, da Radiobrás, no dia 19 de novembro de 2003. O título não era nada chapa-branca: "Nilmário Miranda atribui aumento do trabalho infantil ao ajuste econômico." Os dois primeiros parágrafos da reportagem de Juliana Andrade davam a síntese da declaração que acarretaria um pequeno mal-estar no governo:

> Brasília — O ministro Nilmário Miranda, da Secretaria Especial dos Direitos Humanos, atribuiu o aumento de 50% do trabalho infantil nas seis principais regiões metropolitanas do país, nos primeiros nove meses do governo do presidente Luiz Inácio Lula da Silva — a pesquisa foi realizada pelo Instituto Brasileiro de Geografia e Estatística (IBGE) —, ao ajuste econômico feito pelo governo federal em 2003.
>
> Como conseqüência dessa política, observou Nilmário, houve aumento do desemprego e queda na renda da população, "levando as famílias mais pobres a introduzirem adolescentes no mercado de trabalho, precocemente".

Nilmário Miranda foi além: "Em primeiro lugar é preciso garantir a renda dos adultos. Haverá tanto mais trabalho infantil quanto menor for a renda dos adultos."

A opinião do ministro era lógica. Só tinha um senão: antes que ela fosse publicada, o governo só tinha um problema, que poderia admitir ou negar; depois dela, o governo tinha admitido esse problema e mais um segundo, pior que o primeiro. Antes da entrevista, havia dúvidas se o governo reconhecia ou não o aumento do trabalho infantil naquele ano de 2003. Depois da entrevista, o governo não apenas reconhecia o fato como o justificava com o arrocho da economia — outro flagelo que nenhum ministro ousara conceder. Ela foi ao ar pouco depois do meio-dia na Agência Brasil. Repercutiu nos outros veículos jornalísticos imediatamente.

Claro que algum assessor achou ruim, levou o caso ao presidente e, do modo como recebeu a informação, o presidente não tinha ficado feliz. Naquela manhã de gravação, já se tinham passado uns dias desde a publicação dessa nota, mas, tão logo entrei na sala, antes mesmo que eu me sentasse ao seu lado, ele me alvejou:

— Pô, Eugênio, como é que a Radiobrás foi dar aquela declaração do Nilmário?

— Como assim, presidente? — Eu devolvi a pergunta, num ato reflexo enquanto me ajeitava na cadeira. Sabia que vinha chumbo. Ele prosseguiu:

— As pessoas vêm reclamar comigo, me perguntam se não tem ninguém lá de confiança que olha isso.

Era óbvio que o presidente não tinha lido a notícia na Agência Brasil: ele estava me repassando a reclamação que tinha recebido e queria poupar sua fonte. Segundo a queixa que chegara até ele, deveríamos ter instalado nas redações um, digamos, "filtro governista". Essa expectativa brotava menos de más intenções e mais da força do hábito. Queriam que a Radiobrás agisse com Lula do mesmo modo que agia antes. Sempre tinha sido assim. Lula não era inteiramente imune a esse tipo de demanda, como eu também não fui.

Naquela manhã, o caso Nilmário quase me complicou a vida. Deixei que o presidente, vamos dizer assim, desabafasse. Conforme expunha a contrariedade que chegara até ele, eu fui articulando, mentalmente, uma resposta cabível e forte. Quando chegou a minha vez de falar, achei que só me restava a alternativa de dizer a verdade mais direta. Ponderei que, se a Radiobrás tivesse que manter em seus quadros equipes para avaliar a pertinência da fala de ministros, uma sandice ganharia institucionalidade. Se havia algum problema ali, não era o fato de as nossas emissoras terem veiculado algo que, afinal de contas, tinha sido declarado com todas as letras por um ministro de Estado, no pleno gozo de suas faculdades mentais. O problema estava no fato de o ministro ter feito uma declaração que desagradara ao presidente. O problema, portanto, não era da Radiobrás — era do governo. Demonstrei a ele, ou pelo menos acredito que demonstrei, que, para seguirmos a lei do menor esforço, era mais fácil a Presidência da República tomar conta do que diziam os ministros do que a Radiobrás avaliar se convinha, ou não, publicar o que eles declaravam.

O *affaire* da entrevista de Nilmário Miranda morreu aí. Mas o problema de fundo — a relação entre a Radiobrás e o governo —, este continuou a gerar incompreensões até o final. Lembro-me de uma, em particular, que se manifestou na primeira semana de dezembro de 2005. Gravávamos no salão ao lado da churrasqueira da Granja do Torto. O presidente, como já tinha feito em outras manhãs, mencionou que lhe chegavam retornos muito desfavoráveis às chamadas da Agência Brasil, que estariam "piores que as manchetes dos jornais que mais criticam o governo". O diálogo que se seguiu foi desagradável. Não o digeri direito.

Dois dias depois, mandei-lhe uma carta em que procurei defender a linha adotada pela estatal. Nunca soube se foi lida. Não importa. Depois de três anos sendo golpeado por ministros e por assessores os mais diversos, eu conhecia as resistências que enfrentava. Sabia que elas costumavam bater nos ouvidos do presidente, fantasiadas de alertas bem-intencionados — e que não passavam de intrigas. Eu me incomodava, mas não muito. Aprendera a lição, direitinho: quando o governo segue em velocidade de cruzeiro, voando em céu claro, azul, limpo, de brigadeiro, como dizem, nada contra esse capricho de fazer jornalismo objetivo; mas, quando o calo dói, quando a tormenta desaba, aí é muito mais difícil.

Ao mesmo tempo, e isto é o fundamental, tenho absoluta consciência de que, se me mantive no cargo até 2006, devo isso à constância do presidente, que não cedeu a pressões que tinham por objetivo me destituir e quebrar a coluna vertebral da minha gestão. No fim das contas, não descarto a hipótese de o *Café com o presidente*, epicentro da ambigüidade em que tive de navegar, ter ajudado na sustentação que acabei por merecer do presidente ao longo de seu primeiro mandato.

CAPÍTULO 5

Quando o marketing eleitoral se converte em valor

Aquele comentário do presidente da República sobre pessoas "de confiança" não saiu mais da minha cabeça. Eu sabia: uma consideração daquele tipo não fazia parte de seu discurso habitual; alguém tinha ido envenená-lo com histórias do tipo "a Radiobrás é uma bagunça" para, com isso, deixá-lo inseguro com a nossa forma de editar o noticiário. Creio que o intento não foi bem-sucedido. Minha conversa com o presidente continuou fácil, direta, sem travas, e ele nunca deu a entender que tivesse alguma dúvida sobre a retidão e a competência das equipes sob meu comando. De alguns outros, porém, ouvi senões ou indagações que punham em xeque o meu modo de delegar funções sem crivos partidários. Queriam saber se tínhamos quadros "da nossa confiança" ou "da confiança da gente", como diziam, para examinar as reportagens antes que elas fossem ao ar. Para mim, no começo, era difícil de entender. Que história era aquela de pessoas "da confiança da gente"? Eu tinha um impulso de retrucar: "Da gente, quem, cara pálida?"

Nos lugares em que trabalhei, não recrutei ninguém com esse tipo de critério; eu não precisava de ninguém que fosse da minha confiança pessoal nesse sentido. Bastavam-me bons profissionais, de bom caráter. Na administração pública, segui a mesma linha. Não precisava nem precisaria de ninguém que guardasse meus segredos — e também não tinha a menor intenção de solicitar a um subordinado algo que não pudesse ser do conhecimento de qualquer cidadão. Tratei de reunir bons jornalistas, bons operadores, bons administradores. Quando surgiram erros, tentei corrigi-los segundo parâmetros racionais e públicos. Daí a minha dificuldade com essa conversa "gente da nossa estrita confiança". Eu achava meio esquisito.

Em pouco tempo, no entanto, aprendi que aquele não era um cacoete novo na administração pública. Os políticos dos mais diferentes partidos, em conversas reservadas, ou nem tanto, têm o costume de se gabar de ter "gente da nossa confiança" em postos, como gostavam de qualificar, "estratégicos". Não à toa, brigam por nomear correligionários para a maior quantidade possível de empregos públicos e, pelo número de postos que ocupam os seus aliados, medem seu poder pessoal. Com o perdão da generalização, fui compreendendo que, para eles, "gente da nossa confiança", mesmo quando despreparada, vale mais que gente comum, mesmo quando excelente. Garantir que o sujeito é "da nossa confiança" funciona como uma senha, um atestado de influência.

Desse modo, a administração pública se vê costurada por linhas sinuosas de confianças por delegação: gente da estrita confiança de gente da estrita confiança de gente da estrita confiança do chefe compondo uma pequena multidão de muita gente de muita confiança em que todo mundo desconfia de todo mundo.

* * *

O teatro de charadas das confianças desconfiadas encena a agenda privada — não raro, secreta — dentro da agenda do Estado. Quando falamos das áreas relacionadas à comunicação estatal, a agenda privada se traduz na tentativa sistemática de direcionar os conteúdos para disso obter vantagens para a imagem pessoal das autoridades. Outra vez, é a cultura dos operadores da política atuando na direção oposta à impessoalidade exigida pela Constituição Federal. Outra vez, estamos diante da velha oposição entre a cultura prática e a lei.

Quando a agenda privada — partidária — se apossa dos equipamentos públicos de comunicação, traz consigo a linguagem e os propósitos oriundos da propaganda eleitoral. Com isso, o marketing eleitoral — um arsenal de metodologias e procedimentos de mercado que é vendido para os partidos, mediante contratos comerciais — vira o idioma oficial das falas do governo. Instalado dentro da repartição pública, o marketing eleitoral imprime a toda peça de comunicação oficial o objetivo de convencer a sociedade de que o governante é ótimo e que merece apoio permanente. A comunicação oficial vira uma campanha publicitária permanente, cujo hábitat é a publicidade paga, em sua forma convencional. Não por acaso, os governos no Brasil, em todos os níveis — federal, estadual e municipal —, anunciam sofregamente, veiculando suas mensagens em espaços pagos nos mais diversos meios de comunicação privados.

Governar, segundo essa mentalidade, é fazer campanha eleitoral durante o mandato inteiro. Aí é que entra toda essa gente "da nossa confiança". Sendo leal ao chefe, leal em termos privados, esse pessoal será também eficiente — pois, segundo a mesma mentalidade, a eficiência é o corolário necessário da dedicação e da fidelidade pessoal — e produzirá na sociedade, como por osmose, um sentimento de grande confiança no governo. A confiança, acreditam, é mais ou menos isso, uma solicitude contagiosa.

O marketing eleitoral se tornou, mais que padrão de linguagem, um valor ético para os agentes políticos — isso mesmo, um valor ético: governo que não faça propaganda de si mesmo não é um bom governo. Segundo essa nova ética, nascida na publicidade da TV e mecanicamente transplantada para o coração do Estado, a popularidade é a fonte da legitimidade, e a personalidade do governante é uma grife. Ela mercantiliza as estrelas da política em lugar de universalizar a prática política e dotou o proselitismo partidário de um novo fôlego: deu-lhe uma fachada de avanço tecnológico e estético, igualando-o às campanhas publicitárias convencionais, e faz parecer virtude — eficiência administrativa — o vício de usar ferramentas públicas para construir e promover imagens positivas pessoais.

Sem dúvida, o fenômeno não é apenas brasileiro e pode ser identificado em quase todos os países. Mas no Brasil assumiu feições pitorescas. Aqui, a forma rejuvenescida da publicidade política aliou-se aos meios envelhecidos, mas ainda atuantes, que nos restaram do Estado autoritário. O marketing eleitoral, para se fazer viável dentro do Estado, valeu-se dos expedientes autoritários que aí encontrou mais ou menos intactos. Com seus trejeitos e maneirismos ultramodernos, atua para preservar hábitos e expedientes ultrapassados — como a usurpação do equipamento público em benefício dos que ocupam cargos públicos. É o muito novo em simbiose com o muito velho.

* * *

A gestão da Radiobrás não podia se pretender imune a nada disso. A concepção que tendia a subjugar as emissoras estatais de rádio e de televisão — como as controladas pela empresa sob minha responsabilidade — ao guarda-chuva geral da propaganda e da promoção de governo era muito forte e muito dominante para ser ignorada. Já a partir do primeiro ano observei que a cultura que tolerava o patrimonialismo em matéria de comunicação concebia o jornalismo e a propaganda como dois braços em sinergia — para usar o termo hediondo — a serviço de um só discurso. Quando convinha, a propaganda — veiculada em espaços publicitários pagos — era tratada como um serviço de informação ao público, como se fosse o atendimento a um direito fundamental. De outro lado, o jornalismo que se atrevesse, dentro das emissoras estatais, a funcionar segundo critérios que desprezassem a ética do marketing eleitoral estatizado seria tratado como adversário.

Não precisei de muito tempo para me dar conta de que a duas perguntas eu teria de responder se quisesse compreender o ambiente em que trabalhava. A primeira dizia respeito à própria razão de ser da empresa que dirigi: num regime democrático, é legítimo que o governo seja dono de uma empresa jornalística? A segunda pergunta não se vinculava diretamente à Radiobrás, mas se mostrou indispensável para quem, como eu, queria pensar o tema da comunicação pública em nosso país: é legítimo que o governo compre tanto espaço publicitário na mídia comercial?

Para entender como e por que adotei a estratégia que adotei entre 2003 e 2006, será preciso enfrentar aqui as duas interrogações, e enfrentá-las significa, de início, desmontar a concepção de comunicação governamental que insiste em confundir jornalismo e publicidade, pois sobrevive exatamente porque promove a confusão entre ambos.

CAPÍTULO 6

Publicidade para lá, jornalismo para cá e o Estado longe dos dois

Quando um caboclo, numa palafita na Amazônia, assiste ao noticiário no seu canal predileto, sabe distinguir o que é informação jornalística do que é publicidade comercial. As notícias, análises e imagens trazidas ao vídeo pela reportagem, tudo isso está emoldurado pelo conteúdo editorial do noticiário; já a publicidade fica do lado de fora do conteúdo editorial, sendo exibida durante os intervalos comerciais. O caboclo sabe. O caipira também sabe. O paulistano rico sabe. O mendigo carioca que, parado na calçada, vê televisão em frente a uma vitrine de eletrodomésticos sabe do mesmo jeito. É assim com os telejornais de quase todos os países: há uma separação explícita entre o discurso jornalístico e o discurso publicitário. O telespectador conhece essa organização interna da mídia e se move com desembaraço diante dela. Por dentro dela.

É verdade que nas telenovelas costumam aparecer anúncios dissimulados dentro da própria ação dramática, numa fórmula que se tornou conhecida como merchandising. É o galã que, sem necessidade narrativa, abre a geladeira só para que as câmeras mostrem que lá dentro descansa meia dúzia de litros de leite de uma certa marca, o que induzirá a telespectadora distraída a procurar embalagens idênticas na próxima ida ao supermercado ou à padaria. Isso tapeia boa parte da platéia, que realmente deixa transferir o desejo que nutre pelo personagem — e pelo ator — para aquele litro de leite inanimado. Funciona. É um golpe de esperteza, mais que um anúncio convencional, pois joga um estímulo de consumo sobre uma telespectadora que não foi avisada de que aquilo é um truque publicitário que nada tem a ver com a história. É uma forma de publicidade que vai de contrabando, sem se identificar. O merchandising é hoje uma epidemia que, além das novelas e dos filmes, infesta, com as adaptações necessárias, os programas de auditório, os reality shows, os eventos esportivos. De sua parte, o jornalismo de qualidade tem conseguido fugir à epidemia do merchandising. Ficando longe da praga, evita as dúvidas sobre o propósito informativo, e não publicitário, do conteúdo que oferece.

Não que sejam universos perfeitamente separados, o do jornalismo e o da publicidade. Há uma sinuosa membrana de contato entre ambos, eles se interpenetram e se embaralham. Todos sabemos que há aspectos publicitários no discurso jornalístico, assim como existe uma pose jornalística tentando emprestar confiabilidade às mensagens publicitárias — existem comerciais em que os garotos-propaganda se fazem passar por jornalistas, falando como se fossem repórteres, assim como há jornalistas profissionais de verdade fazendo abertamente o papel de garotos-propaganda em comerciais de bancos ou de bugigangas de uso eventual. São truques que ajudam a dar à mensagem publicitária um pouco mais de autoridade factual, e eles só são possíveis porque alguma credibilidade o jornalismo tem conseguido preservar. De outro lado, sabemos também que a tal imparcialidade jornalística não deixa de ser, no mais das vezes, um trejeito ideológico, feito de encenações: todo relato jornalístico, de modo aparente, dissimulado, ou mesmo inadvertido, acaba ordenando, em algum nível, um julgamento moral dos fatos e, na mesma medida, acaba encarnando um apelo em defesa de — ou em ataque a — um modo de vida, uma causa, um personagem. Em suma, o relato jornalístico vende um certo mundo para um certo consumidor.

Se o jornalismo cumpre funções propagandísticas, a publicidade também cumpre funções informativas. Muito do conteúdo informativo a que o público tem acesso chega até ele por meio da publicidade: as adolescentes aprendem a pentear os cabelos de que tanto se orgulham assistindo às propagandas de xampu, do mesmo modo que muitos brasileiros de meia-idade foram informados de que existe tratamento para a impotência sexual enquanto viam um comercial ou mesmo uma novela de TV. Pode-se ir mais longe nessa análise, mas não é preciso. Por agora, basta que se registre: publicidade e jornalismo se mesclam numa evolução exponencial.

O que importa é que, no plano formal, a separação entre os dois universos é um ideal de qualidade cultivado pelo jornalismo e compartilhado pelo seu público. A separação entre os dois discursos, por mais imbricações que se fiem entre eles, corresponde a uma ampla e profunda expectativa da cidadania e, por isso, pode-se dizer que é uma separação legitimada pela prática da comunicação social. Ela gera pactos distintos para a comunicação: o conteúdo jornalístico é suposto como um conteúdo noticioso, sem interesses de estimular o consumo de uma mercadoria em especial; já o conteúdo publicitário, cuja finalidade é vender, não precisa ser assim tão rigoroso em relação à verdade dos fatos e se permite mais inventividade. Diante de uma peça de publicidade, o telespectador aceita entrar no pacto como freguês. Diante do jornalismo, ele não admite fazer o papel de freguês, pois aí joga o papel de cidadão crítico. São, enfim, dois tipos distintos de pacto que, ao lado de outras modalidades de discurso, compõem o grande "contrato social" da comunicação.

Dessa distinção, o jornalismo retira sua credibilidade, sua força, seu valor de mercado e seu peso institucional. É da mesma distinção que a publicidade retira o seu salvo-conduto para empregar abertamente técnicas de sedução, para buscar o vínculo emocional, para realçar o apelo de venda. O que o primeiro ganha em fé pública, por meio de rigor, a segunda ganha em poder de atração, por meio de "licenças poéticas". Essa distinção não foi inventada por ninguém em especial; é produto da sabedoria democrática, nasce da experiência coletiva continuada, ao longo de uma história que não é tão curta assim. Ela é resultado, podemos dizer, da intuição comunicativa da sociedade democrática.

A separação entre o discurso publicitário e o discurso jornalístico é tão ordenadora na prática da comunicação social como, sem exagero, a separação entre os poderes é ordenadora para a gestão do Estado que se pretende controlado pela sociedade. A distinção entre jornalismo e publicidade é uma instituição fundante. A sociedade se entende melhor quando ela é observada com zelo pelos diversos agentes que atuam na comunicação. Mesmo na nossa era, quando as pressões próprias da espetacularização atuam para amalgamar essas vertentes discursivas numa só, a força dos processos democráticos de comunicação atua para garantir a separação entre os dois registros.

* * *

Os governos democráticos se caracterizam por não permitir que sua linguagem oficial incorra nos desvios totalitários de estetizar o Estado ou de estatizar a estética. Evitam misturar informação oficial, elementos míticos da ficção épica e propaganda política. Desse modo, tendem a separar as formas de comunicação sob sua guarda: uma coisa é a informação que ele tem como dever tornar disponível; outra, distinta, é a publicidade de governo que, sem prejuízo da verdade e do dever da impessoalidade, disputa a atenção da opinião pública com técnicas para seduzir a platéia e captar-lhe primeiro a simpatia e, depois, a confiança. A primeira modalidade de comunicação flui pelos meios jornalísticos, em espaços editoriais, com a publicação de reportagens sobre os atos dos governos e de entrevistas com as autoridades; a segunda tem lugar no campo da publicidade paga.

A primeira constitui um dever: todo governo tem por obrigação a transparência e, para isso, deve tornar públicos os dados da administração, de modo que jornalistas e cidadãos tenham acesso às informações de que necessitam e às quais têm direito. Até aí, estamos falando de um tipo de comunicação que se realiza por meio da imprensa, não envolvendo a veiculação de mensagens publicitárias pagas. Quanto à segunda, é mais discutível. Muitos afirmam que o governo, para se dirigir à sociedade, tem o direito e até o dever de se servir da compra de espaços nos veículos comerciais. Com efeito, o Estado-anunciante é um totem da mídia nacional. Para "publicizar" seu trabalho, os governos — federal, estadual e municipal — usam dinheiro público na compra de espaço publicitário a toda hora.

De minha parte, desenvolvi a opinião de que a democracia deve prescindir desse tipo de custo; o que interessa ao cidadão é que lhe seja assegurado o acesso às informações de seu direito e de seu interesse sobre a gestão pública e, para isso, ele não precisa de publicidade paga, salvo em circunstâncias excepcionais.

A publicidade de governos vem sendo praticada não para as circunstâncias excepcionais, mas como regra, rotina, como arroz-com-feijão. E numa escala bastante elevada que, além de banalizar a atuação do Estado-anunciante, desequilibra o mercado. Pequenos jornais e pequenas emissoras do interior do país sofrem de dependência crônica dos governos locais. Dada a sua magnitude, as verbas publicitárias do Estado-anunciante podem corromper a imprensa. Podem corromper e corrompem.

Juntos, os anúncios comprados pelos governos federal, estaduais e municipais, de acordo com estimativas recorrentes, alcançam algo em torno de 7% do total investido em publicidade no Brasil. Uma reportagem assinada por Fernando Rodrigues, na *Folha de S.Paulo* (10.11.2003), situava o Brasil no topo de um ranking de vários países em matéria de gastos em propaganda oficial, entre os quais Alemanha e Estados Unidos. Quaisquer que sejam os levantamentos, os governos, ao lado das estatais, figuram entre os maiores anunciantes do mercado.

O Estado-anunciante é uma deformação — e não apenas em função de suas cifras faraônicas. A deformação tem a ver com a própria natureza do discurso publicitário, que não é própria para a difusão de informações de interesse público, ao menos como rotina. A publicidade pode até desempenhar uma função informativa, mas o núcleo de sua finalidade não está em informar, e sim em convencer alguém de alguma compra, de alguma ação ou de alguma idéia. Isso não é pecado nem é feio, é apenas a função da publicidade. É verdade que o jornalismo, de outra parte, também pode convencer as pessoas de uma tese e até de um preconceito, mas o centro de seu valor está em sua função de informar, de veicular e discutir as idéias e opiniões e de noticiar os acontecimentos — é daí que ele retira sua sustentação econômica e sua legitimidade. Não há como sofismar sobre isso: a publicidade é recebida como um apelo emocional para o consumo, para a adesão política, para a conversão religiosa e, portanto, toda publicidade de governo não tem como deixar de ser, no fim da linha, um artifício para a promoção das causas abraçadas pelo governante, quando não da própria pessoa do governante. É assim que o público a recebe, mesmo que ela tenha a aparência de uma informação, digamos, isenta.

Tome-se, por exemplo, uma propaganda de governo que supostamente alerta o público para os riscos da Aids e pergunte-se: sua finalidade é proteger aqueles que podem estar expostos ao contágio ou é convencer os que estão menos expostos ao contágio de que o governo é tão magnânimo, humano e solícito que cuida de perto da saúde do povo? A resposta é quase indiscreta. Nem que seja marginalmente, as peças publicitárias de governo tendem a agregar, intencionalmente, um ponto a mais nos índices de aprovação dos mandatários. Toda propaganda de governo veiculada em espaços pagos, mesmo quando declarada de utilidade pública, só faz sentido publicitário como peça que tenta induzir a opinião pública a avaliar favoravelmente o governo.

Claro que as estatais que disputam mercado com a venda de produtos ou serviços, como a Petrobras e o Banco do Brasil, precisam anunciar. São empresas comerciais. Não raro, porém, campanhas publicitárias de estatais se entregam ao proselitismo governista, valendo-se de seus recursos de empresa para promover políticos. Quanto aos governos, estes não deveriam precisar de propaganda de si mesmos.

Esse debate e a decisão a que ele deve conduzir são dívidas que a democracia brasileira ainda não quitou com os cidadãos.

* * *

Voltemos agora ao tema do jornalismo em empresas ou instituições públicas e à pergunta que foi antecipada no capítulo anterior: deve o governo exercer a gestão de empresas jornalísticas? A resposta é não. Só pode ser não. Pode haver a mínima ética jornalística numa empresa cuja administração seja controlada pelo governo? É claro que não. Para que o jornalismo seja viável, o governo deve ser mantido a quilômetros de distância da redação. O Estado pode dar sustentação material a veículos jornalísticos públicos, mas o governo não pode ser admitido na reunião de pauta, na ilha de edição ou na chefia de reportagem. Em outras palavras: uma democracia pode perfeitamente conviver com empresas públicas encarregadas da prática do jornalismo — empresas públicas porque de propriedade pública, que recebam financiamentos públicos —, mas nessas empresas os representantes do governo não podem interferir nem na gestão administrativa nem na gestão editorial. Quanto mais democrático é um Estado, mais o Poder Executivo se afasta da função de editar conteúdos jornalísticos.

Assim como o público sabe intuitivamente quando um relato é jornalístico e quando um relato é publicitário, o governo de um Estado democrático também sabe, ou deveria saber e deixar patente que sabe. Por exigência de honestidade intelectual, a autoridade pública deveria se abster de atuar como anunciante contumaz e também deveria se abster de atuar como editor de veículos jornalísticos. Governantes podem e devem comparecer ao discurso jornalístico, mas não como editores ou chefes de editores: podem falar como fontes, mesmo que sejam fontes especiais ou privilegiadas. Um presidente, um governador, um ministro, um prefeito, todos se dirigem à sociedade por meio do registro jornalístico à medida que dão entrevistas, coletivas ou não, e à medida que suas assessorias de imprensa fazem circular notas e comunicados à imprensa e ao público. Além disso, podem comunicar-se diretamente com a sociedade, pela internet ou por meio de cadeias de rádio e TV, que são eventuais. O que eles não deveriam fazer é assumir o papel de editores de informação jornalística — se não por nada, simplesmente porque, quando editada segundo interesses de governo, qualquer informação não pode mais ser chamada de jornalística.

A prática — e a cultura média — das autoridades brasileiras, já sabemos, em nada segue os princípios aqui expostos, mas, ninguém duvide, ela será requisitada a se atualizar. Com o tempo, a democracia irá demandar uma depuração: menos propaganda (paga) oficial, mais transparência na administração pública; menos usurpação das empresas públicas e mais apartidarismo na sua administração. Alinhada com essa tendência, a gestão da Radiobrás entre 2003 e 2007 procurou exercer até o limite as suas atribuições, mantendo a devida distância entre os interesses de governo e os critérios jornalísticos que pautavam a edição das notícias. Os fundamentos legais dessa postura ficarão mais claros a seguir.

CAPÍTULO 7

Uma empresa híbrida demais

Eu notava que, a despeito do imbróglio entre propaganda e informação, a legislação democrática, a partir do final dos anos 1980, ensaiou uma separação formal entre as duas funções, sempre na linha de impedir que veículos públicos de comunicação se deixassem usurpar por interesses particulares — partidários, familiares, comerciais, pessoais ou religiosos — de ocupantes de cargos públicos.

O Poder Executivo delegou à Radiobrás a tarefa de veicular informação e deixou com as secretarias subordinadas à Presidência da República as funções próprias de relações públicas: porta-voz, assessoria de imprensa e a propaganda de governo propriamente dita. Isso é o que mais importa, e não é pouco, embora, durante um curto período inicial, a Radiobrás tenha sido obrigada, por lei, a ajudar a construir no país algo como um espírito de adesão às causas do governo, num papel de propaganda muito claro. Vale a pena voltar um pouco no tempo.

O nome Radiobrás apareceu na Lei nº 6.301, de 1975, que instituiu a política de exploração de serviço de radiodifusão de emissoras oficiais e autorizou o Poder Executivo a constituir uma empresa para esse fim. Era a Empresa Brasileira de Radiodifusão, a Radiobrás. Depois, o Decreto nº 77.698, de 27 de maio de 1976, constituiu finalmente a empresa, conforme autorizava a lei de 1975. Nascida aí, a Radiobrás assumiu a forma de sociedade por ações, ou melhor, de uma sociedade anônima. Por isso, diz-se que ela foi fundada como empresa pública de direito privado: pertence ao Estado, sendo, portanto, pública, mas é sociedade anônima e, portanto, sofre influxos do direito privado, ou, mais exatamente, da Lei das S.A. Nesse caso, a sociedade anônima nunca teve nada de anônima, pois só teve um único acionista: a União. A assembléia geral da empresa se resumia a uma reunião do procurador da Fazenda Federal consigo mesmo.

Essa condição híbrida — uma empresa pública e, ao mesmo tempo, de direito privado — não era um bom negócio: reunia o pior dos dois mundos. Desafiada a ter a agilidade de uma empresa privada, a Radiobrás tinha o peso de um paquiderme. Por ser dependente do Tesouro — os recursos que ela gerava mal alcançavam 20% do orçamento total —, os salários dos diretores, pelo menos até o tempo em que trabalhei nela, estavam limitados aos dos servidores da administração direta; o presidente da empresa tinha sua remuneração equiparada à remuneração de um ministro de Estado, pouco mais de oito mil reais, brutos, o que ficava bem abaixo da remuneração dos congressistas e dos ministros do Supremo Tribunal Federal. Pela mesma razão, os procedimentos para compra de serviços ou equipamentos seguiam as regras da administração direta, que podiam até funcionar satisfatoriamente na administração direta, mas, para uma empresa regida pela Lei das S.A., costumavam ser o antônimo de eficiência, economicidade e competitividade.

A estatal virou uma estrutura "engessada", como se costumava dizer. Em termos formais, não dependia do governo para sua gestão interna, a não ser em esquisitices como a exigência de se ter a assinatura do ministro da área para que viagens de funcionários ao exterior fossem autorizadas. Na vida real, porém, com sua máquina lenta, pesada e dependente, ela quase não conseguia respirar sem contar com um pingo de boa vontade do Poder Executivo. Aí começava o pior martírio da sua condição híbrida.

Como seus diretores e seu presidente eram escolhidos diretamente pelo presidente da República e por um ministro, sendo demissíveis a qualquer tempo, e os seis integrantes de seu Conselho de Administração, a exemplo dos integrantes do Conselho Fiscal, eram nomeados pelo Poder Executivo, a empresa não pôde escapar, nas gestões que me antecederam, do constrangimento de ter de falar bem do patrão em todos os seus veículos. O entendimento cultural que se formou pode ser resumido mais ou menos assim: "A Radiobrás tem como dono o governo federal, um dono que gosta de manter a barriga no balcão. De outro lado, a Radiobrás tem como cliente o mesmo governo federal, e esse cliente não deixa por menos." Esse entendimento virou uma unanimidade. O governo era o dono e o cliente de uma vez só. Logo, ele mandava.

E mandava mesmo. O Decreto nº 77.698, de 27 de maio de 1976, que fundou a Radiobrás, dizia em seu artigo 4º que ela exerceria "suas atividades sob estreita supervisão do ministro-chefe do Gabinete Civil da Presidência da República". Ali estava, no DNA da estatal, a curiosíssima conceituação legislativa da "estreita supervisão" — locução mais que sintomática —, significando rédeas curtas. Em 1979, ainda sob a ditadura, a Lei nº 6.650, que dispôs sobre a criação, na Presidência da República, da Secretaria de Comunicação Social (Secom), também tratou da Radiobrás e, em seu o artigo 4º, listou os seus objetivos. O primeiro deles ganhou a seguinte redação: "divulgar, como entidade integrante do Sistema de Comunicação Social, as realizações do governo federal nas áreas econômica, política e social, visando, no campo interno, à motivação e ao estímulo da vontade coletiva para o esforço nacional de desenvolvimento e, no campo externo, ao melhor conhecimento da realidade brasileira".

Traduzindo: a comunicação da Radiobrás deveria subordinar-se a uma finalidade cívica e patriótica de convencimento do público em prol de causas nacionais. Logo, se alguma notícia pudesse, sob qualquer análise, desestimular essa tal "vontade coletiva para o esforço nacional de desenvolvimento", ou estimular uma, digamos, "vontade coletiva" de estagnação, essa notícia não deveria ser veiculada pela Radiobrás. Simples assim. Mais um gene de submissão.

O mais espantoso é que essa Lei nº 6.650, de 1979, nunca foi revogada. Ela melancolicamente foi saindo de fininho, se é que isso acontece com uma lei. Se não caiu oficialmente em desuso, caiu, ao menos em matéria de "motivação e estímulo", no ridículo. Foi esquecida. Se "pegou" no passado, já não "pegava" mais em 2003, quando assumi a presidência. Nos estatutos que se seguiram após o fim da ditadura, essas perversões como "supervisão estreita" ou "estímulo da vontade coletiva para o esforço nacional de desenvolvimento" caíram por terra e foram abandonadas no caminho. Como tiveram a forma de decreto, e não de lei, os novos estatutos não tinham força jurídica para revogar a lei de 1979, mas deram conta de fixar novos costumes e de descartar, no plano dos costumes, a velha lei. E o que prevaleceu foi o decreto.

A empresa passou a ter como seu primeiro objetivo algo menos subordinado aos ideais cívicos do autoritarismo. O Decreto nº 96.212, de 1988, em seu artigo 4º, inciso I, deu a seguinte redação àquele mesmo objetivo, o primeiro, da Radiobrás: "divulgar as realizações do governo federal nas áreas econômica, política e social e difundir para o exterior conhecimento adequado da realidade brasileira, bem como implantar e operar e explorar emissoras de radiodifusão do governo federal". Não é nada maravilhoso, mas melhorou um pouco, e é o que ficou em vigor.

Foi no decorrer desse período que as tarefas típicas de relações públicas — como assessoria de imprensa, propaganda e publicidade, bem como a função de porta-voz da Presidência da República — acabaram atribuídas às secretarias da própria Presidência. A assessoria de imprensa da Presidência da República ficou a cargo da Secretaria de Imprensa e Divulgação, a SID, diretamente vinculada ao presidente. Em 2005, a SID incorporou o gabinete do porta-voz da Presidência da República, passando a ser chamada de Secretaria de Imprensa e Porta-Voz, a SIP. O mesmo se deu com as áreas de Propaganda de Governo e Relações Públicas, que jamais, nem nos piores tempos, foram atribuição da Radiobrás. A Secom, até 2005 com status de ministério, tinha como área de competência, segundo o Decreto nº 4.779, de 15 de julho de 2003, as seguintes atribuições, entre outras: "assessoramento ao presidente da República nos assuntos relativos à política de comunicação e divulgação social do governo", "coordenação, normatização, supervisão e controle da publicidade e de patrocínio dos órgãos e das entidades e do Poder Executivo Federal", "convocação de redes obrigatórias de rádio e televisão" e "realização de pesquisas de opinião pública". Nesse mesmo decreto, a Radiobrás figurou como "entidade vinculada", não como entidade subordinada. Depois, tudo isso confluiu para a Secretaria de Comunicação Social, criada em 2007, com status de ministério, no âmbito da Presidência da República, assumindo todas as competências que antes pertenciam à Secom e à SIP. Também em 2007, a Radiobrás foi mantida da mesma forma: entidade vinculada, sem nenhuma atribuição de funções de relações públicas.

Em suma, apesar do período em que ficou encarregada da promoção de civismo autoritário, a Radiobrás jamais teve a seu cargo qualquer outra função que não fosse a de informar o público, e nisso se baseou a gestão iniciada em janeiro de 2003. Com base na lei, e no que entendíamos ser o espírito da lei no transcurso do tempo, reforçamos a objetividade impessoal dos noticiários e pusemos cada vez mais para longe os resquícios de promoção governamental que subsistiam dentro da organização. De novo, a dificuldade não era tanto a lei, mas os condicionamentos internos dos profissionais, herdados de traumas profundos.

CAPÍTULO 8

Com a alma ferida

A Radiobrás teve uma irmã mais nova, a quem devorou sem mastigar. Seu nome era Empresa Brasileira de Notícias, a EBN. Nascida em 1979, do ventre da velha Agência Nacional, que datava da Era Vargas, ela herdou, entre outras incumbências, o dever de produzir noticiários sobre o governo, como boletins diários e entrevistas, além de *A voz do Brasil*. Contava com sucursais na maioria das capitais e mantinha uma grande redação, além de estúdios de rádio, em Brasília. Por meio de linhas especiais da Embratel, transmitia seus programas para as rádios do país.

Vista de fora, e de longe, a morte prematura da EBN tem lances de comédia, mas foi como tragédia que ela aconteceu na vida dos funcionários. A história é seca. No dia 16 de junho de 1988, no final do governo Sarney, o brigadeiro Paulo Roberto Camarinha, então ministro-chefe do Estado-Maior das Forças Armadas, concedeu uma entrevista de cinqüenta minutos a Eduardo Mamcasz, diretor superintendente da EBN, que, durante aquela semana, era seu presidente interino. Camarinha destemperou. Criticou o Legislativo e o Judiciário, em que, segundo disse, estavam "os verdadeiros marajás", e também aproveitou para reclamar da baixa remuneração dos militares, tomando por base o seu filho, que era primeiro-tenente da Aeronáutica e formado em Medicina, afirmando que ele ganhava menos que um barbeiro da Câmara dos Deputados. Camarinha era opositor da orientação geral da área econômica do governo, e abriu fogo contra a inflação alta e o congelamento da Unidade de Referência de Preços (URP), índice que servia de base para os reajustes salariais. Não ficou só nisso: desafiou o ministro do Planejamento, João Batista de Abreu,

87

a tomar uma providência contra o congelamento: "Senão, não precisa ser ministro, fica em casa e despacha papel."

Como, no governo Sarney, a inflação derrubava ministros e ministros não derrubavam a inflação — que, de um patamar de 22% ao mês, em 1988, chegaria aos 82% no início de 1990 —, quem foi para casa foi o ministro Camarinha, demitido sumariamente. Além do emprego do brigadeiro, a entrevista acabou custando a vida da EBN. Depois de veiculada normalmente, ao vivo, e de render trechos que entraram na *Voz do Brasil*, saiu com destaque nos jornais do dia seguinte. O *Jornal do Brasil* de 17 de junho, uma sexta-feira, trazia em destaque a foto do ministro militar ao lado do seu entrevistador, noticiando a crise. No dia 18, a capa de *O Estado de S.Paulo* comunicava a saída do ministro: "Sarney demite brigadeiro Camarinha." No dia 22 de junho, quarta-feira, o Diário Oficial trouxe a sentença: a EBN estava morta e seu cadáver seria incorporado à Radiobrás – Empresa Brasileira de Radiodifusão. Esta se tornava uma nova empresa, passando a ter um nome novo, quase igual ao velho: Radiobrás – Empresa Brasileira de Comunicação. Os bens da EBN, assim como seus funcionários, entre eles o jornalista Eduardo Mamcasz, então com quarenta anos de idade, mudaram de endereço.

Mamcasz seguiu carreira na Rádio Nacional Amazônia como um dos melhores repórteres da casa. Foi ele quem me contou, com memória vívida, cada passo da agonia da EBN. Mostrou-me os jornais, as fotos; às vezes ria do passado, às vezes não escondia uma ponta de dor. A velha empresa, ele me disse, vinha sofrendo desgastes desmoralizantes que, a bons observadores, prenunciavam o final. Sua execução veio com a entrevista de Camarinha, mas a pena de morte já estava escrita. Só esperava a ocasião.

Entrou para o folclore de Brasília o dia em que, em poucas horas, o jornalista Antônio Frota Neto foi nomeado, empossado e demitido da presidência da EBN. Foi no dia 19 de novembro de 1987, o Dia da Bandeira. Frota Neto, que já presidira a Radiobrás entre agosto de

1986 e abril de 1987, virou presidente da EBN por determinação direta do presidente da República, José Sarney. A cerimônia de posse aconteceu no Palácio da Justiça, ao meio-dia, sob o comando do ministro da Justiça, Paulo Brossard, a quem a Radiobrás estava formalmente vinculada. Sentada à mesa, a própria primeira-dama, D. Marli Sarney, amiga do jornalista, prestigiava o evento. Minutos antes, numa conversa privada, Brossard disse a Frota Neto que, tudo bem, concordava com a nomeação dele, mas não abriria mão de indicar pessoalmente os outros diretores e exerceria o comando efetivo sobre a gestão da empresa. O jornalista ouviu as condições do ministro, mas, em lugar de acatá-las, tomou um rumo diferente. Minutos depois, em seu discurso, avisou que decidiria ele mesmo quem seriam seus diretores.

O público assistia a tudo sem saber que um mal-estar se instalara no recinto. O ministro, na calma do chapéu que usava todos os dias, ouviu com atenção a fala do empossado. Ao final da cerimônia, foi breve. Seu pronunciamento marcou os assessores próximos, testemunhas do acontecido, como o ex-deputado federal e depois ministro do Superior Tribunal Militar, Flávio Bierrenbach, que naquela época era o presidente do Conselho Nacional de Defesa do Consumidor. Na memória de Bierrenbach, as palavras podem não ter sido exatamente estas, mas o sentido foi mais que direto: "Na solenidade de hoje dei posse ao jornalista Frota Neto como presidente da EBN e, neste instante, eu o demito. Declaro encerrada a sessão." Ele conta que nunca mais esqueceu do que houve ali. "Foi uma das maiores demonstrações de autoridade que já vi na minha vida."

Enquanto o ministro se retirava, os presentes se entreolhavam, tentando adivinhar uma explicação para desfecho tão inesperado. A uns poucos que se aproximaram, Brossard se referia ao demitido: "Ele sabe a razão." Sabia, de fato. A outros, confidenciou: "Se Sarney não gostar, que me demita." Em 2006, conversei por telefone com Frota Neto, que não guardava lembrança desse ato final, público, de Brossard. Segundo me contou, ele só foi encerrar a sua efêmera gestão na sala do presidente da República, no início da noite. No dia seguinte, o Diário Oficial publicaria sua demissão. A pedido.

A EBN já era tratada assim, não muito a sério. Dentro do governo, não eram poucos os que advogavam sua extinção. Diziam que era um entulho, um cabide de empregos. A entrevista de Camarinha provavelmente foi a oportunidade que faltava. A Radiobrás assumiu-lhe as atribuições de "transmitir diretamente, ou em colaboração com órgãos de divulgação, o noticiário referente aos atos da administração federal e as notícias de interesse público, de natureza política, econômico-financeira, cívica, social, cultural e artística" (conforme a lei que determinou a criação da EBN, Lei nº 6.650, de 1979, a mesma que instituiu a Secom).

Para os empregados da EBN, foi uma data fúnebre. A empresa, conforme uma tabela publicada no Diário Oficial de 29 de fevereiro de 1988 (página 1.857, Seção II), tinha 878 funcionários em seu quadro, além de 42 vagas abertas. A Radiobrás, no mesmo Diário Oficial, na mesma página, apareceu com 1.086 servidores e 22 vagas. Com a fusão, a Radiobrás virou, da noite para o dia, um brutamontes mediático-estatal. Prestes a desinchar. Em pouco tempo, 80% dos egressos da EBN iriam embora.

* * *

O ato de canibalismo corporativo ficou na memória dos servidores da Radiobrás como um trauma. Embora soe um tanto heterodoxo dizer que as corporações têm uma vida emocional, elas a têm. Elas têm alma. Além de subjetividade, têm uma biografia, uma personalidade e um caráter, que se forma e deforma ao longo da existência, como se fossem pessoas — ou como se fossem famílias. Com suas dores maldisfarçadas e suas tristezas encobertas, as empresas têm meandros inconscientes por onde trafegam seus processos decisórios, caminhos tão obscuros que nem mesmo os seus integrantes mais antigos sabem descrever. Empresas têm seus esqueletos escondidos nos arquivos de aço, têm as suas feridas de infância.

A cicatriz da absorção da EBN, camuflada sob a maquiagem de grande conglomerado de mídia, fez doer por muito tempo o sentimento de rejeição na Radiobrás que cresceu bastante após a ditadura. Doía nela o fato de ser tratada como uma barcaça em que se amontoavam os indesejados, os dispensados, os que não tinham mais onde se acomodar. O trauma da fusão de 1988, oficialmente contabilizada como um passo de crescimento, começou a aparecer para mim como o indício inconfessável dessa vergonha que, silenciosamente, começara a ser gestada muito antes.

Desde os tempos de ditadura, quando a Radiobrás era tida como vital, sempre houve quem lhe jogasse na cara que ela fazia parte da criadagem do Palácio. Nos tempos do general João Figueiredo, seus funcionários freqüentavam a intimidade da rotina festiva da primeira-dama, D. Dulce. Eram solicitados em serviço, dentro dos seus turnos de trabalho, para filmar comemorações particulares. Dada a colunas sociais, pequenas recepções e banquetes memoráveis, D. Dulce convocava o cinegrafista oficial do presidente Figueiredo, o que ficou na lembrança dos remanescentes. Com um auxiliar para carregar o pesado equipamento — a parafernália para gravar as fitas U Matic de trinta minutos não era carga pouca —, lá ia o cinegrafista para os eventos da primeira-dama. Quando a agenda de baladas de fim de semana se intensificava, o pessoal de operações precisava se organizar em escalas para dividir o encargo extra.

Filha dileta da ditadura, mãe que gostava de mimar as crias, desde que obedientes, a Radiobrás viveu dias de glória e de grandeza servindo aos poderosos. Badalações à parte, o regime militar via na radiodifusão um sistema privilegiado para promover a integridade e a integração nacional por meio das ondas eletromagnéticas. De quebra, usava as mesmas ondas para atrapalhar os sinais das emissoras estrangeiras, de Cuba, do Leste Europeu, da União Soviética ou da China, que traziam para cá as perorações do socialismo democrático. Além de carregar o discurso oficial, as antenas das emissoras do governo, sobretudo nas regiões de fronteira, eram ajustadas para atrapalhar os sinais alienígenas. Em toda a fronteira norte, do Amapá ao Acre, formou-se o que os funcionários chamavam de "cortina". O sujeito que quisesse sintonizar uma rádio de Havana precisava se dispor a enfrentar ruídos; se optasse por uma estação do governo, seria agraciado com um som de ótima qualidade.

No começo dos anos 1980, a estatal contava com nada menos que 42 emissoras sob seu comando, quarenta delas instaladas, funcionando. Eram duas geradoras e cinco repetidoras de televisão, dez rádios de ondas médias, treze de freqüência modulada, duas de ondas curtas e oito em ondas tropicais. As estações governistas cobriam os rincões do Brasil como pequenos pilares do combate à subversão — fosse ela forasteira ou brasileira. Em São Félix do Araguaia, no Mato Grosso, uma estação em FM foi fincada, segundo a memória dos funcionários antigos, para minimizar a influência do bispo dom Pedro Casaldáliga na região. Nascido na Catalunha, Espanha, dom Casaldáliga fora ungido bispo de São Félix em 1971, quando lançou o manifesto "Uma Igreja da Amazônia em Conflito com o Latifúndio e a Marginalização Social", que seria a semente da bandeira da reforma agrária e da defesa dos indígenas e dos trabalhadores rurais. Combatia abertamente a ditadura, mesmo depois da inauguração da emissora da Radiobrás e também depois da repetidora de TV que lá foi instalada, ainda nos anos 1980.

Em outras duas localidades do Mato Grosso, Sinop e Alta Floresta, também surgiram geradoras de rádio e repetidoras de TV, com equipamentos e funcionários da Radiobrás. No Rio de Janeiro, além da histórica Rádio Nacional do Rio, em AM, estavam em operação a Rádio Ipanema, com um transmissor de 100 quilowatts, em ondas médias, e a Nacional FM, com um transmissor de 7,5 quilowatts. Em Boa Vista, no então território de Roraima, e Porto Velho, em Rondônia, funcionavam estações de rádio e TV. Ao todo, havia sedes em quinze municípios. Em Brasília, a estatal tinha quase o porte de um ministério. Até o início dos anos 1980, era dona de sete casas no Lago Sul, algumas delas de luxo, onde residiam seus administradores. Era uma potência.

* * *

O declínio só viria no final dos anos 1980, mas os primeiros sinais de abandono já se insinuavam desde o início da década. Em 1981 e 1982, a estatal deu adeus às residências no Lago Sul. Não era mais de bom-tom a manutenção das chamadas "mordomias", e as casas foram trocadas por um prédio de apartamentos na Asa Norte, com quatro andares, que mais tarde seria adaptado às necessidades da empresa.

Com o fim do mandato do general Figueiredo, em 1985, veio o sinal verde para a decadência. A partir de 1988, por determinação do governo federal, a Radiobrás, em conjunto com o Ministério das Comunicações, iniciou a desativação da maioria das emissoras, que foram vendidas ou doadas. Na Região Norte, os brasileiros das regiões mais pobres, os rincões "estratégicos" no jargão dos militares, levaram a pior. Como já não valiam nada para a geopolítica autoritária, que tinha se aposentado, também não valeriam nada para a democracia que nascia. A ninguém parece ter ocorrido que, se já não eram úteis para combater mensagens ditas subversivas na selva amazônica, as emissoras públicas de rádio poderiam ter sido aproveitadas para a promoção dos direitos e para a elevação do padrão de vida daquelas populações. Nada disso. Veio o desmantelamento. O patrimônio da empresa passou a ser cobiçado como negócio, comercial ou político, pelos amigos das autoridades. O mesmo ano de 1988 que marcou o fim da EBN rendeu à Radiobrás esta outra ferida: a desativação do seu patrimônio. E mais o sentimento de inferioridade.

No mesmo período, o Ministério das Comunicações batia recordes em concessões de freqüências de rádio e televisão para particulares. O governo Sarney, segundo levantamento do Fórum Nacional de Democratização da Comunicação (publicado na revista *MídiaCom*

Democracia, número 2, de junho de 2006), distribuiu, de 15 de março de 1985 a 5 de novembro de 1988, data da promulgação da nova Constituição Federal, 1.028 concessões e permissões de freqüências. De acordo com a pesquisadora Sônia Virgínia Moreira, isso representava 30,9% dos canais existentes à época. A quantidade de concessões autorizadas por Sarney só era superada pela soma das permissões de todos os presidentes entre 1934 e 1979. Também para que se possa comparar, em todo o governo anterior, do general João Figueiredo, que se estendeu por seis anos, de 15 de março de 1979 a 15 de março de 1985, foram 634 concessões e permissões. No dia 2 de junho de 1988, em meio à chuva de concessões, a Assembléia Nacional Constituinte aprovou, por 328 votos contra 222, a decisão que definiu em cinco anos o mandato já em curso de José Sarney. Era tudo o que o Planalto queria. Na mesma época, o governo determinou que as freqüências controladas pela Radiobrás fossem repassadas adiante.

Das 42 emissoras, a estatal permaneceu com apenas nove, entre elas as duas que nunca foram instaladas, em Porto Velho e Manaus, e duas que seriam desativadas logo a seguir, uma em ondas curtas, no Rio de Janeiro, e outra, também em ondas curtas, a Nacional do Brasil, em Brasília, que transmitia para o exterior. Ou seja: das 42, restaram cinco. Quanto às 33 vendidas, 20 foram parar em mãos particulares, seis se transferiram para governos estaduais e sete se tornaram propriedade de prefeituras (as negociações com as prefeituras se arrastaram no tempo e só seriam concluídas no ano de 2002).

Naquele ano de 1988, a Radiobrás vendeu os ativos, quer dizer, escritórios, transmissores, estúdios, mediante concorrência pública. Como não era a proprietária das freqüências — que explorava mediante permissão do Ministério das Comunicações —, coube ao então ministro das Comunicações, Antônio Carlos Magalhães, transferi-las aos novos donos. A Rádio Ipanema, no Rio de Janeiro, por exemplo, tinha o seu preço mínimo em 67,4 mil OTNs (Obrigações do Tesouro Nacional), o correspondente a 1,8 milhão de reais, corrigidos pelo Índice Nacional de Preços ao Consumidor, o INPC, para valores de 2006. Isso era o preço mínimo, apenas dos equipamentos, pois a rádio não tinha imóveis e a freqüência não entrava na conta, saía de graça. Apareceu um único comprador, que ofereceu 110 mil OTNs. Foi vendida por esse preço, cerca de três milhões de reais, o que, aparentemente, era uma operação favorável à estatal. Não era. Antes que o negócio fosse concluído, o novo futuro dono negociou a rádio com um terceiro, por valores bem maiores. Foi para esse terceiro que migraram os ativos da Ipanema.

Quanto às transferências para governos estaduais, os ativos foram simplesmente doados, de um modo tão atabalhoado que deixou pontas desamarradas para todo lado. Ainda no primeiro governo Lula havia pendências por resolver. O mesmo se deu com as prefeituras: até meados de 2006, havia problemas a sanar. A diretoria jurídica da Radiobrás, ainda na minha gestão, suou pesado para regularizar essas operações malfeitas, que dizimaram o patrimônio do qual os funcionários tanto se orgulhavam.

* * *

O governo Collor representou outro golpe no moral da casa. Entre 1990 e 1992, 439 funcionários foram demitidos e outros 32 pediram demissão, alguns porque foram constrangidos a isso. A partir de então, a companhia entrou num período errante e errático. A inconstância virou a regra. Entre 1990 e 1998, cinco presidentes se sucederam na Radiobrás, com cinco linhas administrativas inteiramente distintas: Marcelo Neto (1990-1991), Ruy Pontes (1991-1992), Luiz Otávio de Castro Souza (1992-1994), Rui Lopes (1994-1995) e Maurílio Ferreira Lima (1995-1998). Por volta de 1992, o descontrole atingiu o ápice. Os integrantes do Conselho Fiscal tinham renunciado e o Conselho Administrativo se dissolvera. Praticamente não havia prestação de contas. O descalabro começou a se resolver quando, em 1993, o auditor Luiz Militino, um dos mais respeitados da capital federal, foi nomeado para dar um jeito no que aparentemente não tinha mais jeito. Com o trabalho de Militino, a empresa caminhou dentro da normalidade.

Até 1998. Nesse ano, as mesmas nuvens que dez anos antes pressagiaram o melancólico destino da EBN começaram a se concentrar no céu da Radiobrás. Falava-se abertamente em fechar as portas da instituição. No finalzinho do primeiro governo de Fernando Henrique Cardoso, a idéia de liquidá-la tomou corpo. Na época, o jornalista Carlos Zarur, quadro de carreira da estatal, ocupava o cargo de secretário executivo da Secretaria de Comunicação Social da Presidência da República, o nome da Secom na época. Viu-se convocado pelo governo para discutir o assunto. Zarur compareceu primeiro a uma, depois a duas, e então a uma seqüência de reuniões, muitas delas conduzidas pelo embaixador Sérgio Amaral, então ministro de Estado da Comunicação Social e porta-voz de Fernando Henrique Cardoso — que também participou das conversas uma vez ou outra. A pergunta era: vale a pena continuar com a Radiobrás? Alguns técnicos do Ministério do Planejamento garantiam que a melhor resposta era não. Apenas a operação de TV deveria ser mantida, para a transmissão dos atos oficiais da Presidência da República, mas vinculada diretamente ao Planalto.

Depois de considerar prós e contras, o governo decidiu dar a Carlos Zarur o cargo de presidente com uma missão que o punha contra a parede: ou tornava a Radiobrás mais útil e saudável ou tomaria as medidas para encerrar suas atividades. Em abril de 1998, aos 49 anos de idade, assumiu o posto, que, no início, conciliou com a Secretaria Executiva da Secom. Em 1999, quando começava o segundo mandato de Fernando Henrique, deixou a Secom. Primeiro funcionário do quadro a comandar a casa, Zarur nomeou outros dois empregados de carreira para auxiliá-lo na gestão: Roberto Gontijo se tornou diretor de televisão, e Luiz Antônio Duarte Moreira Ferreira virou o diretor administrativo-financeiro. Mexeram em muita coisa. Para melhor.

A burocracia, a chamada "atividade meio", estava instalada em um prédio confortável no centro de Brasília, enquanto a "atividade fim" se contorcia entre a antiga sede da Rádio Nacional de Brasília, um barracão na W3 Sul, e os porões da Torre de Televisão, um cartão-postal da cidade, no Eixo Monumental, que por dentro era insalubre. A redação da agência que restara da velha EBN ficava na W3 Sul, freqüentada assiduamente pelos ratos. Isso mesmo: ratos, roedores, que passeavam animadamente pela redação. Zarur se lembra de tê-la visitado ainda em 1995, três anos antes de assumir a presidência, quando foi recebido por uma gritaria. "As mulheres da redação subiam nas mesas para fugir dos ratos que serpenteavam por baixo das mesas", ele me escreveu num e-mail. Em 1998, o cenário não era diferente: aos jornalistas, o convívio com os roedores; aos burocratas, salários um pouquinho mais altos. A diferença de tratamento entre a atividade meio e a atividade fim se expressava até nisto: o primeiro nível salarial da primeira era maior, e os administradores começavam ganhando mais do que os jornalistas.

A diretoria de Carlos Zarur reformou o prédio próprio na Asa Norte, aquele que tinha sido recebido em troca das casas do Lago Sul, em 1982, e que estava abandonado. Nele, instalou a presidência e as áreas de jornalismo e operações, com as redações e os estúdios de rádio e de TV. Quanto à área meio, ele a transferiu para um prédio alugado próximo à nova sede. Sua gestão lançou a Agência Brasil e a NBr. "Nós procurávamos recursos de todos os lados", ele me contou. "Andamos no fino fio da navalha entre a busca de dinheiro e a busca da liberdade de expressão, isto é, entre conseguir orçamento no governo, cheio de prioridades, e não perder a nossa grande força, que era a de produzir uma informação a mais isenta possível." Sob Carlos Zarur, a Radiobrás começou a se despedir do ranço que herdara da ditadura.

A situação administrativa era um filme de terror. "Havia no governo, com razão, um certo desânimo com a Radiobrás que existia sob a presidência do ex-deputado Maurílio Ferreira Lima", diz o depoimento que Zarur me enviou. Imediatamente, Luiz Militino, o mesmo que saneara as contas anos antes, foi chamado de volta. As boas relações com o Tribunal de Contas da União, seriam restauradas. "O mérito do que fizemos não foi meu", ele avalia. "A jornalista Ana Tavares, titular da Secretaria de Imprensa e Divulgação (SID), e o embaixador Sérgio Amaral, ministro da Secom, ambos com acesso direto ao presidente da República, sempre me apoiaram nas brigas mais difíceis. Sem eles, eu não teria feito nada."

* * *

No dia 2 de janeiro de 2003, quando cheguei ao quarto andar do predinho da 702/3 Norte, onde daria expediente pelos quatro anos, três meses e vinte dias seguintes, encontrei um ambiente melhor. Dei continuidade a projetos que Carlos Zarur iniciou e declarei em mais de uma ocasião que tinha o seu trabalho em alta conta. Em uma entrevista que dei ao semanário *Meio e Mensagem* (24.7.2006), explicitei uma vez mais o meu julgamento: "Encontrei um trabalho de gestão de muito bom resultado, realizado pelo meu antecessor." Ao compor a minha diretoria, ainda no início de 2003, mantive no posto alguns dos auxiliares de Zarur. Pedi a Roberto Gontijo que continuasse na diretoria de operações e, a Luiz Militino, que não se afastasse da auditoria interna. Os dois me atenderam.

Já não havia por ali a bagunça administrativa de alguns anos antes, mas aquela ainda era uma empresa com a alma ferida e com o corpo machucado. Em janeiro de 2003, encontrei uma organização que mantinha a cabeça baixa diante do governo, qualquer que fosse o governo. Lembro-me bem de que as secretárias reagiam esbaforidas a qualquer telefonema da Secom: interrompiam reuniões, batiam na porta do banheiro, corriam pelos corredores para chamar imediatamente quem quer que fosse. Eu, inclusive. Acabamos com a síndrome telefonema-da-Secom em poucos dias, mas os traumas profundos iriam permanecer. Aquelas pessoas ainda tinham a idéia de que o chefe de todas elas era alguém que não trabalhava ali, apenas telefonava para dar as ordens.

CAPÍTULO 9

Tantos planos, um tabu e balões verdes

Por baixo do paletó, ele não abotoava os punhos da camisa, invariavelmente branca. Fechava o nó da gravata, mas deixava soltos os punhos. Dava uma aflição na gente, como se estivesse com as mangas a meio caminho de serem arregaçadas ou, vendo de um outro ângulo, como se algo estivesse ainda por ser ajustado nos encargos que lhe cabiam. Henri Kobata se movia em sintonia com o inacabado — e isso era bom. Quando eu o conheci, nos anos 1990, éramos ambos diretores da Editora Abril. Eu, um neurótico estridente, tiranizado por metas, prazos e objetivos quantificáveis. Ele, um tipo mais silencioso que, segundo me explicava, sem que eu entendesse, jogava mais ênfase nos processos que no resultado.

Uma vez, depois de um jantar no apartamento funcional que habitei, eu o vi desenhando um ideograma japonês, um *kanji*. "Isto é uma árvore", ele apontou, mostrando uma cruz de cujo centro escorriam dois traços curvilíneos divergentes: um para a direita e outro para a esquerda, que iam se afastando do eixo vertical à medida que desciam. Em conjunto com o eixo vertical, formavam um tripé. Olhando outra vez para os dois traços curvos, tive a impressão de que eles lembravam as duas águas do telhado de um templo budista, ou melhor, de uma igrejinha de Guignard. O ideograma-árvore parece uma cruz fincada numa capela, mas fincada bem fundo, até que sua haste horizontal encoste na cumeeira do telhado. Claro que apenas parece, pois o ideograma japonês não tem nada a ver com igreja nem com crucifixo — a gente é que tem o vício de ver nas coisas desconhecidas pedaços das coisas conhecidas. Aquele era o ideograma "ki".

"A barra horizontal representa o chão", Henri explicou. "Os três riscos que apontam para baixo são a raiz." Ah, então está bom: aquele sinal de mais, sobreposto a uma letra "V" meio gótica, de ponta-cabeça, com o vértice bem no centro da cruz, quer dizer árvore. Enquanto eu tentava inutilmente memorizar a letra que era uma palavra, ele desenhou outra árvore ao lado da primeira: "Duas árvores, uma ao lado da outra, significam bosque." Sem esperar, ele pôs um terceiro ideograma-árvore acima dos dois primeiros, compondo o que tinha cara de uma pirâmide. "Os três juntos", Henri apontou para eles com o lápis, "são o ideograma que representa floresta." Ele tinha um gosto pelos conjuntos cujo significado era maior que a mera soma das partes: um gosto especial por boas equipes.

Filho de japoneses, nasceu em São Paulo em 1952. Estudou música durante a infância, a adolescência e parte da juventude. Ele dizia que certa vez, incumbido de reger uma interpretação da *Sonata número 1 para piano e orquestra*, de Beethoven, resolveu conversar sobre Victor Hugo com sua equipe, quer dizer, com os músicos. Segundo lhe parecia, o universo musical do primeiro era iluminado pelas palavras do segundo e, assim, falar de Victor Hugo ajudaria a orquestra a tocar melhor. Henri dizia acreditar que há os maestros educadores e os maestros que são déspotas. Preferia os primeiros, mas avisava: só os segundos vencem.

Nos anos 1970, dividiu-se entre os cursos de engenharia mecânica na Politécnica da USP e de jornalismo na Cásper Líbero, também em São Paulo. Formou-se jornalista em 1982. Alguns anos depois, era diretor de redação dos Guias da Editora Abril e ali desenvolveu sua carreira, mesmo sabendo que não era aquele o seu ponto de chegada. Para ele, o porto seguro surgiu no chamado terceiro setor, o mundo das organizações não-governamentais. Disso, fez o centro de seus afazeres. Eu já sabia disso quando o convidei para tomar um café em minha casa, no Butantã, em São Paulo, nos primeiros dias de janeiro de

2003. Queria ver se ele estaria disposto a se mudar para Brasília para trabalhar comigo. Fazia mais de um ano que não nos víamos, mas a conversa fluiu como se ainda fôssemos vizinhos de mesa na Abril. Embora já se encontrasse mergulhado no tal terceiro setor, disse sim ao meu convite, provavelmente contaminado pelo ânimo declarado com o qual eu disfarçava minhas incertezas. Mais adiante eu compreendi que o meu ânimo contou a meu favor, mas o que mais mobilizou Henri Kobata foi o desafio: a idéia de que tínhamos um projeto difícil. Henri só me pediu uma condição: que não tivesse de abrir mão de suas ONGs. Topei. Ele cumpriu inúmeras tarefas na Radiobrás. Acima de tudo, cuidou de pessoas, a área a que normalmente chamamos de Recursos Humanos. Quando deixei a Radiobrás, pedi que ele permanecesse. Continuava sem abotoar os punhos.

* * *

Quando comecei a gestão, imaginei: se eu soubesse tocar os cerca de 1.150 servidores e os 130 estagiários bem na alma, teria alguma chance. Eu teria que motivar o pessoal, teria que ser o mensageiro da causa certa, na hora certa, para as pessoas certas. Eis por que escalei Henri Kobata para a diretoria da Radiobrás. Tão logo chegou, saiu ouvindo os empregados em conversas individuais. Com a ajuda de uma pequena equipe que teve a sabedoria de montar bem no início, realizou 197 entrevistas em profundidade, cada uma com mais de uma hora de duração. Embora aquela não fosse uma pesquisa quantitativa, com critérios de amostragem capazes de fornecer o quadro geral, ela nos indicava tendências e humores das pessoas. Ninguém declarou que o chefe era um bom gestor. Apenas 10% julgavam que os gerentes se davam bem com a equipe. O ambiente era difícil, travado. Não havia diálogo.

O triste quadro era coerente com a minha percepção. Além de os subordinados não saberem dizer quem eram os chefes e vice-versa, quase nenhum dos gerentes tinha idéia do tamanho da folha de pagamentos sob sua responsabilidade, muito menos dos custos da sua operação. Além de traumatizada pelos dissabores do passado, aquela era uma empresa sem coesão, sem razão de ser compartilhada entre todos, sem rumo. O que seria grave em qualquer tipo de atividade era simplesmente desesperador para uma empresa de comunicação.

Partimos para estruturar um plano estratégico que nos ajudasse a unificar as pessoas e a ter uma clareza coletiva da direção a seguir. Não há saída para quem não tem um plano. Há formatos alternativos para o exercício, com muitas metodologias à disposição. Fomos atrás de um formato apropriado para o setor público. Em março de 2003, com o suporte da Escola Nacional de Administração Pública (Enap), juntamos cerca de 15 funcionários e diretores para dar cabo da empreitada. Foram três dias de debates. O resultado foi na medida.

Tendo por base estrita a legislação, estabelecemos uma missão, uma carta de valores, além de diretrizes e objetivos estratégicos, e uma visão de futuro. Até o início de 2007, quando deixei o posto, a missão se mantinha inteira:

> Somos uma empresa pública de comunicação. Buscamos e veiculamos com objetividade informações sobre Governo, Estado e Vida Nacional. Trabalhamos para universalizar o acesso à informação, direito fundamental para o exercício da cidadania.

A palavra *objetividade* e a idéia do *direito à informação* deram o direcionamento renovador de que precisávamos. A Radiobrás deveria romper, de modo organizado, planejado e coeso, com a tradição de chapa-branca, de bancar a advogada dos governantes com o público, tarefa para a qual ela jamais teve atribuição legal. A partir daquele plano, a Radiobrás deveria ter não apenas o seu conteúdo informativo focado no cidadão: toda a empresa deveria se organizar para melhor atender o direito à informação dos brasileiros. Fora disso, não havia sentido.

Os valores também se mantiveram inalterados pelos quatro anos seguintes:

Os valores da Radiobrás, que expressam e sustentam a dimensão ética de nossas ações, têm como base o respeito:

Respeito ao caráter público de nossa atividade, ao buscar a excelência e ao exercer a transparência interna e externa;

Respeito à cidadania, ao assumir um compromisso permanente com a universalização do direito à informação, com a verdade e com a qualidade da informação, por meio de canal direto com o público;

Respeito às diferenças, por meio do diálogo;

Respeito às pessoas ao promover a felicidade no trabalho, a criatividade e a inovação.

Tendo o respeito como base, nossa ética concretiza-se na renovação cotidiana da credibilidade da Radiobrás junto à sociedade brasileira e aos funcionários da empresa.

Das duas ou três páginas que redigimos ali, tiramos a bússola e o mapa de navegação. Seguimos em calma. Terminado o exercício da Enap, contrariamos alguns poucos pedidos e não distribuímos cópias de nada. Calculadamente. Naquela fase inicial, teria sido um erro mandar distribuir folhas de papel aos quatro ventos. Dada a cultura de papelórios empoeirados e inúteis que se amontoavam nas gavetas, os nossos panfletos, mesmo que bem-formatados, cairiam na vala comum. Queríamos que as novas idéias entrassem não meramente no vocabulário passivo, mas no vocabulário ativo dos funcionários, nas conversas de corredores e sobretudo nos afazeres profissionais de todos eles. Fizemos uma série de reuniões, grandes, gerais, para todas as áreas, e pequenas, fechadas, para os vários departamentos, em que as missões, os valores e os detalhes do planejamento eram explicados e debatidos. A missão e os valores precisavam ser falados, pronunciados, revolvidos, buscados, compartilhados — não deveriam ser meramente lidos.

* * *

Assim, além de disseminar o que nortearia a vida da Radiobrás dali por diante, era preciso investir no segundo movimento: envolver gente, fazer com que os interessados pudessem participar do detalhamento do plano estratégico. Abrimos grupos de funcionários para desenvolver, a partir da missão e dos valores, planos específicos para áreas mal resolvidas. Nada menos que dezessete Grupos de Trabalho nasceram em 2003, todos articulados em torno de prioridades:

- Melhorar o conteúdo jornalístico.
- Aprimorar o desenvolvimento profissional e pessoal.
- Potencializar a capacidade de transmissão.
- Cortar custos e administrá-los racionalmente.
- Buscar novas receitas.

Logo na primeira convocação, encaixamos aproximadamente 130 integrantes titulares nesses grupos. Era fácil entrar. Participavam aqueles que se inscrevessem. A diretoria indicou secretários e monitores para cada grupo e, por meio deles, controlava os cronogramas e o formato do projeto, que era padronizado. As decisões ficavam a cargo dos integrantes dos grupos. A aprovação final ficava a cargo da diretoria, numa apresentação que era aberta aos interessados. Cada grupo tinha o compromisso de realizar pelo menos três sessões intermediárias abertas antes da apresentação final. Com isso, a participação aumentou fortemente. Ao longo de 2003, os grupos trabalharam por 414 horas, rendendo nada menos que quarenta horas de apresentações abertas, com uma lista de presença de 1.050 participantes. A qualidade dos planos comprovou a qualidade do processo, para usar aqui uma expressão do vocabulário de Henri Kobata. Todos os planos foram aprovados, mas muitos ajustes foram solicitados.

Foi graças a invenções como os Grupos de Trabalho que, em instâncias coletivas, a empresa começou a se repensar e a se reorganizar em torno de metas claras. Dos dezessete grupos, nove se enquadravam na primeira prioridade: melhorar a qualidade editorial e a qualidade dos processos editoriais. Começaram ali os planos editoriais para os principais programas e para as emissoras da casa.* Os integrantes de quase todos os grupos visitaram empresas privadas e órgãos públicos para conhecer de perto modelos de sucesso e estudar como aproveitá-los na Radiobrás. Vários contaram com o apoio de especialistas, que se dispuseram a passar um ou dois dias dando aulas, fazendo exposições ou ajudando a aperfeiçoar o plano em elaboração, quase sempre sem cobrar por isso. Muita gente passou por uma intensiva qualificação.

* * *

Eu, que segui a evolução dos grupos bem de perto, vi a transformação ganhando ritmo. Caixas-pretas eram estouradas. Os modelos viciados evaporavam. Eu ia às reuniões abertas dos grupos e me sentava na platéia. Insistia em que, ali, a minha opinião tinha o mesmo peso da opinião dos demais; ela só teria um peso diferenciado no momento em que me caberia, em conjunto com os outros diretores, aprovar ou reprovar o plano, na apresentação final. Nos encontros intermediários, outros diretores também compareciam, nas mesmas condições. Foi-se produzindo um clima sem maiores cerimônias, em que preconceitos atávicos ou feridas escondidas afloravam sem constrangimentos.

Numa das reuniões abertas do grupo encarregado de redigir o Plano Editorial da Agência Brasil, uma das jornalistas da platéia reclamava apaixonadamente que faltava gente na sua redação. Nesse momento, estava em discussão se a Agência deveria mesmo publicar algumas atrações do roteiro cultural de Brasília, que ela veiculava de modo irregular — eventualmente, entrava na página uma nota sobre um show de Oswaldo Montenegro no Teatro Nacional, por exemplo. Lá pelas tantas, eu perguntei:

---

* Sobre os planos editoriais, ver capítulo 21.

— Se vocês julgam que isso é relevante para o leitor, e que isso está de acordo com a missão que a Agência Brasil deve ter, por que não publicar todos os filmes, shows e peças de teatro das principais cidades brasileiras? Somos uma agência de alcance nacional, não somos?

Imediatamente, a jornalista que clamava por mais vagas se pôs de pé, com ares de que tinha muito a denunciar para o presidente da empresa:

— Por que não damos os filmes, as peças, os espetáculos de todas as cidades? Porque falta gente, presidente!

E me alvejou com olhos de "tenho dito". Minha primeira sensação foi de alívio: ainda bem que faltava gente para aquele tipo de matéria, que jamais deveria figurar no cardápio da Radiobrás. A segunda foi de preocupação: as pessoas ali não tinham a menor idéia do tipo de notícia que deveriam pôr na rua. Demorou ainda cerca de um ano para que o conjunto dos profissionais da Agência Brasil percebesse que ela era uma agência especializada em governo e cidadania, inteiramente desobrigada de se ocupar de roteiros de espetáculos, que já eram oferecidos por uma infinidade de publicações especializadas, eletrônicas e impressas. O valor da Agência Brasil, a sua credibilidade, estava nas notícias exclusivas, em primeira mão, que ela publicava sobre a sua área de especialidade. Era por isso que ela era procurada. Portanto, as suas melhores energias deveriam ser investidas na produção de conteúdo em sua área principal.

* * *

Somente ao final de 2003, depois de concluída a jornada da maioria dos Grupos de Trabalho, julgamos chegada a hora de publicar, em papel, a missão e os valores da Radiobrás. Quando a missão e os valores começaram a aparecer nas paredes da empresa, em quadros com letras de bom tamanho, centenas de funcionários já tinham experimentado na prática a razão de ser daquelas palavras. O ambiente estava mudando não porque houvesse uma nova missão sobre uma folha de papel, mas porque havia uma nova missão na cabeça de boa parte das pessoas. A noção de que trabalhávamos para o cidadão em primeiro lugar foi se tornando lugar-comum.

Não que fossem tempos de paz e de congraçamento. O convite à participação poderia dar a impressão de que a empresa se convertera numa alegre oficina criativa, sem amarras, sem prazos, sem metas nem rotinas. Não era assim. Ao mesmo tempo que eram abertas portas para o engajamento dos interessados, também eram instalados sistemas de cobrança e de medição de desempenho, dando origem a atribulações e atritos. A tensão, portanto, tinha crescido. Os grupos de trabalho eram a instância ideal para imaginar e formular novos caminhos, mas não poderiam ser confundidos com centros de tomada de decisões administrativas de rotina. A Radiobrás não era, nem deveria ser, uma assembléia. Ela precisava ter — e teria cada vez mais — hierarquia. A pressão subia.

Em 2004, Henri voltou à carga com uma nova pesquisa, com as mesmas interrogações. Na segunda safra, ele e seus colaboradores imediatos ouviram 325 empregados — bem mais que os 198 do ano anterior. Tivemos boas e más notícias. No lado positivo, soubemos que uma parcela das chefias já era bem avaliada. Os chefes eram vistos como bons gestores por 32% dos entrevistados. Para 52%, havia um bom relacionamento entre chefes e subordinados. Pelo lado negativo, fomos informados de que 12% achavam que não havia espaço para diálogo com os chefes, praticamente no mesmo patamar de 2003. Claro que, de novo, aquela não era uma pesquisa com validade quantitativa, com objetivos de fornecer um painel preciso, mas, mesmo assim, acendia luzes amarelas. Um terço dos funcionários se declarava inseguro e desmotivado — e esse contingente era bem maior que o de 2003.

O convívio era mais tenso, e nós, àquela altura, tínhamos consciência do motivo das apreensões que a pesquisa revelava: demissões.

* * *

Bem no início de 2003, a diretoria tomou a decisão de não permitir aumento no número de empregados. Assumi a empresa com 1.147 funcionários e a devolvi, em abril de 2007, com 1.143. Em termos orçamentários, nós até dispúnhamos de espaço para deixar o número subir um pouco, mas tomamos a decisão de não seguir esse caminho fácil. Se fôssemos por aí, não passaríamos à organização a mensagem de que ela precisava ganhar produtividade, agilidade, qualidade e competitividade, fazendo cada vez mais e melhor sem usar mais gente. A Radiobrás precisava de muita coisa, na certa, mas não precisava de mais empregados. Na situação em que ela estava, contratar mais seria aprofundar a cultura da ineficiência. Sem aumentar o quadro, nós poderíamos forçar a mudança de mentalidade. Foi o que fizemos.

Também no início de 2003, eu, pessoalmente, alertei em mais de uma reunião com a maioria dos empregados, sem esconder de ninguém, que implantaríamos métodos de avaliação de desempenho e que alguns seriam promovidos, outros seriam realocados e, finalmente, alguns poderiam vir a ser demitidos. A Radiobrás, empresa pública de direito privado, tinha seus contratos de trabalho regidos pela Consolidação das Leis do Trabalho (CLT), sem garantia de estabilidade. Tínhamos que mudar, e mudaríamos com rapidez, como já tínhamos avisado. Se fosse necessário fechar áreas inativas e abrir novos centros de produção, nós demitiríamos. Se fosse necessário substituir profissionais para melhorar o padrão, faríamos isso. Entre o início de 2003 e o final de 2005 afastamos 224 empregados por iniciativa da direção, sem contar os 130 que pediram as contas. É verdade que se trata de um contingente normal para uma empresa com quase 1.200 empregados, mas era chocante para uma casa em que esse termo, demissão, era um tabu.

Ao longo do caminho, obtivemos uma boa diminuição do número dos que eram nomeados livremente, sem concurso público, e uma elevação dos admitidos mediante concurso. Na mesma linha, os cerca de 130 estagiários, que antes eram recrutados segundo o "olhômetro" dos chefes, foram substituídos, à medida que terminavam o período regular de estágio, por meio de concurso público. Para que se tenha uma idéia do que isso representou, quando assumi o cargo, entre estagiários e empregados, havia na folha de pagamentos cerca de 460 pessoas admitidas sem concurso. Três anos depois, esse número já caíra para cerca de 240, aproximadamente.

Conforme as demissões aconteciam, um medo novo passou a bater ponto nas redações, nas salas de operação, nos escritórios: qualquer um poderia ser dispensado, desde que houvesse justificativas profissionais impessoais e publicamente sustentáveis para isso. Mesmo aqueles com mais de vinte anos de casa poderiam sair. À extensa lista de traumas que aqueles servidores já carregavam, a minha gestão acrescentou mais um.

Eu só assinava uma demissão que tivesse passado por um processo de avaliação do qual o funcionário tivesse conhecimento, com chances e prazos de se adequar às exigências, mas houve falhas — e o preço das falhas foi alto não só para os que perderam o emprego. Quando identificava inconsistências, eu determinava as reparações necessárias: reverti demissões já em fase de homologação e determinei até a recontratação de funcionários — pouquíssimos — que tinham deixado a empresa em condições que se revelaram injustas. Toda a diretoria se pautava pelos mesmos cuidados, mas, ainda assim, mesmo com a disposição de se reconsiderarem as poucas decisões precipitadas, as demissões deixaram no ar um sabor de que, às vezes, houve falta de transparência e de objetividade.

Se eu pudesse voltar no tempo, teria exigido um zelo formal ainda mais cuidadoso com os fundamentos de cada demissão, sem contudo deixar de reforçar o princípio de que a demissão não pode ser um tabu. Demitir é um recurso extremo e indesejável, mas pode ser praticado dentro da normalidade de uma empresa pública. Se alguém perde o emprego, outro alguém, com iguais direitos e, em tese, com mais preparo, o substituirá. A manutenção de áreas de baixo rendimento não é, como se imaginava na Radiobrás, um ato de solidariedade aos que lá se encontram: é uma deformação paternalista. Em que os que faltam reiteradamente ao trabalho não são punidos, os que se empenham e são assíduos acabam oprimidos, pois a mediocridade consentida (e, porque consentida, incensada) é uma das formas mais covardes de opressão no ambiente de trabalho. Uma empresa pública tem o dever de prestigiar aqueles que elevam a sua qualidade. O gestor público que aceita ser conivente com a displicência do subordinado, a pretexto de ser compreensivo, lesa o direito do cidadão a quem deveria atender, além de jogar fora o dinheiro público na forma de salários sem retorno. Na tentativa de não ser cruel com o subordinado descomprometido com o dever, termina por ser desrespeitoso com o cidadão. Revela-se um gestor relapso.

Foi com muito orgulho que fui empregado de uma empresa pública. Entre servidores públicos encontrei alguns dos profissionais mais brilhantes e competentes que já conheci. Em nada me aproximo daqueles que insinuam que o serviço público é sinônimo de ineficiência: ao contrário, há centros de excelência no serviço público que superam com folga o desempenho de empresas privadas. Isso não significa, porém, que se deva tornar intocáveis os funcionários públicos, como se todos fossem insubstituíveis. Essa postura é uma da pragas da administração do Estado, que só faz piorar o quadro.

À medida que iniciávamos as mudanças, passamos a ser atacados pela resistência surda dos que se viam na iminência de perder privilégios ou favores. Essa era uma resistência interesseira, muito diferente da indignação que surgia em vários de nós diante de uma demissão sem fundamento. Os defensores de privilégios preferiam agir na sombra, mas às vezes até saíam gritando: "Comigo ninguém mexe! Quero só ver! O político fulano de tal não vai deixar!" Havia uma rede subterrânea, formada de protegidos e protetores, que era a outra face da confusão gerencial, na qual o subordinado não sabia dizer com precisão a quem respondia e o gerente não sabia listar quais eram seus subordinados. A confusão administrativa era o ambiente ideal para a manutenção daquela rede subterrânea, que se mantinha na semiclandestinidade. Uma das explicações para a bagunça hierárquica era precisamente esta: no seu descontrole, ela ajudava a conservar o quadro do clientelismo e do uso privado da máquina pública. Onde tudo é uma completa desorganização, é muito mais fácil o funcionário acreditar que o seu chefe de verdade — aquele com poder real de contratá-lo ou demiti-lo — é um político que não trabalha na empresa. Da mesma forma, fica muito mais fácil para os políticos inescrupulosos criarem ali dentro uma acomodação para os seus apaniguados.

Nas primeiras demissões, eu mesmo recebi telefonemas de gente de fora tentando me demover. Como não cedi no começo, os pedidos foram minguando. Nunca deixei de ouvir as razões do outro lado, viessem de quem viessem, assim como não deixei de apurar as queixas para saber se elas tinham ou não tinham procedência. Quase sempre, eram reclamações improcedentes. Então, eu perguntava à pessoa do outro lado do telefone se ela estava disposta a defender publicamente o salário de alguém que, mesmo tendo sido avisado com antecedência, não comparecia ao trabalho ou não cumpria suas atribuições. Eu perguntava se ele defenderia a permanência da jornalista que, depois de suspensões, seguia se recusando a escrever uma única reportagem. Ele acabava respondendo que não.

Os que me procuravam — por telefone e também pessoalmente — terminavam por entender os propósitos da gestão. Os diretores da Radiobrás conservavam em seu poder pastas encadernadas com o histórico das decisões, com cópias das advertências, das atas de reuniões de avaliação, e mais cartas, telegramas e outros documentos. Sem revelar dados da privacidade de cada um, estavam prontos para comprovar a fundamentação do corte. Ao longo desses diálogos, conheci gente da maior integridade que, de críticos, se transformaram em defensores do nosso projeto, que fez muito, mas muito mais que demitir.

Entre 2003 e 2005, nada menos que 560 servidores do quadro receberam algum aumento na sua remuneração graças a novas funções que passaram a exercer. Além disso, 152 funcionários, também do quadro, tiveram majorações no salário base, sem contar os reajustes concedidos pelos acordos coletivos anuais, que acarretaram correções salariais acima da inflação. Não ficamos apenas nisso. O desenvolvimento de pessoas, outra prioridade, beneficiou, em atividades de capacitação internas de 2003 a 2005, 1.902 alunos (muitos funcionários freqüentaram mais de um programa). Outros 284 tiveram a chance de ser treinados em cursos externos.

Para garantir direitos iguais a seus funcionários, a diretoria da Radiobrás estendeu benefícios — como o auxílio para mudança de cidade —, de que já dispunham os casais heterossexuais, aos casais homossexuais. Foi uma das primeiras empresas no Brasil, aí incluídas as privadas, a adotar novas práticas para combater esse preconceito. Em junho de 2005 recebemos o prêmio Arco-Íris de Direitos Humanos, na categoria responsabilidade social, conferido pelo Grupo Arco-Íris às pessoas e iniciativas que contribuem para a promoção da cidadania homossexual e que dão visibilidade positiva às questões ligadas à homossexualidade. Casos de alcoolismo, de transtornos mentais e de traumas familiares passaram a merecer um acompanhamento direto e continuado dos psicólogos e educadores da equipe formada e treinada por Henri Kobata ao longo do ano de 2003. Dezenas de pessoas, entre empregados e familiares, foram beneficiadas com esse tipo de serviço, que poderia ser chamado de assistência emocional, ainda rara no ambiente empresarial, público ou privado.

Não haveria possibilidade de ganho de qualidade sem um esforço concentrado no desenvolvimento de pessoas, mas, muito mais do que cursos e treinamentos, que também aconteceram, foi o método de planejamento, baseado no envolvimento contínuo, que trouxe mais benefícios. Criamos uma vinculação direta, necessária, entre as ocupações diárias das equipes e o desenvolvimento de cada um. Elaborar em conjunto com os pares um plano editorial e depois verificar a sua evolução ao longo do tempo, sobretudo para quem nunca tinha participado disso, mostrou-se um método de capacitação como poucos. Sempre com base em critérios impessoais de avaliação.

* * *

Em síntese, foi esta a fórmula: de um lado, abrimos canais para os que queriam participar do planejamento; de outro, reforçamos a hierarquia interna e a validade das linhas de controle e de comando. O reforço da hierarquia, ao contrário do senso comum que prevalecia na Radiobrás, não fortalece o autoritarismo, mas o seu oposto. O autoritarismo viceja exatamente onde a autoridade não é fiscalizada e se sente à vontade para extrapolar suas atribuições. Hierarquia, com clareza de atribuições e de responsabilidades, não estimula, inibe o autoritarismo. Só desse modo uma empresa pública pode se proteger dos mandões internos e dos caciques externos, que julgam poder alojar ali dentro seus protegidos. Hierarquia democrática, pública, e não autoritária ajuda a combater o clientelismo dos cabides de emprego. Eu e os diretores passamos quatro anos repetindo sem descanso: "Para coordenar, chefiar, supervisionar ou comandar qualquer processo aqui dentro, só alguém de dentro da empresa." Nenhum funcionário tinha permissão para receber ordens de alguém de fora, fosse quem fosse esse alguém de fora. Ou era isso, ou não teríamos condições de responder por atos de gestão.

Sem o estímulo à participação, os melhores quadros não teriam como se destacar e se motivar. Sem o reforço da hierarquia, a empresa não teria como operar com eficiência. Envolvimento, de um lado; eficiência, de outro. Atuamos o tempo todo nessas duas frentes: com o envolvimento, destravávamos a criatividade, a espontaneidade, combatíamos o medo de errar; com atribuições de responsabilidade e linhas hierárquicas bem definidas, fortalecíamos as condições para a coordenação de atividades complexas. Uma frente legitima a outra e vice-versa. Uma frente anima a outra. Ninguém coordena operações simultâneas, que precisam de sincronia para dar certo, apenas com um ambiente de informalidade, assim como ninguém extrai invenções brilhantes por força da disciplina. Combinar as duas componentes é indispensável — ainda que, como na experiência que tivemos, seja às vezes um pouco sofrido.

O panorama só amainou em meados de 2006. Em parte, porque praticamente não houve demissões nesse ano — os ajustes terminaram em dezembro de 2005 — e, em parte, porque os resultados apareceram com muito mais eloqüência, elevando a auto-estima dos empregados. Aos poucos, a Radiobrás se dava conta de que progredira. A palavra demissão já não fazia parte da rotina.

Henri Kobata nunca mais realizou uma pesquisa. Não precisávamos mais, eu acho. No dia 28 de junho de 2006, numa quarta-feira, ele organizou uma festa com um formato mais que original. Para celebrar os trinta anos da empresa, convocou o pessoal para tomar refrigerante e comer um pedaço de bolo, bem no final da tarde, na calçada em frente à sede da 702/3 Norte. Cerca de trezentos funcionários compareceram. Havia um carro de som para prover o fundo musical. Havia ainda um microfone para as falas de praxe e um pequeno palco, um caixote ou, melhor dizendo, um tabladinho com uns trinta centímetros de altura, para elevar a estatura dos oradores. Naquele dia, dez antigos funcionários foram homenageados. Chamados ao nosso palco-caixote, receberam um pequeno troféu. Na hora de cortar o bolo, cantamos, veja se pode, o *Parabéns pra você*.

De todas as festas que tivemos durante esses quatro anos — e tivemos umas bem animadas, com suor, pista de dança e madrugada —, é daquela que eu guardo a melhor recordação. Estreávamos naquela semana o novo logotipo e, exatamente naquela cerimônia, inauguramos a fachada reformada do prédio, onde o logotipo estava iluminado sobre o fundo verde, tendo embaixo a assinatura que sintetizava a razão de ser de tanto esforço: "Radiobrás, pelo direito à informação". Um pouco antes do *Parabéns*, cada um recebeu das mãos da equipe de Henri Kobata um balão verde, a cor da empresa. De pé sobre o tablado, segurando o microfone, vi os balões de gás sendo distribuídos de mão em mão e pressenti o malabarismo que seria bater palmas sem soltar o barbante. Olhei nos olhos dos presentes e cheguei a achar que ali o Henri tinha passado das medidas em matéria de canduras artificiais. "Esse teatrinho aqui vai desandar", pensei. Mas não: os balões eram empunhados com alegria sincera, como se ninguém se sentisse meio pateta, como se estivéssemos numa festa de aniversário de criança sem criança nenhuma. Estávamos numa festa quase sem custo, repleta de significado, com os convidados tomando quase toda a largura da rua. Cantamos o *Parabéns* e, no instante em que o Henri deu a ordem, soltamos os balões. Todo mundo sorria com um ar desarmado, relaxado, olhando para cima e aplaudindo. Alguns se abraçavam. O sol já tinha sumido, mas havia um resto de claridade no céu. Pontos verdes se afastavam para o alto, acima das palmas, da música. Não havia vento. Os balões subiam. Mais uns trinta minutos e, em Brasília, seriam 19 horas.

CAPÍTULO 10

O vintém faltou ao encontro

Dinheiro, esquece. Passado o primeiro ano, ninguém tinha o direito de duvidar: estávamos condenados a operar no osso. Durante os quatro anos, o orçamento foi o bastante para suprir o pagamento da folha e o custo das operações vitais. Era a rubrica do "custeio". Fora isso, os "investimentos", outra rubrica na intrincada algaravia da administração pública, não deram nem para repor a depreciação. Sem esse dado não se tem a dimensão do esforço humano empenhado para transformar a Radiobrás numa empresa mais produtiva e mais presente na vida nacional. A Radiobrás se transformou radicalmente entre 2003 e 2006 — graças às suas equipes, ao envolvimento das pessoas, não ao aumento de seu orçamento, que não houve. Não raro, estive à beira de ver a empresa sem recursos para cumprir suas obrigações mais elementares, como a de acompanhar e cobrir os deslocamentos do presidente da República.

Nos cinco primeiros meses do ano eleitoral de 2006, o presidente Lula pôs o pé no avião e girou o país de um lado para o outro, dobrando o número de viagens em relação ao mesmo período do ano anterior: viajou 65 vezes, para 53 destinos diferentes, contra 32 vezes e 27 destinos nos cinco primeiros meses de 2005. Encarregada de cobrir e transmitir, em sinais de TV, ao vivo, os compromissos do presidente fora de Brasília, e de gerar o sinal para as emissoras de TV interessadas, a NBr não podia deixar de acompanhá-lo. E não deixou. Alguns profissionais o seguiam por via aérea, mas a regra era mesmo a via rodoviária. As equipes de operações cruzavam as estradas em vans e furgões transportando o maquinário, que incluía até gerador. Em cada ponto, montavam-se estações itinerantes: um controle com

117

mesa de corte dentro do caminhão, cinco ou seis câmeras interligadas e sistemas de *up link* para subir o sinal para o satélite. Em cada um dos destinos a que chegava, o presidente tinha vários compromissos, inclusive nas cidades vizinhas. Para que se tenha uma idéia da quantidade desses deslocamentos, leve-se em conta que, nas 65 viagens que empreendeu nos cinco primeiros meses de 2006, o presidente pisou em 333 cidades diferentes para comparecer a um total de 396 eventos, um encadeado no outro. Para dar conta desse ritmo e dessa intensidade, as bases da emissora itinerante transportada pela Radiobrás precisavam ser instaladas em dois ou três pontos simultaneamente, de modo que o presidente pudesse sair de um compromisso e chegar ao outro e ali encontrar o parque preparado para entrar no ar. Por lei, o trabalho era atribuição e dever da Radiobrás. Ao mesmo tempo toda essa operação rendia bons subsídios para a cobertura jornalística sobre o governo, o que ajudava nas reportagens do noticiário regular, com foco nos direitos do cidadão. Mas era uma operação difícil.

Durante a minha gestão, o comando dessa logística finíssima e, ao mesmo tempo, pesada coube a Roberto Gontijo, o técnico de carreira que já era diretor quando cheguei e que, a meu pedido, continuou no posto. Parrudo, barba grisalha no rosto redondo e queimado de sol, do tipo que fala pouco e faz muito, gostava de estrada. "Se eu ficar o dia todo num escritório desses como o seu, acho que morro", comentava enquanto ajeitava os suspensórios. Em 2006, eu e Gontijo tínhamos uma conversa fácil. Ele coordenava pessoalmente quase todas as viagens e se divertia dirigindo o furgão por centenas de quilômetros. Ser diretor de operações era a sua profissão. Ser motorista, o seu hobby. Com justiça, era reconhecido nas empresas privadas como um dos melhores operadores de TV do Brasil. Mandava em seu pessoal com mão-de-ferro, como um sargento em combate. Nunca o vi perder uma batalha. Com 56 anos, 26 deles dentro da empresa, orgulhava-se de dizer que não havia uma única fala pública de Lula no exercício do cargo que ele não tivesse gravado e arquivado. Fora de

Brasília, em território nacional, só naquele ano, fizera a cobertura de todos os 396 eventos nas 333 cidades diferentes. Isso até o comecinho de junho de 2006, quando quase ficamos lisos.

Lisos, sem um tostão. Com o presidente da República se deslocando cada vez mais, Roberto Gontijo pôs os seus profissionais para trabalhar com mais assiduidade. Também gastou mais. Para dar conta da agenda de 65 viagens, em cinco meses, o dobro dos cinco primeiros meses do ano anterior, o nosso gasto dobrou. Acontece que, em 2006, havia um tipo de limitação burocrática para gastos com viagens e, no dia 2 de junho, batemos no teto estipulado para o ano inteiro. O valor, de 1,2 milhão de reais, fixado por uma portaria da Casa Civil, segundo parâmetros da Secretaria Geral da Presidência da República, se esgotara.

Eu tinha sido alertado. No dia anterior, uma quinta-feira, bem no fim da tarde, o diretor financeiro me ligou, pedindo uma reunião de emergência. Ao chegar à minha sala, acomodou-se na pequena mesa redonda, bem ao centro. Lisboeta de riso aberto e mão fechada, Pedro Frazão controlava os centavos dos créditos disponíveis com o afinco de um dono de padaria. Não se incomodava de passar o dia atrás da mesa de tampo de mármore que lhe sobrou na sala ou de enfrentar a via sacra pela Esplanada em busca de recursos. Seu negócio era a numeralha. "Sou o porquinho Prático", definia-se. Impecável em suas gravatas atemporais e seus blazers clássicos, velejava pelas crises sem alterar o tom de voz nem franzir a testa sob a calva.

Em janeiro de 2003, aos 57 anos, ex-diretor do Grupo Abril, onde permanecera por 24 anos, tinha concordado em trocar a confortável aposentadoria para trabalhar comigo — e comigo ficou até o fim, embora eu não lhe desse descanso. Três anos e meio depois, naquele começo de noite, ele sorvia mais uma dose de apoquentação. O Palácio já fora informado da iminente paralisia que rondava a Radiobrás. Frazão não tinha mais do que mil reais para gastar com rodovias, hotéis e aviões. Começamos, eu e ele, ali mesmo na minha sala, uma rodada de telefonemas desgastantes — mais uma das inúmeras que aconteciam todos os meses, mas, dessa vez, com a minha participação direta, o que não era freqüente. Um ritual, diga-se, de uma chatice dromedária. O orçamento estava sancionado. Não havia contingenciamento. Os limites financeiros já estavam destravados. Só o que imobilizava o pessoal de operações era uma portaria burocrática.

Na terça da semana seguinte, o Diário Oficial escutou os nossos desaforos e trouxe uma nova portaria, ampliando o limite burocrático em mais duzentos mil reais. Daria para mais um mês, se tanto. Assim foi: de gota em gota, de mês em mês, um sufoco em prestações.

* * *

O que entrava era o suficiente para pagar os serviços e os contratos fixos — despesas que não podem ser evitadas se você quer manter a casa em funcionamento, com a luz acesa, água na torneira, tinta na impressora, sabonete e papel higiênico nos banheiros, telefones dando linha e canais de satélite no céu. Alguns números de um ano mais ou menos típico, 2004, dão idéia do quadro. Dos 100,2 milhões de reais do orçamento da empresa, o pagamento de pessoal consumiu 65 milhões. Restaram cerca de 35 milhões, quase todos para o custeio: aluguel de satélites, de prédios e serviços de telefonia, despesas com viagens, pagamento de benefícios que não entram na folha de pagamentos — auxílio-alimentação, complemento da assistência médica e auxílio-transporte — e, por fim, os impostos, muitos impostos (em 2004, foram 5,5 milhões de reais, e, em 2005, 8,15 milhões).

A margem para se fazer algo de novo era praticamente nula. Naquele mesmo ano de 2004, dos 35 milhões que recebemos no orçamento além da folha de pagamentos, cerca de 31 milhões de reais já vieram com sua destinação fechada para impostos, benefícios e os tais contratos continuados, como limpeza, telecomunicações e outros. Não dava para escapar. Nas renovações desses contratos, conseguíamos reduções dos custos unitários, mas os custos gerais até cresciam um pouco, uma vez que a quantidade de serviços aumentava bastante, no ritmo do aumento das atividades. Sobraram, naquele ano, não mais do que quatro milhões de reais para gastos sobre os quais poderíamos exercer escolhas. E, mesmo assim, bem limitadas. Desses quatro milhões, aproximadamente, tínhamos de tirar recursos para comprar materiais de expediente, como fitas ou discos virgens, itens de manutenção dos computadores, de móveis e de luminárias, uma fieira de miudezas não cobertas pelos contratos continuados e que, ao fim do exercício, constituíam um universo respeitável. Não sobrava quase nada para montar o cenário de um programa de TV, para criar, para investir.

Em 2004, somente novecentos mil reais foram executados em investimentos. Vou repetir: novecentos mil reais. Essa rubrica, a dos investimentos, ficou mais ou menos por aí em 2003, 2004 e 2005. Para uma empresa alicerçada em tecnologia, com televisão, rádio e internet no ar, a inexistência de dinheiro para adquirir equipamentos é mais ou menos como a permanência da praga de gafanhotos na lavoura. Não investir é morrer. Você vê a depreciação consumir o patrimônio — os gafanhotos na plantação — e não tem um mínimo de armas para combatê-la. De 2003 a 2005, ou seja, durante três anos, somente 1,5 milhão de reais puderam ser executados em investimentos. Isso em valores somados de três anos. Esse 1,5 milhão de reais constituía a insignificância em forma de moeda: não cobria nem um quarto da depreciação no mesmo período, que chegou a 6,6 milhões de reais. O padrão de mercado para uma empresa de comunicação baseada em tecnologia, Pedro Frazão dizia isso o tempo todo, exige um nível de investimento quatro vezes superior ao valor da depreciação. Traduzindo: investimos 1,5 milhão de reais quando deveríamos ter investido, pelo menos, algo como 26,4 milhões. O resto ficou para os gafanhotos.

O único momento em que conseguimos trazer maquinário novo para a empresa, em uma escala maior, foi na preparação do lançamento da TV Brasil – Canal Integración, um canal internacional especialmente dedicado à América do Sul. A TV Brasil – Canal Integración fez as primeiras transmissões experimentais em janeiro de 2005 e, no segundo semestre daquele ano, passou a transmitir seus sinais diariamente para as Américas do Sul e Central. Para esse projeto foi possível investir 6,3 milhões de reais no final de 2004, mas isso não podia ser considerado um investimento próprio *da* Radiobrás ou *para* a Radiobrás, mesmo que tenha integrado o orçamento da Radiobrás e resultado na aquisição de equipamentos de propriedade da Radiobrás. A razão é simples. A TV Brasil–Canal Integración não nasceu como um empreendimento exclusivo da estatal que o sediou; foi uma iniciativa compartilhada entre os Três Poderes da República, à qual se associaram a Câmara dos Deputados, o Senado Federal e o Supremo Tribunal Federal. Sua gestão sempre foi compartilhada entre os Três Poderes. O STF, por exemplo, cedeu equipamentos e financiou os cenários. A Câmara dos Deputados ofereceu funcionários. Pelo Poder Executivo, houve ainda a participação do Itamaraty, o Ministério das Relações Exteriores, que arcou com as despesas de satélite em 2005 e 2006. Graças a esse esforço comum dos vários parceiros, a TV Brasil–Canal Integración entrou no ar. Ela se instalou no âmbito da Radiobrás, mas, por se tratar de uma emissora construída em parceria com outras instituições, não foi um projeto exclusivo da Radiobrás.

* * *

Entre 2003 e 2006, a Radiobrás não foi chapa-branca. O tratamento orçamentário dispensado a ela também não foi. Ela não bajulou o governo. Os cofres do governo também não lhe foram reverentes. O seu orçamento executado, de 2002 a 2005, saiu de um patamar de 72,4 milhões de reais para 95 milhões — daí já descontados os 10 milhões, aproximadamente, que se destinaram, em 2005, ao pagamento de sentenças judiciais antigas, e outros 6,6 milhões ao acerto das contas da previdência privada, contratada antes do início da minha gestão, que deixara dívidas. Foi, portanto, um crescimento de apenas 31%. Lembremos que o Índice de Preços ao Consumidor Amplo (IPCA), entre 2002 e 2004, teve uma variação de 32,34% e, de 2002 a 2005, de 39,87%. Esse crescimento de 31% bastou apenas para cobrir a folha de pagamentos — embora o número de funcionários não tenha se alterado — e para fazer frente aos contratos e ao custeio da operação.

A TVE do Rio de Janeiro, cujo Conselho de Administração integrei entre 2003 e 2006, igualmente vinculada à Secom, teve sorte melhor. Segundo os Relatórios de Gestão editados anualmente, ela valorizou seu contrato de gestão de cerca de 21,9 milhões em 2002 para 38,9 milhões em 2005, numa progressão de 77,6%, fora aquilo que conseguiu captar junto a empresas, a maioria estatais: foram 26,3 milhões em 2002 e 33,7 milhões em 2005. No total, a TVE passou de 48,2 milhões em 2002 para 72,6 milhões em 2005, num salto de 50,6%. É preciso levar em conta que, dos quase 1.500 funcionários da instituição, o pagamento de 500, cedidos pelo Ministério do Planejamento, não saía desses recursos. Entre 2003 e 2005, a Associação de Comunicação Educativa Roquette Pinto (Acerp), organização social que gere a TVE do Rio de Janeiro, duas rádios, uma AM e outra FM, também no Rio, além de uma emissora de TV no Maranhão, teve, para investir, somados os três anos, 9,7 milhões de reais. Em 2004, pôde comprar dois prédios, no valor de 5,5 milhões de reais. Também contou com recursos, durante esses mesmos três anos, para contratar produção, animação e edição de programas: 24 milhões de reais.

Em 2006, depois de muita persistência, conseguimos executar um total de 5,7 milhões de reais em investimento — o que mal atingiu um terço dos 13,9 milhões investidos pela Acerp. A situação melhorou um pouco, mas não o suficiente para recuperarmos o atraso. A ausência de reposição tecnológica seguiu praticamente nas mesmas bases. Mesmo assim, a Radiobrás conseguiu, ao menos, que seu orçamento acompanhasse os preços básicos dos serviços de que dependia e dos serviços que oferecia. O que não teve foi um único tostão para construir o novo. Mesmo assim, as equipes conseguiram, além de aprimorar a qualidade, incrementar o volume de produção. O número de emissoras cresceu. A oferta de serviços subiu. A carga horária da programação aumentou. A produção jornalística também. Criativos, os nossos profissionais conseguiam apoio de fora para levar adiante o que não podia esperar. A recuperação da Rádio Nacional do Rio de Janeiro, reinaugurada em 2004, contou com a parceria da Petrobras, que assumiu diretamente as obras físicas necessárias. Outras duas novas emissoras foram abertas: a Rádio Justiça, em Brasília, em FM, integralmente operada por funcionários da Radiobrás, num convênio com o Supremo Tribunal Federal, que pagava pelo serviço, e a Rádio Mesorregional do Alto Solimões, em Tabatinga, no Amazonas, que entrou em funcionamento experimental em junho de 2006 e seria inaugurada oficialmente no final daquele ano, num convênio com o Ministério da Integração Nacional.

Em televisão, o crescimento foi da mesma ordem. A TV Brasil – Canal Integración se tornou o terceiro canal de TV a funcionar dentro da Radiobrás. Os outros dois ampliaram suas grades, de 18 para 24 horas diárias. Mais emissoras locais pediam autorização para retransmitir as duas horas de noticiários diários produzidas pela TV Nacional. Eram cerca de 700 em 2003 e passavam de 1.100 antes do final de 2005. A NBr, que já era distribuída por operadoras de cabo, entrou no cardápio do satélite B1, da Embratel, que atingia aproximadamente quatorze milhões de parabólicas no país, com sinal aberto. O alcance tinha aumentado também porque nossa programação começou a ser aproveitada por outras televisões. Pela primeira vez em trinta anos, programas de televisão criados pela Radiobrás passaram a ser retransmitidos espontaneamente por outros canais. O programa *Diálogo Brasil*, lançado na minha gestão, ia ao ar em quase todas as emissoras educativas e culturais do país, como a TV Cultura, de São Paulo. O *Ver TV*, lançado em 2006, em parceria com a TV Câmara, logo entrou na grade de outros canais.

Na internet, a evolução não ficou atrás. O número de fotos produzidas pela Agência Brasil triplicou, atingindo a marca das trinta mil em 2005. O número de notícias, que estava no patamar das vinte mil por ano, cresceu para 32 mil em 2005, o que se refletiu também no número de acessos que a Agência recebia. A experiência da Agência Brasil foi tão bem-sucedida que inspirou a criação da Radioagência Nacional. Lançada em 2004, ela chegou ao final de 2006 abastecendo cerca de duas mil emissoras quase que diariamente com pequenos programas e reportagens radiofônicas.

Para o governo, passamos a oferecer novos serviços. Como a área de rádio assumiu a produção do programa semanal do presidente da República, o *Café com o presidente*, os cofres públicos ganharam com a economia de não ter mais de contratar uma produtora privada para a tarefa. Funcionários graduados da administração federal passaram a ter acesso, mediante senhas individuais, a um banco eletrônico inaugurado em 2003, com todas as notícias de interesse da administração federal veiculadas em noticiários de diversas emissoras de rádio e televisão, e também de meios impressos. O Banco de Notícias, como o chamávamos, compilava reportagens, colunas, artigos e editoriais selecionados nos oito principais telejornais (de cinco emissoras), em quatro redes de rádio, nove jornais diários, cinco revistas semanais e uma quinzenal. Em agosto de 2006, atendia gratuitamente a 1.855 assinantes, entre altos servidores do governo federal.

Antes de 2003, os órgãos da administração pública que precisassem de serviços análogos tinham de contratá-los de empresas privadas. O lançamento do Banco de Notícias representou uma economia difícil de ser quantificada — pois os fornecedores privados e seus preços variavam bastante, e não havia um levantamento geral de quanto se gastava com isso em todo o governo — mas fácil de ser percebida.

O Banco nasceu como um desdobramento eletrônico de um serviço impresso que a Radiobrás prestava desde antes de 2003: a "Mídia impressa", uma publicação diária em formato de apostila, dirigida a 560 assinantes, com algo em torno de duzentas páginas por dia, com recortes dos principais jornais. A "Mídia impressa" não foi interrompida e continuou sendo um serviço pago. Além dela, lançamos dois novos produtos em papel: a "Mídia impressa — Revistas", semanal, oferecida gratuitamente aos assinantes do "Mídia impressa", e o "Telejornal impresso", diário, com a transcrição dos principais noticiários de TV, com assinatura também cobrada. Todos eram entregues aos assinantes entre seis e sete da manhã.

Sem aumentar o contingente de funcionários — eram 1.147 no início da gestão e 1.143 no final — e de estagiários — estabilizado em torno de 130 —, a empresa cresceu em produção, em presença nacional e em visibilidade, oferecendo muito mais do que antes. A produtividade disparou. Para isso, os fluxos de trabalho foram revistos e modificados. Para se comparar, basta ver o que acontecia na Câmara dos Deputados e na TVE, do Rio de Janeiro. A área de comunicação da Câmara, que exercia as funções de divulgação, assessoria de imprensa e relações públicas, produzindo um jornal diário (tablóide, de oito páginas), uma agência de notícias (a Agência Câmara), uma emissora de rádio e uma emissora de TV, contava, em 2006, com 551 profissionais — entre os da casa e os terceirizados —, cujos salários eram melhores que os da Radiobrás. A TVE, do Rio de Janeiro, em 2002, tinha 1.302 servidores para manter um canal de TV e duas emissoras de rádio, além da emissora do Maranhão, que produzia teleaulas. Em 2005, a TVE, sempre de acordo com o Relatório de Gestão anual, passou para 1.471 pessoas, entre os que pertenciam ao regime CLT, os cedidos pelo Ministério do Planejamento, os temporários e outros — sem contar os terceirizados, que somaram 66 no mesmo ano de 2005.

A Radiobrás fez mais, sem contratar mais gente e sem gastar mais. Em dois anos, ela não tinha permitido o aumento do número de seus funcionários e apresentava uma produtividade bem superior, com mais qualidade jornalística e muito mais visibilidade nacional. O vintém faltou ao encontro, e mesmo assim as coisas aconteceram. Pior para o vintém.

CAPÍTULO 11

O erário agradece ao fusca
dos dominicanos

O ano é 1969. O fusquinha conduzido por frades dominicanos transporta um passageiro de São Paulo a Montevidéu para salvar-lhe a vida. De quebra, salvará, ao menos em parte, as contas da Radiobrás de quase trinta anos depois.

O ano agora é 2006. Desafiada pela estiagem orçamentária, a direção da empresa, ao fim de quatro anos de gestão, saboreia a vitória em sua política de economizar o dinheiro ralo que administra. De quebra, abriu caminho para novas receitas, que prometiam aumentar no futuro. Apenas com a venda de assinaturas de suas apostilas de compilações de notícias, como a "Mídia impressa", arrecadou, em 2005, 4,5 milhões de reais, uma cifra que tinha tudo para crescer. Outra boa perspectiva: o Banco de Notícias, cujos acessos, restritos a servidores públicos federais, eram gratuitos, mostrava bom potencial para se converter num serviço pago, dentro do governo. Fórmulas como a da Rádio Justiça — que faturou 1,8 milhão de reais em 2005, pagos pelo Supremo Tribunal Federal — também poderiam ser replicadas e mais exploradas.

Em 2006, enfim, o futuro econômico da estatal parecia melhor que o passado. E o presente não estava mal. A maior receita própria vinha de um pequeno departamento, de sessenta funcionários e quinze estagiários, que nada tinha a ver com a missão jornalística da casa: o Departamento de Publicidade Legal. Pouca gente sabe o que é publicidade legal. Trata-se daquela publicidade que a lei define como obrigatória. O balanço de uma sociedade anônima, por exemplo, tem que ser publicado em um jornal de grande circulação, porque a lei assim o exige. Outro exemplo: se um órgão público vai abrir uma licitação para contratar agências de publicidade, o edital dessa licitação precisa vir estampado igualmente em algum diário impresso.

Como a publicidade legal do governo federal, dos órgãos e das entidades públicas federais ficou a cargo da Radiobrás — o Decreto nº 2.004, de 11 de setembro de 1996, deu a ela o monopólio sobre esse filão —, a empresa criou um departamento especial para cuidar só desse tipo de anúncio. Embora a veiculação de anúncios não tivesse a mínima identidade com a razão de ser da empresa e representasse, dentro dela, um corpo inteiramente estranho, imaginou-se, em 1996, que dar a ela o monopólio sobre a publicidade legal seria uma fórmula para ajudá-la a produzir alguma receita própria e, assim, torná-la um pouquinho mais barata para a União. Se a nossa gestão pudesse escolher, preferiria não se ocupar disso, mas a lei impunha essa função. E, de fato, ela gerava receitas. Não poucas. Sem outra opção, trabalhamos para melhorar a qualidade e a produtividade dos serviços prestados pelo único departamento lucrativo da empresa.

Em 2006, o Departamento de Publicidade Legal contava com 1.200 clientes, entre eles a Petrobras, a Previdência Social, a Embrapa, o Banco do Brasil e as universidades federais. Em apenas um dia da semana, distribuía duzentos anúncios nos mais diferentes veículos — havia quase 2.300 deles no cadastro. Ao ano, eram aproximadamente 3.400 páginas de jornal em anúncios. Só no ano de 2005, a pequena equipe, também responsável pela diagramação e pela checagem dos dados, intermediou a compra de espaços — sempre seguindo as determinações dos clientes, que escolhem soberanamente em que veículo querem anunciar — num valor total de 70,6 milhões de reais. Cerca de 80% disso seguiram para os veículos e 14 milhões ficaram na casa, a título de comissão de agência.

Como o departamento custava pouco, praticamente tudo o que faturava a título de comissão era lucro. E vantagem para o governo, o principal beneficiário. A centralização daquela publicidade na Radiobrás gerava duas economias expressivas. A primeira resultava do fato simples de que o dinheiro, em vez de sair do governo para uma agência particular, ficava dentro de uma empresa do próprio governo e, com isso, reduzia o seu custo. Explicando: indo para a estatal, esse dinheiro (14 milhões de reais num único ano) representava uma redução idêntica (de 14 milhões) no dinheiro que o governo tinha de desembolsar anualmente para pagar o funcionamento da Radiobrás. Em outras palavras, a comissão de agência da publicidade legal (os tais 14 milhões por ano), que teria de ser paga de qualquer maneira a uma ou mais agências privadas se a atividade não estivesse sob monopólio da Radiobrás, terminava, na prática, servindo como complemento do orçamento da empresa. Não fosse isso, e a sustentação da empresa custaria, por ano, 14 milhões de reais adicionais aos cofres públicos — e outros 14 milhões teriam de ser pagos a outras agências que cuidassem da publicidade legal.

A segunda economia veio da sagacidade do profissional que, a partir de janeiro de 2003, assumiu a condução do departamento e de toda a área comercial. Seu nome era Carlos Knapp, o mesmo sujeito que em 1969 viajou num fusquinha de São Paulo a Montevidéu.

* * *

Ele topou ser meu colega de diretoria no finalzinho de dezembro de 2002. Estávamos combinados, era um trato. Eu era seu admirador havia mais de vinte anos, quando Caio Graco Prado, dono da Editora Brasiliense, nos apresentou: eu era um estudante universitário; ele, uma lenda da publicidade brasileira. Nos anos 1960, criou e dirigiu, em São Paulo, a Oficina de Propaganda, dona de um brilho único que inovou o mercado e fez subir o padrão das concorrentes. Entrou para a história da comunicação brasileira. A Oficina ficou célebre, também, por motivos alheios ao ofício da propaganda: foi a única agência de publicidade fechada pela ditadura militar.

Carlos Knapp estava bem de vida no final dos anos 1960. A Oficina de Propaganda reluzia como a estrela do mercado, instalada num casarão na esquina da avenida Europa com a rua Alemanha, no bairro do Jardim Europa. Sua casa ficava ali perto, na rua Sofia. Ele morava sozinho, quer dizer, morava com uma Mercedes 190 cinza, ano 1964 — um luxo raro naqueles tempos. Além da criatividade também luxuosa e rara e de clientes abonados, cultivava certas excentricidades, como a de manter ligações íntimas com a esquerda armada.

Num certo dia de 1968 acatou a missão de buscar um casal em um ponto marcado na Zona Norte e hospedá-lo em sua residência. Nos primeiros dias, estranhou o comportamento do homem, que, dono de um corpanzil sarado, se disfarçava com uma peruca meio oxigenada para sair à rua. "Aquele cabelo improvável chamava muita atenção", Carlos me contou numa conversa em Brasília, com os olhos acesos de quem sabe rir do destino. O tal da peruca, ele só soube mais tarde, era seu xará, Carlos, de sobrenome Marighella — ninguém menos que o líder máximo da Aliança Libertadora Nacional (ALN), "o inimigo público número 1" da ditadura. Marighella e a mulher, Clara Charf, tiveram pouso seguro no endereço da rua Sofia. Mudaram-se de lá em duas semanas, mas parece que gostaram. De vez em quando, o guerrilheiro usava a casa para reuniões.

Em 1969, Carlos, o Knapp, recebeu outra missão: ir de automóvel ao Rio de Janeiro, resgatar um ferido a bala, levá-lo a um hospital e, terminado o procedimento, tirá-lo de lá. Cumpriu-a. Antes de pegar a via Dutra de volta a São Paulo, soube que seu nome "caíra". A repressão viria atrás dele. Mudou os planos na hora: pegou um avião no aeroporto Santos Dumont, onde deixou a Mercedes e, em São Paulo, montou uma versão dos acontecimentos para ver se amaciava a sanha policial. "Meu advogado entregou aos 'delegados' um relato segundo o qual eu tinha sido forçado a prestar ajuda a desconhecidos. Entregou também bastante dinheiro." Foi um fiasco. Nem o relato nem o dinheiro resolveram: o seu nome caiu de vez e a sua cabeça estava a prêmio. O seu retrato estampava um cartaz ao lado de outros "terroristas procurados". Saiu de circulação. "Fiquei escondido quase dois meses até que dois dominicanos me levaram para o Uruguai de fusquinha."

Corriam os primeiros dias de julho de 1969, quando o festejado publicitário, já na clandestinidade, soube que sua casa fora invadida por agentes policiais, que lhe picaram todos os ternos e que sua agência tinha sido ocupada pelo Exército. O pavor tomou conta dos funcionários. Do seu esconderijo paulistano, tentou contato com o sócio, Augusto Oliveira, também diretor de arte, mas "a Standard Propaganda já tinha contratado a maior parte do pessoal, inclusive o Augusto, e captado os clientes". A Oficina de Propaganda foi esvaziada, e o casarão onde ela funcionava foi retomado pelo dono do imóvel, Raymond Demolein, um amigo do inquilino. "Meu patrimônio se evaporou."

O jeito era fugir, mas com que nome? Qualquer um, menos o próprio. Para arranjar documentos falsos, o despejado político foi ao quintal de uma escola de música que funcionava no Itaim, onde um jovem lhe tirou fotografias. Nas horas vagas, aquele rapaz que não tinha vinte anos, funcionário da escola, fazia bicos para a ALN no ramo de design gráfico: operou a câmera, cuidou da revelação e confeccionou os papéis com zelo de artista. Fora das ocupações clandestinas, tinha como hobby, excêntrico, o hábito de acompanhar certames de uma agremiação atlética chamada Corinthians Paulista.

Com a documentação preparada pelo jovem José Carlos Amaral Kfouri, mais conhecido como Juca Kfouri, partiu. No dia 26 de julho, sem casa, sem ternos, sem agência e sem dinheiro, Carlos Knapp, aos quarenta anos de idade, sacolejava no fusca rumo a Montevidéu e pensava na Mercedes que abandonara no estacionamento do Santos Dumont. Que fim teria levado? Ele saberia depois.

A Mercedes mudou de mãos como seu antigo proprietário agora mudava de país. Um certo delegado de polícia, Sérgio Paranhos Fleury, tratou de cuidar daquela jóia sobre quatro rodas: apropriou-se da Mercedes com carinho e desfaçatez. Tomou-a por butim. Esse mesmo delegado, três meses depois, no dia 4 de novembro de 1969, comandou pessoalmente a emboscada que assassinou Marighella, na alameda Casa Branca, no Jardim Paulista, em São Paulo. Consta que manteve a Mercedes até a madrugada de 1º de maio de 1979, quando, em Ilhabela, no litoral paulista, caiu do passadiço de sua lancha, afundou no mar raso e morreu. O mórbido estrelato do todo-poderoso chefe do Departamento Estadual de Investigações Criminais (Deic), de São Paulo, fechou-se ali, num epílogo submarino. O depositário da Mercedes tinha 46 anos. A *causa mortis* nunca se esclareceu.

Em 21 de agosto de 1969, Carlos Knapp desembarcou em Paris para dar início a um exílio que se alongou por doze anos. Viveu também em Londres e Barcelona. Nunca posou de herói. Nunca rendeu-se a rancores. Quando recebeu a notícia do mergulho fatal de seu perseguidor, lamentou-o com inesquecível consternação: "Acho que fui um dos poucos a sentir a morte de Fleury. Tinha planos de acioná-lo na Justiça por apropriação indébita."

* * *

Carlos voltou a São Paulo nos anos 1980 e, na década de 1990, durante o governo Fernando Henrique, instalou-se em Brasília. Trabalhou com agências e também em projetos para a Secom. Em 2003, ao entregar sua carteira de trabalho para a área de Recursos Humanos da Radiobrás, era um bom conhecedor dos escaninhos da comunicação na capital federal. Inspirador das transformações que viriam, é dele uma das melhores sínteses sobre o que distingue jornalismo de propaganda. "O primeiro", ele me ensinava, "só deve querer informar, enquanto a segunda tem interesse em formar a convicção do público. O jornalismo é o discurso desinteressado." Essa pequena lição me fazia entender por que os responsáveis pelo jornalismo numa empresa pública não podem se pretender mais inteligentes que todos os cidadãos do público — imaginar-se mais inteligente do que todos os leitores é um dos sintomas da arrogância jornalística, mas isso não vem ao caso.

Conversando com Knapp, eu entendia: a comunicação de interesse público só é verdadeira quando acalenta, na sua origem, uma confiança irrestrita na capacidade que os cidadãos têm de, em conjunto, imaginar soluções que ainda não passaram pela cabeça dos editores. A verdade factual vale a pena, no jornalismo de uma empresa pública, exatamente por isso, porque o cidadão vai processá-la e, a partir daí, poderá melhorar a sua vida e a dos seus iguais. O compromisso com a objetividade, enfim, é ao mesmo tempo uma forma de impedir que o discurso jornalístico se deixe aparelhar por teses preconcebidas para doutrinar os incautos e um voto de confiança no futuro, na sabedoria das novas gerações, na supremacia da vontade livre dos cidadãos. Fazer esse tipo de comunicação é mais ou menos como plantar e regar uma árvore que só começará a dar frutos depois da nossa morte. Acho que devo algumas dessas noções a Carlos Knapp. O Departamento de Publicidade Legal deve a ele economias sem precedentes.

Ao chegar à Radiobrás, ele iniciou negociações com os veículos, reivindicando os mesmos descontos que os grandes anunciantes da iniciativa privada conseguiam. Tradicionalmente, os clientes — o governo e os órgãos públicos — pagavam a chamada "tabela cheia" dos veículos, quer dizer, compravam o espaço pelo preço máximo da tabela, sem nenhum desconto. Depois das negociações, a tabela cheia deixou de ser a referência. Carlos obteve descontos que valeriam para o ano todo e se repetiriam, com melhoras, nos anos seguintes. Vale comparar. Em 2002, o Departamento de Publicidade Legal comprou 896.430 centímetros quadrados em espaço publicitário em veículos impressos, a um custo de 69,4 milhões de reais. Em 2005, foram 1.068.431 centímetros quadrados, no mesmo grupo de veículos, a um valor de 70,6 milhões de reais. Ou seja: em 2005, o Departamento de Publicidade Legal comprou, com praticamente o mesmo dinheiro que gastara em 2002, muito mais centímetros quadrados do que tinha comprado em 2002.

A economia foi maior do que parece. Mantidos os mesmos preços de 2002, sem nenhum reajuste, os espaços adquiridos em 2005 sairiam por 82,8 milhões de reais, isto é, 12,2 milhões a mais do que custaram de fato — e isso em 2005. Se levarmos em conta que o reajuste no preço de tabela dos dez maiores jornais brasileiros, ao longo desses três anos, atingiu, em média, 47,1%, veremos que a economia não ficou na casa dos 12 milhões, mas alcançou, aproximadamente, 17,6 milhões. Agora, somem-se a isso os 14 milhões anuais abatidos no custo da empresa graças à comissão da publicidade legal e a conclusão é matemática: com a centralização da publicidade legal na Radiobrás, os órgãos da administração federal, direta e indireta, economizaram aproximadamente 31,6 milhões de reais ao ano. As renegociações do Departamento de Publicidade Legal serviram de estímulo e também como um dos modelos para que a Secom adotasse a mesma postura, conquistando ela também abatimentos da publicidade convencional do governo.

* * *

Muitos crêem que a publicidade legal do governo deveria ser devolvida às agências privadas. Não seria vantagem. Enquanto existir publicidade legal, o mais econômico é que ela seja mesmo centralizada por uma agência pública. Eu e Knapp fazíamos uma outra pergunta: o governo deve continuar gastando o que gasta com publicidade legal? Acreditávamos que não. Na era da internet, seria possível reduzir drasticamente ou mesmo extinguir os custos da publicidade legal e, ao mesmo tempo, aumentar a visibilidade e a leitura dos anúncios. Aos órgãos da administração federal, direta e indireta, ela custava cerca de 75 milhões de reais ao ano. Poderia custar 10% disso, ou menos. Em vez de comprar espaços em veículos privados, para publicar anúncios que quase ninguém lê — um balanço da Caixa Econômica Federal consome páginas de jornal e não desperta interesse em quase ninguém —, os órgãos públicos deveriam desaguar seus editais e seus balanços num portal eletrônico especializado, que contasse com sistema de busca e outros recursos para facilitar a consulta. O custo de cada inserção seria meramente o rateio da manutenção do portal. O índice de leitura saltaria para níveis incomparavelmente superiores não só porque a internet permite armazenar o anúncio por tempo indeterminado, coisa que um jornal impresso não consegue oferecer, mas também porque os interessados saberiam onde buscar o que procuram. O Diário Oficial da União poderia se responsabilizar por essa publicação eletrônica.

Ao fim da gestão, chegamos a desenvolver um projeto de lei nesse sentido, mas a idéia não excitava os olhos da Secom. Ficou para depois.

* * *

Não só pelas economias que gerava, não só pelos gastos de que poupava o governo, mas pela qualidade do que ofereceu à administração pública e ao cidadão, chegamos ao fim de 2006 com a certeza de que a Radiobrás valia e produzia mais do que custava. Uma área bem representativa era a diretoria de operações, de Roberto Gontijo, responsável, entre muitas outras coberturas ao vivo, pela cobertura das atividades do presidente da República. Houve aí uma expansão notável. Em 2002, ela transmitiu, ao todo, 146 horas e 14 minutos de atos de que participou o presidente da República. Em 2005, foram 268 horas e 56 minutos, um aumento de 84%. O número de cerimônias transmitidas cresceu um pouco menos, 56%: foram 189 eventos em 2002 contra 296 em 2005.

Em meados de 2006, a meu pedido, uma equipe trabalhou em cálculos minuciosos, feitos e refeitos por vários caminhos diferentes. Se as transmissões ao vivo dos eventos de que participou o presidente da República e dos eventos oficiais de governo, entre julho de 2005 e junho de 2006, houvessem sido contratadas de produtoras privadas — considerados aí apenas os custos de captação de imagem, corte e transmissão no satélite, o que não inclui os custos de veiculação e exibição numa emissora de TV —, o Estado teria um desembolso de 31,2 milhões de reais. Com as reprises, o que envolve custo de segmento espacial e transmissão mas, de novo, não inclui o custo de exibição, o total pularia para 44,3 milhões (com base nos preços do mercado das produtoras de Brasília), valor que equivale a quase a metade do orçamento anual da empresa. Os técnicos realizaram ainda um outro cálculo:

quanto custaria se, em lugar de transmitir todos esses eventos pela NBr, canal pertencente à empresa, a transmissão acontecesse por um outro canal que vendesse o seu espaço para isso. Para essa operação, orçada em canais de pequeno porte, as cifras atingiram patamares estratosféricos. O custo ultrapassaria em várias vezes o orçamento total da casa.

* * *

Em setembro de 2005, Knapp preferiu deixar a Radiobrás. Estava cansado de Brasília e tinha novos planos que o levavam a morar em São Paulo. Transferiu seu mobiliário para uma casa de vila, dessas aconchegantes e charmosas, no bairro de Higienópolis e disse adeus a todos nós. Apenas no início de 2006 o seu substituto assumiu o posto: José Alberto da Fonseca, ex-vice-presidente da Salles Inter-Americana, tinha 68 anos quando virou diretor da área comercial. Prosseguiu com a modernização dos processos, que tornou ainda mais transparentes, e iniciou uma grande reforma que culminaria com a informatização de todas as etapas de contratação de espaços publicitários nos veículos. Grande conhecedor do mercado publicitário, cultor dos mesmos ideais que nos animavam desde antes da sua chegada, José Alberto deu ainda mais eficiência e dignidade à convivência entre os diretores. Viu de perto as restrições com que fomos tratados pelos que se julgavam predestinados a impedir que a independência fosse um atributo da comunicação pública e soube enfrentá-los com altivez, e mesmo superioridade. Mais que defensor de um projeto de interesse público, foi para a nossa diretoria um amigo da vida toda. E assim era: um irmão, como dizia.

Ao final do primeiro governo Lula, mesmo os defensores mais ferrenhos da privatização reconheciam: manter os serviços prestados pela Radiobrás dentro da administração pública, desde que em padrões de alta competitividade, com uma gestão impessoal e profissional, seria um bom negócio para os cofres públicos.

CAPÍTULO 12

O dia em que virei chefão do DIP

Inofensiva. Assim podia ser definida a Agência Brasil até o início de 2003. Desde sua criação, ela não incomodava ninguém e adorava isso. Inofensiva e satisfeita.

O nome Agência Brasil entrou no ar em 1988, quando o serviço de notícias que restou da finada EBN se incorporou à Radiobrás. Até meados da década de 1990, ela ainda se valia de máquinas de escrever e distribuía, por telex ou por fax, uns poucos boletins para meia dúzia de clientes. Mesmo quando, em 1997, foi lançada oficialmente na internet, para divulgar os discursos do presidente da República, ainda não podia ser chamada de agência de notícias. Foi só em 1998, com novos equipamentos e com a redação remodelada, quando aumentou a produção velozmente, que ela entrou para valer na era da rede mundial de computadores. Tecnicamente, estava pronta.

O seu problema era de tônus jornalístico. Não tinha nenhum. Veiculava informações corretas, que não a comprometiam, mas admitia práticas não muito ortodoxas, como a de publicar, como se fossem notícias suas, textos de divulgação enviados pelas assessorias de imprensa dos ministérios. Não raramente seus editores recebiam orientações diretas de burocratas de terceiro escalão da Secom. Sem prejuízo de algumas boas reportagens que produzia, funcionava como um escoadouro automático de informes governamentais, um entreposto de press releases.

Nos primeiros dias comecei a inquirir os profissionais da agência sobre a pertinência dessa ou daquela nota, sobre os títulos, sobre a razão das pautas, dos enfoques. As respostas não variavam muito. "Ah, isso eu não sei, já veio assim do ministério." Tratava-se de um padrão, como se alguém sempre me respondesse "eu sinto muito, esse não é meu serviço". Às vezes eu retrucava: "Você sabe se o que está escrito aqui foi checado por nós?" Lá vinha uma outra resposta padrão, essa com ares de impaciência: "Se eu for conferir tudo não tenho tempo para mais nada." Soavam como falas de um teatro do absurdo, um trote de mau gosto, mas não, o pessoal falava sério, com naturalidade e com boa-fé, apesar da irritação.

É verdade que aqueles poderiam ser vistos como casos isolados. A agência não funcionava daquele modo o tempo todo. Acontece que, mesmo não sendo a regra, casos como aqueles rebaixavam o patamar de qualidade, manchando o desempenho de uma redação que tinha méritos. Lembro-me de que, quando cheguei, a Agência Brasil já era vista como um trunfo pelos jornalistas da casa: se tinha problemas, as outras redações da empresa os tinham em maior número e maior profundidade. No final de 2002, ela publicava mais de cem notas por dia e registrava quatro milhões de acessos por mês (segundo as ferramentas de medição disponíveis, que depois seriam substituídas, pois não eram confiáveis). A despeito de todas as suas limitações e de certos expedientes anedóticos, como o de publicar pequenas notas para avisar que o presidente da República tinha acabado de sair do Palácio do Planalto em direção ao Palácio da Alvorada, onde iria jantar, era o melhor serviço noticioso da casa. Prestei muita atenção a ela, desde o início.

A cultura do "ah, doutor, esse aí não é meu serviço não" traía uma auto-imagem melancólica, da visão derrotada que os jornalistas tinham do seu próprio trabalho. Eles não se enxergavam como jornalistas, verdadeiramente. Viam-se, talvez, como um pequeno exército mais ou menos anônimo que funcionava como um prolongamento da área de relações públicas do Planalto. Sentiam-se encarregados de falar em nome do governo, segundo um script muito maldefinido e sem que o governo e muito menos a lei os tivesse encarregado expressamente desse papel. O próprio slogan da empresa corroborava esse sentimento difuso. Ele dizia: "Radiobrás, a fonte da melhor informação." Isso estava escrito nas paredes, nos automóveis, nos papéis timbrados, e era repetido na TV e no rádio. A Radiobrás, eu estranhava muito, se definia como fonte, não como o que era de fato: um conjunto de veículos. Ora, quando um veículo de informação, encarregado de entrevistar fontes, apresenta-se para a sociedade como sendo a própria fonte, algo está fora de lugar.

A auto-imagem se espalhou e acabou aceita com normalidade dentro da organização. Com a mesma normalidade, irradiou-se para fora. Até o início de 2003, era comum a gente ler em jornais expressões como "segundo informou a Radiobrás, ...". Ela era tomada naturalmente, até mesmo acriticamente, como fonte oficial do governo, e foi exatamente nessa curiosa informalidade oficialista que a Agência Brasil tinha encontrado a sua zona de conforto: quanto mais inofensiva fosse, melhor para todo mundo. Ela não incomodava ninguém e, em contrapartida, ninguém a incomodava. Do ponto de vista do governo, prestava um serviço um tanto frágil, um tanto falho, mas cômodo, do tipo "melhor ter do que não ter". Para a imprensa, era uma "fonte" à mão, que servia para indicar o que se passava no governo ou, no mínimo, para apontar o que é que o governo gostaria que as pessoas pensassem sobre ele mesmo naquele instante. Para os profissionais da casa, a acomodação vinha a calhar. A qualquer sinal de anormalidade, bastava dizer "não é meu serviço", e as tensões baixavam. Eu percebi bem cedo que só quem se inquietava com aquilo era eu. Tratei de ir atrás de uma solução.

* * *

No final da manhã do dia 2 de janeiro de 2003, depois da solenidade de posse do ministro Gushiken, no prédio da Secom, tive a primeira conversa com Gustavo Krieger, então chefe da sucursal do *Jornal do Brasil* em Brasília. Já nos conhecíamos fazia tempo e nutríamos respeito profissional um pelo outro. Estávamos de pé, do lado de fora do bloco A, na Esplanada dos Ministérios, bem ao lado da famosa catedral. Notei que ele demonstrava uma ponta de entusiasmo pela idéia que eu tinha de fazer jornalismo honesto numa empresa pública. Dias depois, quando constatei que precisaria de um jornalista sem simpatias partidárias à frente das redações, foi nele que pensei. Marcamos um almoço e as peças começaram a se acertar. Algumas refeições e dois meses depois, quando eu já tinha claro que eu deveria provocar um terremoto na Agência Brasil e, a partir dali, remexer as placas tectônicas da empresa, Gustavo Krieger deixou o *Jornal do Brasil* e veio para a minha equipe como diretor de jornalismo.

Aos 37 anos, autor de dois livros que conquistaram dois prêmios Jabuti na categoria reportagem — *Todos os sócios do presidente*, sobre os negócios sombrios do governo Collor, escrito em parceria com Luiz Antônio Novaes e Tales Faria, pela editora Scritta, premiado em 1993, e *Os donos do Congresso*, em co-autoria com Fernando Rodrigues e Elvis Cesar Bonassa, pela Ática, premiado em 1995 —, ele tinha passagens destacadas pela Rede Globo, pela *Folha de S.Paulo* e outros jornais. Combinamos de jogar peso na mudança da Agência para transformá-la numa redação que pudesse ser chamada de jornalística. Era preciso inocular no organismo daquela redação o vírus da fome de notícia. Imediatamente interrompemos o vício de divulgar releases alheios e assumimos o controle sobre a verificação do que publicávamos.

Quando Gustavo convidou o repórter Leandro Fortes para chefiar a Agência, o terremoto começou. Dono de uma capacidade investigativa modelar, de um texto direto e de um estilo cortante no exercício da chefia, Leandro mudou o clima na redação em poucos dias. Outros dois excelentes profissionais, o experiente Vanildo Mendes e o jovem Luciano Pires vieram apoiá-lo. Abriu-se um novo mundo. Era notícia? Está bem apurada? Publicávamos. Se contra ou a favor do governo, não importava. Aí, sim, poderíamos dizer, com toda a propriedade: saber se é contra ou a favor não é nosso serviço. Não era mesmo. Nos termos da lei.

A resistência foi grande, claro. A resistência interna, muito maior. Os repórteres e os editores mais antigos estavam tão relaxados no jogo fácil que pediam para alcançar o entrevistado por decreto. Isso mesmo: sempre que tinham chance, reclamavam para mim que os ministros e as autoridades não davam entrevistas para a Agência Brasil. Solicitavam, expressamente, que o presidente da Radiobrás levasse a queixa aos ministros ou, de preferência, ao próprio presidente da República, para que determinassem que os repórteres da Radiobrás fossem prontamente atendidos nos gabinetes. Não ocorria aos cultores da velha mentalidade que o dever de buscar a notícia, de lutar por informações exclusivas, cabe à reportagem. Não passava pela imaginação deles que o interesse das fontes aumenta na medida em que aumenta a qualidade do conteúdo produzido por aquela redação.

Quando esse tipo exótico de queixume chegava até mim, eu invertia rispidamente a expectativa. As autoridades demoravam a dar o retorno aos pedidos de entrevista? Os repórteres que fossem atrás. Se não conseguiam entrevistas, o problema era deles, não seria meu de modo algum, e, se outra agência conseguisse as notícias antes deles, estariam com problemas ainda mais sérios. Se ninguém desse entrevistas, eu é que iria reclamar com eles, não mais eles comigo. Cheguei a dizer que eu, no lugar dos ministros, também não me abalaria para atender a Agência Brasil. Ela era irrelevante. Se ela não mudasse de atitude, o quadro só iria piorar, eles podiam apostar. Se queriam, e tinham de querer, entrevistados mais graduados, eles que fizessem por merecer, com qualidade, com relevância, com trabalho. Aquelas minhas respostas eram um choque. Gustavo Krieger, Leandro Fortes e Vanildo Mendes transformavam esse choque em tensão permanente.

Os meses que se seguiram foram marcados por mais nervosismo. Quando vieram as primeiras demissões, ainda no primeiro semestre de 2003, veio a insegurança. Minhas cobranças eram constantes e crescentes. A pressão e a temperatura subiam. Do lado de fora da empresa, as redações do país notavam as novidades no reino da Agência Brasil. Aquele era o momento de mudar. Nós queríamos mais visibilidade. Nós precisávamos de visibilidade. Precisávamos de ações que mostrassem as novas capacidades da Agência Brasil.

Um dia, Gustavo Krieger, com a minha autorização integral, deu curso a um projeto nada convencional. Associamos a Agência a uma iniciativa do Banco do Nordeste do Brasil, o BNB, que contratara o repórter Xico Sá e o fotógrafo Ubirajara Dettmar para uma série de reportagens semanais sobre a fome no país. Pelo acordo, a Agência Brasil ganhou exclusividade na distribuição do material, que depois seria editado em livro. A partir de 6 de julho de 2003, uma reportagem semanal, com fotos, mostrava o cenário da fome em uma localidade do país. Vários jornais se interessaram em publicar a série, e a Agência Brasil passava a eles, antecipadamente, o texto e as fotos. Só publicava o material em seu site no dia em que os jornais circulavam. Assim, os jornais e a Agência saíam juntos com o mesmo conteúdo. Diários como o *Jornal do Brasil*, a *Zero Hora*, o *Jornal do Commercio*, de Pernambuco, *O Povo*, do Ceará, o *Diário Catarinense*, o *Diário de Natal – O Poti*, entre outros, publicaram a série, dando o devido crédito da Agência Brasil. A série, claro, foi um sucesso e trouxe boa projeção para a Radiobrás.

Mas tinha problemas. Distribuir uma seqüência de reportagens patrocinadas não se encaixava nos cânones éticos que pretendíamos adotar como regra na empresa. Sabíamos que uma produção jornalística que levava o timbre de um banco estatal não podia ser chamada de um conteúdo independente. Sabíamos, também, que aquela pauta sobre a fome no Brasil era mais do que conveniente para o governo naquele momento, quando ele tentava convencer a sociedade de que era necessário repassar mais recursos públicos às famílias mais pobres. Não bastasse isso, aquele não era um conteúdo preparado e checado por funcionários regulares da Radiobrás, embora constituísse um projeto especial ao qual a Radiobrás se havia associado legitimamente e de modo transparente, com boa margem de segurança sobre a qualidade das reportagens. Definitivamente, não era um arranjo ideal. Depois, o que foi mais sério, aquela iniciativa isolada — e que jamais seria retomada — deu a impressão de que a Radiobrás, que deveria produzir e distribuir informações a todos, sem distinção, passaria a distribuir matérias exclusivas para uns veículos em detrimento de outros.

Foi nesse sentido que a série sobre a fome, apesar da sua qualidade, que ninguém contestava, tinha problemas. Não soubemos evitá-los, talvez por excesso de pressa em fazer e escassez de reflexão sobre como fazer. Às vezes, parecia a nós que a cessão de matérias exclusivas a veículos parceiros, sem cobrança de direitos, poderia ser um dos caminhos possíveis. Não era. Passados alguns anos, à luz do que aprendemos durante a gestão, concluí que ali demos um mau passo. Ficou a impressão de que passaríamos a concorrer com as agências privadas. Não reincidimos no erro, mas a imagem da Agência Brasil, apesar da boa projeção alcançada pela série, saiu do episódio um tanto imprecisa, confusa mesmo.

* * *

No dia 14 de setembro de 2003, um domingo, *O Estado de S.Paulo* trouxe três páginas de reportagem sobre a Radiobrás e a comunicação do governo, levantando suspeitas terríveis. "Radiobrás é ampliada para levar noticiário do governo, de graça, a 100 milhões de pessoas", dizia o olho da matéria, assinada pelo repórter João Domingos, cujo título era "Planalto cria supermáquina de informação oficial". Eu concedera uma entrevista a ele, que vinha publicada em bom tamanho, com as minhas falas corretamente reproduzidas, mas o tom geral da reportagem era o tom de quem não tinha escutado uma única palavra do que eu dissera.

A tese era explícita:

> Em função do projeto de expansão do noticiário, a Radiobrás já iniciou uma ampla reestruturação de sua equipe, demitindo antigos funcionários de carreira e atraindo profissionais da iniciativa

privada com salários competitivos. (...) A operação resulta num agigantamento do noticiário oficial, jamais atingido nem durante ditaduras como a de Getúlio Vargas, em que tudo era controlado pelo célebre Departamento de Imprensa e Propaganda (DIP) — montado com os melhores profissionais, que recebiam os maiores salários.

Fiquei aturdido. Eu estava trabalhando para desmontar os resquícios do DIP que ainda existiam e, de repente, era acusado de ser um estadonovista. O texto ia mais fundo:

O governo passa a fazer a cobertura jornalística em todos os campos, não se restringindo mais à divulgação dos acontecimentos oficiais, e oferece esse noticiário gratuitamente, privilegiando seu enfoque dos acontecimentos. Esse noticiário chega a uma rede que historicamente edita seus noticiários com base na cobertura das agências de notícias privadas, e é composta por (*sic*) mais de mil emissoras de rádio e retransmissoras de TV e mais de mil jornais. Nos 60 municípios com mais de 200 mil habitantes, esses distribuidores de informação já começam a receber do governo, gratuitamente, receptores de notícias via satélite.

Dois dias depois, na terça-feira, o mesmo *Estadão* estampou em sua página 3 um editorial na mesma linha, sob título "A estatização da informação":

O governo não pode transformar o aparato de comunicação oficial para fazer proselitismo partidário ou ideológico. A máquina de informação destina-se a prestar um serviço público e não deve ser colocada a serviço de quem controla a administração. Quando esse último caso ocorre, há um claro desserviço à sociedade e uma evidente ameaça à pluralidade democrática. É por isso que causa preocupação o projeto de ampliação das atividades da Radiobrás, revelado em detalhes pelo jornalista João Domingos, na edição de domingo do *Estado*. (...) A ampliação do escopo da cobertura da agência oficial pode produzir duas conseqüências. A primeira é fazer concorrência, com uma agência sustentada com dinheiro público, às agências privadas, oferecendo-lhes material gratuito, desde partidas de futebol até eventos culturais. A segunda conseqüência, corolário da primeira, é a uniformização do noticiário — que certamente não atingirá imediatamente a grande mídia, mas poderá afetar em curto prazo os órgãos do interior, naturalmente mais vulneráveis.

Ora, o que a Radiobrás vinha tentando fazer era nada menos que o contrário. Pretendíamos exatamente desestatizar a informação, pretendíamos eliminar o proselitismo e o partidarismo, e fornecíamos conteúdo para todas as agências de notícias, pois assim a concorrência entre elas não iria se alterar em função do material produzido pela Agência Brasil. Enviei uma carta a Sandro Vaia, diretor de redação de *O Estado de S.Paulo* no dia seguinte, dia 17 de setembro. Nela, contestei ponto por ponto as acusações que o jornal lançara contra o governo, contra a Radiobrás e contra mim:

No dia 14, "O Estado de S.Paulo" publicou uma extensa reportagem assinada por João Domingos que faz várias referências à Radiobrás e ao serviço de notícias que ela oferece na Internet, a Agência Brasil. Fui entrevistado pelo jornalista e devo dizer que todas as falas a mim atribuídas são fiéis e representam meu pensamento. Isso não me surpreendeu. Tenho grande respeito pelo "O Estado de S.Paulo", jornal para o qual já trabalhei como colunista. Conheço a seriedade e a excelência jornalística que são suas marcas tradicionais. O que me surpreendeu foi encontrar, na reportagem do dia 14, algumas incorreções factuais. Cabe a mim apontá-las agora, tendo em vista, especialmente, a repercussão que o assunto alcançou nos dias subseqüentes.

1) Diferentemente do que foi afirmado, não houve um "agigantamento" do noticiário da Agência Brasil. Ao contrário, a nossa opção foi reduzir o volume de notícias e elevar sua qualidade. Em janeiro de 2003, a Agência Brasil produziu 9.387 textos. Destes, 6.371 eram breves comunicados, dando conta de pormenores como uma alteração na agenda de alguma autoridade federal. Em agosto, a agência produziu 8.253 textos, reduzindo o número de notas breves para 3.069 (nenhuma, aliás, sobre modificações em agenda).

2) Também não houve "agigantamento" do número de pessoas empregadas na Radiobrás. Em 31 de dezembro de 2002, ela contava com 1.147 funcionários, entre quadros de carreira e ocupantes de cargos de confiança (ou funções comissionadas). Em 31 de agosto de 2003, contava com um total de 1.151. A diferença é desprezível. No que se refere especificamente ao número de jornalistas, a empresa tinha, em 31 de dezembro de 2002, 282 profissionais. Em 31 de agosto de 2003, eram 295 jornalistas. Das 13 novas vagas, 11 foram preenchidas por servidores aprovados em concurso e 2 por profissionais contratados para cargos de confiança.

3) A reportagem diz que a Radiobrás "iniciou uma ampla reestruturação em sua equipe, demitindo antigos funcionários de carreira e atraindo profissionais da iniciativa privada com salários competitivos". (...) "Os que estão sendo contratados chegam para funções de confiança com salários entre R$ 6 mil e R$ 8 mil." Não é verdade. Funcionários de carreira só podem ser substituídos por servidores aprovados em concurso. Trata-se de uma determinação legal. Dos novos concursados, nenhum ganha mais do que 6 mil reais. Os valores, a propósito, são bem menores. Quanto aos ocupantes de cargos de confiança contratados pela atual gestão (não concursados, portanto), todos recebem salários inferiores a 5,5 mil reais (muito raros são os que recebem mais de 4 mil reais). Há uma única exceção, de um funcionário que acumulou temporariamente uma gratificação, cujo salário total atingiu, por poucos meses, 6,2 mil reais. Os editores da Agência Brasil ganham em média R$ 3 mil. O chefe da Agência recebe R$ 5,4 mil, o mesmo valor pago na administração anterior.

4) O sistema de envio de notícias via satélite (para rádios) existe desde 1995, ou seja, não faz parte de uma estratégia recente como sugere a reportagem.

5) O fato de a Radiobrás cobrir assuntos que não fazem parte da agenda de solenidades, eventos e atos do governo não é uma novidade inaugurada em 2003. Embora francamente minoritárias, reportagens sobre essas áreas são produzidas pela Radiobrás há vários anos. A editoria de Cultura funciona desde 2001. A seção de Ciência e Tecnologia foi criada em 1989 e já foi premiada três vezes: duas pelo CNPq e uma vez com o Prêmio Embrapa de Jornalismo.

6) A Radiobrás não quer concorrer com nenhuma agência privada. Em lugar disso, adota uma orientação expressa de evitar concorrência. Mais ainda: atua para abastecer com suas notícias, sem nada cobrar por isso, agências e veículos jornalísticos, públicos ou privados. A Radiobrás dispõe seu material jornalístico a todos, independentemente do porte ou da localização geográfica. Só neste ano, a Agência Estado, por exemplo, aproveitou 149 matérias da Agência Brasil (algumas na área de cultura), citando a fonte.

7) Jamais elaborei projeto de comunicação que tenha por objetivo atingir 100 milhões de pessoas. Desconheço qualquer projeto desse tipo. Não há projeto similar em curso na Radiobrás.

8) Por fim, esclareço que não trabalhei no jornal "O Globo", como foi informado. O único diário do Rio de Janeiro com o qual colaborei, na condição de colunista, é o "Jornal do Brasil". Também não sou professor licenciado da Faculdade Cásper Líbero: pedi demissão do posto no início do ano.

É fundamental que a imprensa discuta aberta e livremente todos os atos do governo e das empresas públicas. É fundamental, também, que essa discussão se baseie em dados verdadeiros. É com essa convicção que, respeitosamente, faço essas poucas correções.

O ministro Luiz Gushiken igualmente fez chegar à redação uma correspondência em que também negava as acusações. Como os nossos textos, mais o meu que o de Gushiken, eram longos, o *Estadão* pediu para não publicá-los na íntegra, mas se comprometeu a dar, no dia seguinte, uma pequena matéria com as correções solicitadas. Aceitamos. No dia 18, lá estava a nota, na página A 6, com o título "Governo nega idéia de Radiobrás hegemônica". No olho, a explicação: "Gushiken e Bucci argumentam que objetivo é democratizar informação oficial." A matéria, entretanto, corrigiu apenas parcialmente as distorções. "Bucci contestou dados da reportagem publicada pelo jornal na edição de domingo", dizia a nota do dia 18, registrando as correções que fiz nos dados divulgados sobre salários e sobre número de funcionários, mas não esclareceu todos os pontos.

* * *

Três anos depois, o sentido do nosso trabalho era muito mais bem compreendido. A nossa relação com o *Estadão* e com outros órgãos de imprensa estaria transformada. No dia 24 de abril de 2006, por iniciativa da Agência Estado, assinamos com eles um contrato de prestação de serviços que oficializava o uso corrente que ela fazia do material produzido pela Agência Brasil. Esta já era reconhecida, natural e serenamente, como uma agência regular, capaz de fornecer notícias objetivas em primeira mão.

Em julho de 2006, a *Revista Imprensa* trouxe os vencedores da Primeira Edição do Troféu Dia da Imprensa, escolhidos numa votação em dois turnos, pela internet. A *Folha de S.Paulo* ficou com o prêmio de melhor jornal diário. A revista *Veja* venceu na categoria de melhor revista semanal. A Agência Brasil quase ganhou em sua categoria: foi eleita a segunda melhor agência de notícias do Brasil. Com três votos a mais que a Agência Brasil, a Reuters, uma organização com 150 anos de estrada (foi criada em Londres, em 1851), instalada em 129 países, produzindo notícias diárias em 26 idiomas, alcançou merecidamente o primeiro lugar. A Agência Estado ficou em terceiro.

Finalmente, em 30 de novembro de 2006, o *Estadão* trouxe um editorial que não deixava mais dúvidas: o jornal passaria a apoiar a linha adotada pela Radiobrás, com resultados àquela altura bastante fáceis de comprovar. Sob o título de "A razão de ser da Radiobrás", o editorial afirmava que as idéias que eu defendera ao longo da gestão "não poderiam ser mais bem-vindas neste país em que os governantes de turno, com raras exceções, costumam achar que a mídia oficial existe para estar a seu serviço — e não da sociedade, que em última análise a sustenta".

Quanto à receptividade dada à Agência Brasil nos ministérios, nunca mais ouvi falar de gente que não quisesse nos dar entrevistas. Em lugar disso, nossas redações se habituaram a receber cada vez mais sugestões e até pedidos de autoridades que se ofereciam para ser entrevistadas. A grande guinada aconteceu ali, em meados de 2003, numa pequena história que jamais teria acontecido sem o trabalho obstinado de Gustavo Krieger. Em outubro daquele mesmo ano, Gustavo não resistiu a uma proposta praticamente irrecusável e deixou seu posto na Radiobrás para dirigir a sucursal da revista *Época* em Brasília. Leandro Fortes, Vanildo Mendes e Luciano Pires sairiam no início de 2004, deixando na casa amigos leais — e gratos.

CAPÍTULO 13

A voz dos avós do Brasil

Depois de duas chamadas insípidas — "Os remédios de uso contínuo devem ficar mais baratos" e "Os diabéticos e os hipertensos estão entre os beneficiados" —, o locutor mandou ver:

— Boa noite. Em Brasília, 19 horas.

Retumbaram as cordas, os metais e as teias de aranha de *O guarani*. Naquele dia, 11 de junho de 2003, uma quarta-feira agitada na capital federal, *A voz do Brasil* iria tapear a nação. As duas chamadas principais, sobre os remédios que "deveriam" ficar mais baratos, não noticiavam nenhum benefício direto para o ouvinte. Tudo se reduzia a uma intenção do ministro da Saúde, Humberto Costa, que anunciara, naquele dia, que o governo estaria preparando uma lista de medicamentos para serem vendidos a preços menores. Mas isso, de acordo com o próprio governo, só aconteceria no final daquele ano. Se acontecesse — e não aconteceu nunca. Mais tarde, o governo lançaria o programa da Farmácia Popular, com remédios baratos, mas a Farmácia Popular não tinha nenhuma relação com o anúncio de intenções do ministro naquela quarta-feira. Aquilo era a não-notícia, por definição.

O pior, no entanto, viria a seguir. Primeiro, a voz masculina anunciou:

— E vamos então aos destaques de hoje da *Voz do Brasil*.

Depois, falou a voz feminina:

— Sindicalistas entregam ao governo propostas para a reforma da Previdência.

Às 19h06, depois de o noticiário se ocupar de assuntos tranqüilizadores, a enganação se consumou. A locutora repetiu a chamada, dizendo que os sindicalistas entregavam "propostas ao governo para a reforma da Previdência". Um repórter, que estava no Palácio do Planalto e traria detalhes do encontro entre ministros e sindicalistas, esperava na outra ponta da linha. Ela perguntou:

— Como os ministros receberam as propostas?

Ele respondeu, simulando um tom coloquial:

— Olha, muito bem.

E prosseguiu, agora como se lesse um texto sem querer dar a impressão de que lia:

— Segundo o ministro da Secretaria-Geral da Presidência da República, Luiz Dulci, o governo recebeu bem as propostas entregues nesta tarde pelos 11 representantes dos sindicatos dos servidores públicos federais. O ministro afirmou que o governo está aberto ao diálogo e pronto para atendê-los, mas que hoje as discussões sobre a reforma da Previdência estão no Congresso Nacional. O ministro Luiz Dulci disse que quer avançar nas negociações com os sindicalistas e que esses documentos, entregues hoje, serão examinados e, se houver propostas novas, tornando-as mais eficientes, elas poderão ser incorporadas. Isso com o propósito de mudar para melhor. Luiz Dulci destacou ainda que, na próxima segunda-feira, o governo e as entidades representativas do funcionalismo público federal assinam o protocolo e o regimento interno da Mesa Permanente de Trabalho. Na pauta, as discussões sobre os planos de carreira, saúde e regulamentação das relações funcionais dos servidores. O ministro informou que, para valorizar e recuperar as diversas áreas do governo, e apesar das restrições orçamentárias, serão contratados mais de vinte mil novos servidores através de concursos nas áreas de educação, saúde e segurança pública, com o objetivo de atender às necessidades da população.

Corta. *A voz* deu uma nota breve, de pouco mais de vinte segundos, com o ministro da Fazenda garantindo que "o risco de uma inflação explosiva não existe mais". Vinheta. Mais uma informação sobre a reforma da Previdência:

— A manifestação de servidores públicos contra a reforma da Previdência faz parte do processo democrático, mas a retirada da proposta pelo governo é inegociável. O argumento é do presidente do PT, José Genoino.

Uma repórter completou o serviço:

— Ao comentar as manifestações dos servidores públicos contra a reforma da Previdência, o presidente nacional do PT, José Genoino, disse que as manifestações dos servidores fazem parte do processo democrático e que serão administradas naturalmente pelo partido. Segundo ele, o governo não concorda com as propostas dos servidores, pois a Previdência é insustentável como está. Genoino explicou que a retirada da reforma da Previdência é inegociável. [*Entra a voz do presidente do PT:*] "Queremos mudar a Previdência para melhorar as aposentadorias do INSS e incorporar as vinte milhões que não têm previdência nenhuma. A grande maioria dos servidores públicos nós vamos atendê-la no sentido de estabelecer um piso em relação à taxação dos inativos." [*Retorna a voz da repórter:*] O presidente do PT disse ainda que os parlamentares do partido não foram proibidos de participar das manifestações, mas, segundo ele, o povo definiu: parlamentares do PT são governo.

* * *

As "reportagens" apresentadas naquela noite não estavam à altura da palavra reportagem. Para começar, o texto era mal escrito. Chegava a afirmar o contrário do que pretendia: ao dizer que, para as fontes governamentais, "a retirada da reforma é inegociável", queria dizer que inegociável era precisamente o oposto, o governo não abriria mão de manter — e não de retirar — a proposta no Congresso. O ouvinte que insistisse em acreditar no programa saía dele sem ter uma visão mínima do que tinha se passado em Brasília naquele 11 de junho. Depois, era um texto mal-intencionado. À indigência jornalística vinha se somar o propósito de mentir, de esconder os acontecimentos. Nisso, até os erros de técnica jornalística eram coerentes: concorriam para engambelar o público.

Com seu relato de má qualidade, fazendo crer que uma diplomática "entrega de sugestões" acontecera no Palácio do Planalto, sem mais, a *Voz do Brasil* sonegou a informação central daquele dia: vinte mil servidores públicos, representando diferentes entidades e diversas regiões do país, tinham realizado, naquela tarde, a maior manifestação de rua contra o governo federal desde a posse de Luiz Inácio Lula da Silva. No dia seguinte, os maiores jornais diários trariam, em suas primeiras páginas, fotos da multidão que tomou a Esplanada dos Ministérios. O protesto serviu também para expor as divergências internas do partido do presidente da República. Alguns parlamentares do Partido dos Trabalhadores entraram na marcha em apoio aos manifestantes, agravando as fissuras internas do PT e da base aliada. Era uma crise relevante, e nada disso foi comunicado ao ouvinte.

O cidadão, quando em Brasília eram 19 horas e uns poucos minutos, foi agredido em seu direito à informação pela conduta premeditada da equipe responsável pela produção do horário reservado ao Poder Executivo Federal da *Voz do Brasil*. Para piorar o quadro, a edição canhestra do dia 11 de junho trouxe até José Genoino, que não era parlamentar nem tinha cargo no governo, para falar em nome do Planalto. Foi deprimente constatar que a escola chapa-branca da *Voz do Brasil*, nascida na direita mais sanguinolenta, embolava-se num sinistro maxixe com a dogmática da esquerda, entrelaçando coxas, joelhos e causas com sua contraparte e embaralhando partido e governo no seio do Estado.

Aquela foi uma noite de vergonha para a Radiobrás e para mim. Passei o dia seguinte, dia 12, tentando avaliar a extensão das avarias. O telejornalismo e os outros programas do rádio tinham noticiado normalmente os protestos, mas a Agência Brasil, estranhamente, contrariara as orientações da pauta distribuída na manhã do dia 11 e não publicara uma única linha a respeito. Tinha havido ali um curto-circuito de coordenação, uma falha não deliberada, que logo foi constatada e sanada. Com a ajuda do diretor de jornalismo, Gustavo Krieger, redigi uma nota com os pedidos de desculpas ao público, que ficou na primeira página da Agência durante várias horas. Na *Voz do Brasil*, porém, o erro era congênito. A demência do chapa-branquismo, que se fingia de morta, tinha nos pregado um bote traiçoeiro.

Não dava para descuidar. Convoquei para o dia 13, na minha sala, uma reunião com o pessoal da *Voz*. Não eram mais que seis os presentes. Repassei, pacientemente, os pontos principais da nossa missão baseada no direito à informação. Com um didatismo certamente cansativo, lembrei o caso da Rede Globo, quando ela noticiou o comício por eleições diretas, na praça da Sé, em São Paulo, no dia 25 de janeiro de 1984, como se fosse parte dos festejos do aniversário da cidade. Os presentes se apressaram a condenar a postura da Globo. Eu disse a eles, então, que no dia 11 de junho a Radiobrás tinha agido exatamente do mesmo modo, com uma desvantagem: não tinha nem a desculpa da ameaça de censura para se eximir da responsabilidade.

— Todos aqui são mentirosos — afirmei. — Todos violaram um direito fundamental, o direito à informação.

Alguém tentou se justificar, contando que, nos tempos da ditadura, já tinha trabalhado com metralhadora nas costas, num desbragado exagero. Deu mais volume à sua frase de efeito:

— Nós temos medo, presidente! Medo!

Eu reagi: se alguém ali tinha de sentir medo, esse alguém era eu. Quanto a eles, que respeitassem a profissão, a verdade dos fatos e a dignidade dos ouvintes.

Não me arrependo de não ter demitido ninguém. Em vez disso, compus um novo time, recrutando entre funcionários da casa, para mudar a *Voz*. Naquele mesmo mês de junho, um dos grupos de trabalho encarregados de planejar o futuro da empresa, criado ao lado de outros dezesseis, o que tratava do novo plano editorial da *Voz do Brasil*, ganhou um novo integrante: o presidente da empresa. Na seqüência das reuniões, discuti com eles o que era o dever da verdade, por que não tínhamos mais o direito de distorcer os fatos para proteger o governo, qual era a missão de uma empresa pública de comunicação. No bojo do bom rendimento desse grupo, uma nova equipe começaria a gravar programas-piloto.

Finalmente, no dia 1º de setembro de 2003, uma segunda-feira, com apresentadores e editores sem vícios, *A voz do Brasil* entrou no ar com outra cara. Em sua história de quase setenta anos, poucas mudanças foram tão profundas.

* * *

O começo foi na década de 1930. Em 1938, um programa criado três anos antes, chamado *Programa Nacional,* mudou de nome: *A hora do Brasil.* Tornou-se obrigatório para todas as rádios do país, sob a ditadura do Estado Novo. No final de 1939, o Departamento de Imprensa e Propaganda, o famigerado DIP de Getúlio Vargas, assumiu o comando do programa. Só o Poder Executivo tinha lugar na pauta. Em 1962, Senado e Câmara ganharam seus espaços, e o noticiário mudou de nome para *A voz do Brasil.* Em 1996, com a entrada do Poder Judiciário no rateio do horário, restaram ao Poder Executivo os primeiros 25 minutos. Um ano antes, em 1995, a *Voz* entrou para o *Guiness Book* por ser o mais antigo programa de rádio do Brasil. Sem força de expressão, era um programa do tempo do onça. Do tempo dos avós do rádio. A Radiobrás só se tornou encarregada de produzir o horário do Executivo a partir de 1988, quando engoliu a Empresa Brasileira de Notícias, a EBN.

Então, na primeira segunda-feira de setembro de 2003, exatamente no dia 1º, o horário do Poder Executivo, e apenas esse, entrou no ar profundamente modificado. Na forma, sofreu uma plástica. As primeiras notas de *O guarani,* mantidas no prefixo, ganharam novos arranjos, de autoria do músico Sérgio Sá, em ritmos variados como samba, capoeira, choro e bossa nova, que eram alternados ao longo de cada edição. Quanto ao bordão inicial — "Em Brasília, 19 horas" —, aproveitamos para trocar seis por meia dúzia, porque meia dúzia era muito melhor: entramos com uma frase menos empolada, "Sete da noite em Brasília", lida ao som de um batuque ao estilo do Olodum. Naquele dia 1º, os dois novos apresentadores, Luca Seixas e Luiz Fara Monteiro, o mesmo que depois iria apresentar o *Café com o presidente*, abriram o noticiário firmando um compromisso com o ouvinte:

— Queremos cumprir nossa missão de informar sobre as ações do governo, mas com a preocupação de mostrar o que isso tem a ver com os seus direitos. E mais: nossa missão é informar com clareza e de um modo que você goste de ouvir. *A voz do Brasil*, agora, cada dia mais, de verdade, é a sua voz. É *A voz do Brasil.*

Ao final, foi ao ar uma declaração de princípios:

— Esta edição da *Voz do Brasil* trouxe muitas novidades. A começar da música de abertura, *O guarani*, de Carlos Gomes, num arranjo inédito, num ritmo forte de atabaques. Os jornalistas que apresentam o programa também são novos na *Voz* e estão preparados para dar a você a informação mais precisa e mais clara sobre o seu país, sobre os atos do governo do seu país e sobre as conseqüências que esses atos podem ter no dia-a-dia de cada brasileiro. Esta nova fase da nova *Voz do Brasil* vem para atender, com mais eficiência, o direito que você tem de estar bem informado. Isso mesmo, um direito. Vamos repetir: estar bem informado é um direito fundamental que você tem. É por isso e para isso que existe *A voz do Brasil*, para que você saiba de tudo que faz diferença na sua vida. Não se esqueça, na democracia todo o poder emana do povo, quer dizer, o cidadão é a fonte de todo poder. E para escolher melhor, para saber o que decidir e para participar dos rumos de seu país, todo cidadão precisa estar bem informado. É por isso que *A voz do Brasil* está mudando: para ser um serviço mais democrático, mais acessível e mais claro, sempre a serviço do cidadão e da cidadã. E de mais ninguém.

Além da forma, o conteúdo também seria outro. Claro, as notícias do Poder Executivo seriam veiculadas religiosamente, a inovação não estava aí, uma vez que informar sobre o governo é um dever legal do horário reservado ao Executivo. A inovação estava na maneira como faríamos isso. O proselitismo seria banido, até onde fôssemos capazes de bani-lo. Notícias boas ou ruins teriam seu lugar na pauta, desde que tivessem relação com a esfera do Executivo. Para tornar o texto compreensível, criamos a figura de um comentarista-explicador que, em vez de emitir opinião, dava o contexto, repetia o que havia de essencial na notícia, detalhava o sentido e a utilidade da informação para o ouvinte.

As reações foram as mais inusitadas. Começaram, internamente, antes da estréia. Na tarde do dia 1º de setembro, recebi, em minha sala, a visita repentina do diretor de jornalismo, Gustavo Krieger. Ele vinha me dizer o que alguns outros já tinham anunciado, por telefone ou pessoalmente: não estávamos prontos para estrear. Iríamos quebrar a cara. O governo iria recusar o nosso passo. Era um passo maior que a perna. Não que os pilotos tivessem defeitos formais, ou que a apuração falhasse, ou que os apresentadores tossissem em cima do microfone. Tudo estava direito. A preocupação de todos era a reação dos ministros, a reação do governo, enfim. Se déssemos um escorregão, um só, o vexame seria certo.

Gustavo tinha razão e não estava sozinho nesse ponto de vista. Eu sabia que ele tinha razão. Tanto sabia que tinha conservado em sigilo os ensaios do que começamos a chamar de "A Nova Voz". Calculei que, se eu fosse mostrar os pilotos ao ministro Gushiken, ele se veria inclinado a reunir um grupo maior, e o processo de consultas que se abria, eu imaginava, seria interminável. A "Nova Voz" não sairia nunca. Refugiei-me na estrita observância das minhas atribuições legais: eu tinha avisado à Secom que estava trabalhando em melhorias graduais para o programa e, de resto, tinha autoridade para aprovar mudanças no âmbito da empresa e faria as mudanças por minha conta, no cumprimento das minhas responsabilidades. Naquela segunda-feira, intuí: ou o carro andava já, ou ficaria encravado indefinidamente.

Com absoluta consciência de que o diretor de jornalismo estava certo, não acolhi o que ele me recomendou. Se adiássemos a estréia, eu não teria mais como guardar o sigilo, a equipe se veria desmobilizada e frustrada e abortaríamos a operação preparada ao longo dos três meses anteriores. Tranqüilo, pois sabia que aquela era a minha única opção, desci ao estúdio pouco antes das 19 horas. Vi rostos lívidos. Voltei para a minha sala.

Entramos no ar. Foi tudo bem, muito bem. Começamos a receber elogios a granel. Os profissionais envolvidos, em questão de dias, irradiavam grande motivação. A velha *Voz* tinha ficado para trás. Só meses depois, numa conversa em seu gabinete, o ministro Gushiken me passou uma contida descompostura por eu ter mudado *A voz do Brasil* sem consultá-lo. Nada que comprometesse. Respondi que ele estava informado, sim, de que eu preparava mudanças. Ele contestou: "Mas vocês mudaram tudo!" Eu sabia que não tínhamos alterado o programa tanto assim. O ministro então me contou que pedira opiniões a especialistas, que não me disse quais eram, e o programa tinha sido muito bem avaliado. Declarou-se satisfeito com a nova cara da *Voz*. Eu é que não estava, nem um pouco. Achava necessário mudar muito mais.

* * *

A novidade foi assimilada e impregnou-se à rotina, como quase tudo. Aqui e ali, surgiam contestações contra a linha de transparência e objetividade que tentávamos pôr de pé. Uma foi particularmente desconcertante. Apareceria no ano seguinte, na coluna social da revista *Época*, assinada por Joyce Pascowitch. O título da nota era "Tiro no pé". O texto, ácido, debochava do programa não porque ele fosse chapa-branca, mas justamente porque não era: "Masoquismo perde: a 'Voz do Brasil' tem dado sucessivas chamadas sobre notícias que em nada abonam o governo. Aumento de gasolina e até aumento no índice de desemprego viraram manchete, em duas edições do programa" (*Época*, 18 de junho de 2004). Era isso mesmo: a *Voz* passou a noticiar greve da Polícia Federal, índice de desemprego e aumento do preço da gasolina. Eu não entendia por que isso era visto como um "tiro no pé". Tiro no pé era a chapa-branca, isso sim.

Os que se aferravam ao regime da obrigatoriedade e defendiam a velha cara e a velha filosofia da *Voz* alegavam que ela alcançava comunidades onde faltava até luz elétrica, para as quais o radinho de pilha era a única via de acesso à informação. Sem a *Voz*, diziam, as pessoas dessas comunidades ficariam sem as notícias de Brasília. Então eu perguntava: se o argumento era verdadeiro, como é que a *Voz* poderia se eximir de prestar a esses cidadãos o serviço de mantê-los informados de verdade? Uma greve da Polícia Federal podia afetar diretamente a vida de uma cidade de fronteira — então, como é que se concebia a hipótese de sonegar essa informação ao ouvinte? Se o aumento da gasolina interessava diretamente a um barqueiro da Amazônia, deveríamos deixar que ele fosse surpreendido na próxima vez que fosse abastecer? Por que não alertá-lo? Ele não tinha direito de saber antes? Ele era diferente de quem podia ver o *Jornal Nacional*? Tinha menos direito à informação? O que queriam esses críticos? Que os brasileiros das regiões mais afastadas dos grandes centros continuassem condenados à desinformação de fato?

Comandada por Helenise Brant e, depois, por Anelise Borges, a nova equipe da *Voz do Brasil* apostou na direção de respeitar o ouvinte. Naquele mesmo ano de 2004, vieram dois prêmios de jornalismo: o Ethos, para a repórter Marina Domingos, e o BNB, para a repórter Carolina Pimentel. Aos poucos, o horário do Poder Executivo, sem abrir mão de cobrir os acontecimentos relacionados ao governo, conseguiu se afirmar como um noticiário comprometido com os fatos. Em 2006, atingiu alguns de seus melhores momentos. A edição do dia

27 de março, uma segunda-feira incomum, foi um desses. A manchete principal dessa noite foi a queda do ministro Antonio Palocci, da Fazenda, no auge do escândalo da violação do sigilo bancário do caseiro Francenildo Santos Costa. O caseiro afirmava que o ministro freqüentava uma mansão alugada por um grupo de empresários, amigos dele, coisa que Palocci sempre negou. Francenildo Santos Costa virou um adversário público do ministro e foi acusado de receber dinheiro em sua conta para atacar Palocci. De repente, veio a público a informação de que o sigilo bancário do caseiro tinha sido violado na Caixa Econômica Federal. Abriu-se uma crise que culminou rapidamente na demissão de Palocci, que, na condição de ministro, tinha ascendência funcional sobre o presidente da Caixa, onde se deu a quebra do sigilo.

Naquele dia, *A voz do Brasil* cumpriu sua obrigação de informar. Um minuto e meio após o início do noticiário, a repórter Edla Lula entrou ao vivo, do Ministério da Fazenda, com os detalhes da saída do ministro. Aos cinco minutos, a repórter Alessandra Bastos estava na Polícia Federal, de onde falou ao vivo com uma notícia em primeira mão:

— O presidente da Caixa Econômica Federal foi indiciado agora à noite por quebra de sigilo funcional. Em depoimento à Polícia Federal, ele admitiu que entregou o extrato do caseiro Francenildo Santos Costa ao ministro da Fazenda, Antonio Palocci.

A mesma Alessandra Bastos voltaria ao áudio aos 19 minutos para noticiar que o presidente da Caixa Econômica Federal, Jorge Matoso, acabara de pôr seu cargo à disposição. Um minuto depois, o repórter Nelson Motta deu, também ao vivo, o anúncio oficial do nome do novo ministro da Fazenda, Guido Mantega.

A voz do Brasil chegara a um nível aceitável. Seus jornalistas não tinham medo. Temas traumáticos eram tratados ao vivo, sem texto prévio, no calor da notícia. O ouvinte das regiões remotas havia conquistado o direito não apenas de saber dos mesmos acontecimentos a que o morador das grandes cidades teria acesso por outros meios: ele conquistara o direito de saber antes. E com clareza.

* * *

Clareza. No processo de transformação da *Voz*, tão difícil quanto apurar, editar e veicular notícias objetivas, apartidárias, livres do proselitismo governista, era escrever e falar com clareza. O linguajar do programa, já calcificado pelo peso de sete décadas, consistia naquele idioma de relatório burocrático impenetrável. A terminologia só não era enigmática para os iniciados. Expressões como "superávit primário", "balança comercial", "G-8", "G-20", "planejamento plurianual", todas locuções cifradas, escandalosamente incompreensíveis ao ouvinte dos rincões do país, onde falta até energia elétrica, apareciam sem a menor tradução na fala dos locutores.

A verdade é que, na prática, a *Voz* não era produzida para informar o ouvinte, isso era apenas uma desculpa demagógica, e sim para emplumar o ego das autoridades; o seu foco não estava no público, mas na autoridade. Os defensores do regime que tornava a retransmissão obrigatória se punham em brios sangüíneos para assegurar que o noticiário oficial era um hit nos tais rincões, mas quando eu ouvia o programa tinha certeza do embuste do argumento. O vocabulário da *Voz do Brasil*, as suas frases intermináveis de mais de seis linhas — nos meus primeiros meses de gestão, eu pedia os textos escritos do programa da véspera para estudá-los — e seu diapasão monocórdio funcionavam como um espantalho radiofônico para os habitantes dessas duvidosas zonas remotas.

Pelo menos no horário das 19h às 19h25, o que nos cabia produzir, nós iríamos revogar o velho estilo de "aspone" falando javanês. A embocadura seria outra. Não bastava tentar ser compreensível. Os profissionais foram instados a desenvolver obsessão pela clareza. Foi um percurso trabalhoso, que se estendeu por três anos. Numa das paradas do caminho, baixamos não dez, mas cinco, apenas cinco mandamentos. Somados ao plano editorial, eles exigiam simplicidade de estilo. Não posso dizer que os nossos objetivos de clareza foram alcançados plenamente, mas me lembro que aqueles cinco mandamentos, depois de expostos detalhadamente aos profissionais da *Voz*, surtiram bons efeitos nas edições seguintes:

Cinco mandamentos para o texto, ou melhor, para as falas dos repórteres na *Voz do Brasil*:

1. O protagonista não é a autoridade, mas o cidadão.
No texto da notícia, logo no lead, quem pratica a ação é o cidadão. Em vez de "o ministro tal anunciou tal coisa", prefira dizer "agora o estudante brasileiro (ou o professor, ou o agricultor, o idoso etc.) vai poder...". Se for possível já dar nome ao personagem, melhor, localizando alguém em especial dentro do conjunto: "hoje o fulano de tal, tantos anos, da cidade tal, já foi ao banco para sacar o seu empréstimo...". A reportagem na *Voz do Brasil* precisa inverter o paradigma tradicional da comunicação de governo e enfocar o assunto a partir do seu impacto para o cidadão.

2. Um pouco do método Paulo Freire ajuda bastante.
Autor de um método de alfabetização que revolucionou a pedagogia, o educador Paulo Freire defendia um conceito de educação popular radicalmente democrático. No cerne desse processo encontram-se os "temas geradores", extraídos da prática da vida dos alunos, sempre os mais pobres. O método Paulo Freire prefere alfabetizar a partir de palavras que designem elementos da realidade concreta que os cerca: tijolo, martelo, terra. O método pode ser uma boa inspiração para o nosso trabalho. Quase sempre, as nossas notícias usam termos que não fazem parte do dia-a-dia dos nossos ouvintes. É preciso traduzir, sempre, com palavras que façam sentido para eles. Falar em "salário, o dinheiro que você recebe todo fim de mês" é muito melhor que falar em "remuneração". Cuidado com expressões abstratas. Procure ancorá-las com termos de referenciais concretos. Se você pode falar de caminhões, vagões e navios carregando muita soja, milho etc., por que falar do "escoamento da safra de grãos"? Pense em soluções com os substantivos concretos.

3. O tom de diálogo é muito melhor que o texto lido.

Esse é o recurso que tem a maior capacidade de aproximar o ouvinte dos produtores da notícia. Uma reportagem, para ser bem entendida, precisa assumir um tom próximo ao do diálogo, de uma conversa informal. Como se estivéssemos contando uma notícia para nossos vizinhos ou amigos. Converse. Rádio é conversa. Ler um texto de frases longas e falar russo é quase a mesma coisa. Ninguém vai entender nada. Converse com o seu ouvinte, dedique-se a ele.

4. Cuidado com números.

Pesquisas apontam que a maioria do público não apreende as estatísticas com base exclusivamente em porcentagens. É também difícil para as pessoas entender os valores em dólares. Em euros, então... Precisamos sempre ter muito cuidado com números para que eles sejam capazes de representar a mensagem principal. Use comparações. Se um número é inevitável, não o deixe sozinho no meio da sua fala. Estabeleça analogias, faça relações entre ele e outras coisas mais próximas do ouvinte.

5. Faça sempre o teste do "Iukiko".

Por fim, devemos indagar a cada notícia: "O que o tema tem a ver com cada brasileiro?" Devemos nos lembrar sempre da pergunta do "Iukiko", que o ouvinte fará: "E o que é que eu tenho a ver com isso?" Por isso, mais importante do que listar aquela velha fórmula do "o quê, quando, onde, blá-blá-blá..." (que é indispensável, todos sabemos) é explicar: e daí? Explique, seja explícito, troque em miúdos: em que essa notícia vai mudar a vida do cidadão? Se não for mudar ou se for mudar só daqui a dez meses, repense a importância da notícia. Notícia, para nós, é o que muda a vida de quem nos ouve.

* * *

Em 2006, realizamos duas pesquisas qualitativas sobre o programa: uma em Belo Horizonte e outra em Brasília, graças a parcerias com duas universidades. Elas não custaram um tostão à Radiobrás. Colhemos reações positivas. Os grupos notavam as mudanças em tom de aprovação. A credibilidade do noticiário do Poder Executivo até existia. Mesmo assim, a repercussão era nula, simplesmente nula. Uma única edição do *Café com o presidente*, qualquer uma que se queira destacar, teve mais repercussão do que todas as edições da *Voz do Brasil* somadas, ao menos enquanto permaneci no emprego — e é bom relembrar que o *Café*, transmitido semanalmente às segundas de manhã, com apenas seis minutos de duração, era reproduzido voluntariamente, jamais obrigatoriamente. Reformada, a *Voz* poderia até informar de modo competente, mas sua marca autoritária lhe corroía a credibilidade. Ela não passava de um corpo em estado vegetativo, sobrevivendo por aparelhos, quer dizer, por força da obrigatoriedade de retransmissão.

Por dever de ofício, mantive acesa a chama da renovação editorial. Mas eu sabia: a *Voz* só teria alguma chance de ser levada a sério quando sua retransmissão deixasse de ser imposta. Ela se convertera no símbolo da rede compulsória, da fala não-dialogada, da face ressequida de um poder insensível, tão distante que não sabia a quem se dirigia e não escutava quem por acaso estivesse do outro lado da linha. O regime jurídico que impunha a sua veiculação em cadeia nacional, anacrônico e autoritário, massacrava qualquer centelha de inovação que dentro dela se acendesse. Não tinha jeito. Para o bem da própria imagem dos poderes da República, para o bem de sua comunicação com a sociedade, a obrigatoriedade precisava ser abolida ou, no mínimo, atenuada.

Eu tentei mudar também isso. E perdi.

CAPÍTULO 14

Os males públicos da obrigatoriedade, em três textos derrotados

Minha posição contrária à retransmissão obrigatória da *Voz do Brasil* já era conhecida, desde o início de 2003, pelo ministro Luiz Gushiken e por seus assessores. Eram quase todos avessos à idéia de se mexer na *Voz*, mas o ministro admitia ao menos a possibilidade de se conversar a respeito nas dependências de seu gabinete, a portas fechadas. Em outubro de 2003, a pedido dele, sintetizei a proposta num documento, explicando que a obrigatoriedade decorria de uma imposição de lei e, para revogá-la, seria necessária uma nova lei. O protagonista da mudança, portanto, teria de ser o Congresso Nacional. Procurei redigir uma peça que convencesse os hesitantes. Com esse objetivo, fiz concessões de discurso e de argumentos. Reservadamente, o texto foi debatido na Secom. Nunca se tornou público. Se converteu alguém, nunca fiquei sabendo. A seguir, reproduzo alguns trechos.

Brasília, 2 de outubro de 2003

A voz do Brasil além da obrigatoriedade

Para: Ministro Luiz Gushiken
De: Eugênio Bucci

Proposta:

1. O governo deve se manifestar contrário ao instituto da obrigatoriedade de transmissão de *A voz do Brasil.* Por princípio.

2. A decisão de rever a obrigatoriedade, no entanto, cabe ao Congresso Nacional. Deixando a decisão a quem cabe, o governo deve emitir sinais de que não teria resistência a um projeto de lei que

viesse a flexibilizar o horário de transmissão do programa, mediante condições a serem depois negociadas.

3. O governo deve privilegiar uma comunicação que não dependa da obrigatoriedade, uma comunicação ancorada apenas na qualidade e na objetividade da informação. (...)

Fundamentação:

A imposição legal que obriga todas as emissoras de rádio a retransmitir *A voz do Brasil* é uma anomalia jurídica e um absurdo político. Não há o que justifique, dentro da normalidade institucional, a necessidade de uma cadeia compulsória de sessenta minutos, diariamente, para os poderes da República se comunicarem com a população. Num regime democrático, a figura da rede nacional de rádio requisitada pelo Estado pode eventualmente ocorrer, sem dúvida, mas sempre como exceção. No Brasil, é rotina. Não há sentido nessa rotina.

Ninguém de boa-fé sustenta que, numa sociedade em que exista também um sistema democrático de comunicação social, a obrigatoriedade de transmissão de um noticiário dos poderes da República deva existir. Os que ainda defendem a existência desse regime não o fazem por acreditar que a obrigatoriedade atenda a princípios da democracia. Lançam mão, normalmente, de razões de ordem prática ou de conveniência. Seguem, com variações de estilo, três linhas básicas de argumentação. São elas:

1. Uns dizem que *A voz do Brasil* obrigatória promove a integração nacional. Talvez isso fosse verdade nos anos 1930, 1940 e 1950, quando a família, de banho tomado, costumava se reunir na sala em torno do pesado rádio de válvulas, à noitinha. Hoje, a função imaginária de integrar a nacionalidade não fica mais a cargo do rádio, mas da TV, e nem por isso tem apoio a proposta de se criar um noticiário obrigatório para ser exibido em todos os canais. Ainda bem. De resto — o que empresta uma ironia extra a tudo isso —, já faz algumas décadas que o horário nobre do rádio não é mais aquele das sete da noite, mas o das sete da manhã.

2. Outros crêem que a obrigatoriedade deve permanecer para compensar o partidarismo com que muitas emissoras comerciais são conduzidas no Brasil. O programa oficial seria, nessa perspec-

tiva, um tipo de "cunha" nas emissoras dominadas por interesses econômicos e políticos de elites locais que, na prática, abusam das concessões. Tal raciocínio não procede. Em primeiro lugar porque o uso adequado das concessões na radiodifusão deve ser objeto de outra solução jurídica. Em segundo lugar porque, se é mesmo verdade que *A voz do Brasil* teria o poder de neutralizar a manipulação praticada pelas rádios comerciais, uma hora por dia seria muito pouco tempo. Em terceiro lugar, não há nenhuma demonstração empírica que comprove essa capacidade da *Voz*.

3. Há, finalmente, os que têm noção do anacronismo que a obrigatoriedade representa, mas acham que não vale a pena mexer no que, afinal de contas, já está posto há tanto tempo. Alegam, embora reservadamente, que, para o governo federal, assim como para os deputados e senadores, dispor de um horário para fazer propaganda em causa própria é um privilégio do qual seria tolice abrir mão. É uma alegação aparentemente pragmática. Aparentemente apenas. No fundo, carece de racionalidade. Não é verdade que esse regime de transmissão compulsória e diária seja bom para o governo ou para os políticos. Em matéria de propaganda de mandatários públicos, *A voz do Brasil* já se firmou, pelo menos desde a ditadura militar, como a pior que pode haver. É uma antipropaganda, péssima, sobretudo para os políticos. Se ela servisse para convencer ouvintes incautos, a ditadura não teria acabado, o presidente Collor jamais teria sido derrubado e os candidatos governistas sempre ganhariam as eleições. Basta puxar pela memória. Em todas as mudanças maiúsculas da política brasileira recente, *A voz do Brasil* tomou o partido do lado menos esclarecido. E perdeu, invariavelmente. Quem pensa que tendo controle de *A voz do Brasil* tem nas mãos uma boa ferramenta de propaganda comete um equívoco que depõe contra a reputação da própria inteligência. O programa é o pior recinto para quem busca a autopromoção. Quando muito, tem sido um atestado da ineficiência comunicativa dos governos que dela tentam se aproveitar com segundas intenções.

A MAIOR PREJUDICADA COM A OBRIGATORIEDADE É A COMUNICAÇÃO DOS PODERES DA REPÚBLICA

A obrigatoriedade de transmissão mais prejudica do que ajuda o noticiário dos Três Poderes da República. Havendo a manutenção do regime atual, haverá a manutenção tácita e difusa da sensação do público de que o governo só consegue se comunicar porque obriga o cidadão a ouvi-lo. O que já não é verdade há muito tempo.

Se quisermos de fato pensar numa nova fase para *A voz do Brasil*, teremos de pensar numa fase sem a obrigatoriedade. Em vez de obrigatória, *A voz* terá de ser boa, bem-feita, relevante. Nada mais.

Todos sabemos que essa discussão já vem acontecendo há alguns anos, mas, sejamos francos, ela vem acontecendo com uma dose acentuada de infantilismos. Alguns representantes de emissoras de rádio atacam as autoridades federais dizendo que elas querem o horário para fazer propaganda política ao longo de sessenta minutos (o que pode até ser verdade) — e se esquecem de dizer que muitas das emissoras empenham-se obstinadamente na apologia de oligarquias regionais durante todas as outras 23 horas do dia. Indevidamente. Abusivamente. Outros levantam a bandeira de que as emissoras são empresas privadas como quaisquer outras, que nada têm a ver com as funções públicas — como se a comunicação social não fosse ela mesma uma função pública, uma concessão do Estado, que supõe compromissos e deveres das empresas concessionárias em relação ao bem público. O sentimento de desobrigação que algumas áreas da radiodifusão nacional ostentam frente à coisa (e à causa) pública chega a ser ofensivo.

A obrigatoriedade deve, claro, ser revista, mas não para atender a interesses comerciais imediatos. Ela deve ser revista por motivos de ordem democrática. A obrigatoriedade de *A voz do Brasil* é um anacronismo, reconheça-se, mas muitos dos argumentos que contra ela se levantam são igualmente anacrônicos. Às vezes selvagens. Não é em favor da lei da selva que a obrigatoriedade deve acabar, mas em favor de um novo pacto na radiodifusão.

Sem um novo pacto, não haverá amadurecimento político. *A voz do Brasil* deve prosseguir, sem ter de carregar o peso da obrigatoriedade. A lei deve ser modificada, abrindo caminho para a adesão voluntária das rádios que quiserem transmitir o programa. Sairemos, então, de um modelo autoritário em que o vínculo das rádios com o programa é impositivo e entraremos num modelo em que apenas as emissoras públicas, educativas e culturais estariam obrigadas a retransmiti-la. Quanto às comerciais, teriam a opção do livre engajamento. Para as regiões que não têm emissoras públicas, poderia ser criado um modelo transitório para garantir a essas populações um caminho para sintonizar o programa. (...)

* * *

Depois disso, poucas vezes o ministro da Secom tocou no assunto e, quando o fez, normalmente falou naquele tom de "deixemos para um pouco mais adiante". Uma tarde, em seu gabinete, conversamos rapidamente, de pé, com o deputado Arlindo Chinaglia, do PT de São Paulo, que exercia a liderança do governo. Ele já tinha ouvido falar da minha sugestão, que em nada o animava. Para ele, se o governo propusesse uma revisão da matéria iria apenas se desgastar com a grande maioria dos parlamentares. Na ocasião, eu estava convencido de que não cabia a mim, no cargo de presidente da Radiobrás, incumbido do dever de produzir e veicular *A voz do Brasil*, lançar publicamente uma campanha pelo fim da retransmissão compulsória do mesmo programa. Eu precisava de aliados, ou falaria sozinho e enfraqueceria ainda mais os nossos flancos. Propor mudanças deveria ser iniciativa de um ministro, de alguém que pudesse falar em nome do governo, na forma de uma sugestão, de um projeto ao Congresso Nacional. Ou então deveria ser iniciativa de um parlamentar. Não havia, porém, ministro ou parlamentar que topasse.

Eu estava resignado, dando o assunto por prescrito, quando, no Carnaval de 2006, veio a deixa. Numa nota publicada na revista *IstoÉ*, com data de 1º de março de 2006, Aldo Rebelo, então presidente da Câmara dos Deputados, defendeu a mudança do regime: "*A voz do Brasil* é uma necessidade, mas não pode ser imposta como ditadura." Em silêncio, com a revista na mão, eu comemorei. Finalmente, alguém com credenciais de peso entrava no jogo. Ex-ministro de Lula, Aldo tinha identidade com o governo e, como presidente da Câmara dos Deputados, tinha autoridade sobre a função legislativa.

Vi no gesto de Aldo Rebelo uma nova chance. A partir de então, eu deveria falar. Gushiken já não era mais o ministro da Secom, órgão que havia sido incorporado à Secretaria Geral da Presidência da República, do ministro Luiz Dulci. Este, porém, estava fora de Brasília naquela semana. Eu tinha que me mover rapidamente. Agi por minha conta, sem consultar o ministro. Decidi defender não o fim total da obrigatoriedade, como era o meu pensamento, mas apenas a flexibilização do horário, apoiando a proposta de Aldo Rebelo. Dessa forma eu não ultrapassaria o sinal de um possível acordo. Escrevi um artigo para a *Folha de S.Paulo*, que começava pela menção à frase do deputado. Sob o título de "*A voz do Brasil* sem ditadura", ele foi publicado na segunda-feira seguinte, dia 6 de março. Reproduzo, a seguir, algumas passagens:

As palavras do presidente da Câmara podem ser recebidas como um sinal verde sem precedentes. A comunicação oficial do Estado brasileiro precisa mesmo se livrar do que lhe resta de autoritarismo. Como todos sabem e ocasionalmente ouvem, a lei manda que a *Voz* seja transmitida, todos os dias, às 19h, por todas as emissoras de rádio. Estas ficam reféns da imposição, não importa o que esteja acontecendo nas cidades em que estão sediadas. É verdade que algumas, graças a medidas liminares, conseguiram autorização para transmitir o programa em horários alternativos, ou seja, conquistaram uma flexibilidade só para si. Isso, contudo, não é solução de longo prazo; apenas gera mais confusão.

(...) Os absurdos causados pela inflexibilidade são inúmeros. Cito apenas mais um. Quando em Brasília os relógios marcam 19h, os do Acre dão 17h, e é nesse horário que a *Voz* tem de ir ao ar na região. Ora, se o programa ainda cumpre algum papel, seria justamente o de levar informações sobre os Poderes da República a comunidades mais distantes, que às vezes só dispõem do rádio para saber o que se passa em Brasília. Ocorre que, às 17h, os adultos dificilmente podem ouvir o rádio e, portanto, continuarão sem saber de nada. A flexibilidade legal seria uma medida de bom senso para o Acre, para São Paulo, para o país inteiro.

(...) É um engano supor que a flexibilidade seja uma demanda que só interessa às grandes cidades ou uma bandeira classista das emissoras privadas: ela é uma exigência de todos os que tentam construir uma comunicação estatal mais contemporânea, mais dialogada, mais saudável. A maior beneficiada com a adoção da flexibilidade será a imagem dos Poderes da República. É fácil entender o porquê. A tradição da inflexibilidade autoritária corroeu gravemente, ao longo de décadas, a credibilidade do programa. Com isso, a própria imagem dos Poderes se deixou arranhar. *A voz do Brasil* virou sinônimo de propaganda chapa-branca, a serviço de instituições envelhecidas, insensíveis e distantes. Modificar apenas a fórmula editorial do programa não adianta.

(...) O fim do horário obrigatório será, se não um avanço, um passo reparador para começar a corrigir esse anacronismo. A obrigatoriedade é desnecessária e indesejável. Os Poderes da República já dispõem de serviços de comunicação próprios, com sítios na internet, além de canais de rádio e TV. Por meio de caminhos múltiplos e variados, a notícia de interesse público alcança a maior parte da população. Para os bolsões de desinformação que subsistem em algumas áreas do país, *A voz do Brasil* pode ser útil, mas, mesmo nesses casos, ela funcionaria melhor se seu horário fosse flexível. E, como propõe Aldo Rebelo, sem gosto de ditadura.

* * *

O debate estava na rua. As minhas esperanças residiam em um seminário que, por minha sugestão, Aldo Rebelo fizera organizar na Câmara dos Deputados. Eu apresentara a proposta dias antes. Na primeira semana de março, ao ler a nota na *IstoÉ*, marquei uma audiência com ele. Cumprimentei-o pela declaração e apresentei a idéia de que ele convocasse um simpósio com parlamentares e representantes da sociedade. Na mesma hora, o deputado incumbiu a Secretaria de Comunicação da casa, chefiada pelo jornalista William França, de realizar a tarefa. William se saiu muito bem. Na manhã de 28 de março de 2006, uma terça-feira, o Seminário "*Voz do Brasil* – Tradição e Modernização" foi aberto, numa realização conjunta da Radiobrás, do Senado e do Supremo Tribunal Federal, além da própria Câmara.

O simples fato de o colóquio acontecer já era um sucesso. Àquela altura, sessenta projetos relativos à *Voz do Brasil* tramitavam na Câmara e outros tantos eram debatidos no Senado. Parlamentares, presidentes de entidades como Associação Brasileira de Emissoras de Rádio e Televisão (Abert), Associação Brasileira de Radiodifusão, Tecnologia e Telecomunicações (Abratel), Associação das Rádios Públicas (Arpub), professores, empresários e jornalistas tiveram lugar nas mesas, com bons debates. Naquela noite, *A voz do Brasil*, no horário do Poder Executivo, de responsabilidade da Radiobrás, entrevistou, entre outros, o jornalista João Lara de Mesquita, que dirigiu a Rádio Eldorado, de São Paulo, entre 1982 e 2003. Nos microfones do noticiário oficial, ele acusou o que considerava uma inconstitucionalidade do regime de obrigatoriedade e perguntou: "Se todos são iguais perante a lei, por que o rádio, que é uma concessão, tem *A voz do Brasil*, e a televisão, que é uma concessão, não tem *A voz do Brasil*?" Aldo Rebelo, na mesma reportagem, defendeu outra vez a adoção de um regime de horários flexíveis.

* * *

Dentro do governo, a proposta de Aldo Rebelo angariou o que posso chamar de um respeitoso silêncio. Foi o que acabou prevalecendo. Acho que, em parte, porque eu insisti menos do que poderia. De um lado, eu não poderia enfraquecer a Radiobrás, dando a impressão de que, em nome dela, estava em marcha uma campanha contra uma obrigação legal que me cabia, a de pôr *A voz do Brasil* no ar, diariamente. De outro lado, porém, talvez eu pudesse ter forçado um pouco mais. E não forcei.

Dentro da Radiobrás, a idéia de mexer com *A voz do Brasil* também não teve boa recepção. Com exceção dos diretores, e dos jornalistas mais independentes, eu era olhado como alguém que queria desmontar um dos baluartes da empresa.

Nos dois ou três dias que se seguiram ao seminário, mensagens de funcionários começaram a piscar no correio eletrônico da nossa estatal. Uns eram a favor da mudança. A maioria tinha dúvidas. Poucos se declararam ostensivamente contrários. Viam na tentativa de mexer no horário obrigatório uma verdadeira traição. Observei com relativa placidez a troca de mensagens eletrônicas entre os jornalistas e radialistas, até que um dos missivistas invocou o nome do Projeto Minerva, em tons elogiosos, e me intrometi. O Minerva era um curso supletivo radiofônico de primeiro e segundo graus, criado no dia 1º de setembro de 1970, que funcionou na base da obrigatoriedade de retransmissão. Seria suspenso em 1990. Entrou para a História como um símbolo de autoritarismo, com veiculação impositiva, tanto que ganhou o apelido célebre de "Projeto Me Enerva". O e-mail abaixo, eu o enviei de um rompante, numa noite de sábado, de casa. Era 1º de abril. A seguir, uma versão compacta do que escrevi:

Meus colegas de Radiobrás,

O Projeto Minerva é realmente uma lembrança incrível, inacreditável mesmo. Só faço uma pergunta: é esse o modelo que queremos para a nossa comunicação pública? Projeto Minerva? Sério?

É bom lembrar que o horário da *Voz do Brasil* já está, de fato, flexibilizado. Na cidade de São Paulo, que está longe de ser uma cidade desimportante, várias grandes emissoras já não transmitem a *Voz* às 19h. Nem mesmo a Rádio Cultura FM, que é pública [*até meados de 2007, a rádio Cultura* FM *transmitia* A voz do Brasil *exatamente às 4h do dia seguinte*]. A flexibilização do horário, por lei, que apóio abertamente, iria disciplinar essa situação.

A comunicação que interessa é aquela que as pessoas escutam porque entendem e porque gostam. A boa comunicação não precisa se esconder sob o manto da obrigatoriedade confortável — confortável para quem não precisa ser criativo, nem acessível, nem claro, nem competente para garantir o emprego. É preciso não temer as mudanças. Ao contrário, é preciso acelerá-las. Não é a flexibilidade que vai matar *A voz do Brasil*: a nossa incompetência poderá matá-la, isto sim. Se ela fosse realmente boa, atraente, pulsante, estaríamos num outro nível de debate.

Temos o vício de pensar na defensiva. A gente sempre se põe de prontidão para acusar alguém de estar perpetrando um ataque traiçoeiro contra nós. É uma atitude reativa, que mais mascara os problemas reais do que os resolve. É preciso que nos perguntemos o que é que estamos deixando de fazer para melhorar aquilo que de fato nos cabe melhorar. É mais difícil investigar onde é que a gente erra. É muito mais fácil brandir chavões contra pessoas indeterminadas que "vão acabar" com isto e com aquilo. Ora, aonde é que isso nos leva, de verdade? A nos converter em defensores do que já está carcomido?

O que nós precisamos fazer é fortalecer a cooperação e as parcerias entre as emissoras públicas já existentes. Precisamos criar novas emissoras públicas, o que esta administração da Radiobrás está fazendo também, apesar das enormes dificuldades que todos conhecemos. Precisamos ampliar e fortalecer a rede de rádios públicas, em vinculação com as comunitárias, para possibilitar, entre outras coisas, a transmissão de noticiários de interesse público em horários muito maiores do que apenas uma hora. O caminho não é — e não será — a eternização da obrigatoriedade. O caminho é o fortalecimento da comunicação pública.

A voz do Brasil, lamento dizer, é percebida como chata. Para a imensa maioria da "gente nas ruas", que alguém de vocês invocou para defender a obrigatoriedade, é apenas um programa chatíssimo. Será que o que nós estamos fazendo para mudar isso tem sido suficiente? Onde mais é preciso mexer? De que modo? Será que nós sabemos dar respostas em lugar de apenas insistir na inércia da manutenção de uma obrigatoriedade de horário que, na prática, não existe mais?

Alguém aqui quer voltar aos tempos do Projeto Minerva, que muitos chamavam de "Projeto me Enerva"? O Brasil precisa repensar seu modelo de comunicação social como um todo. O Brasil precisa de uma nova Lei Geral de Comunicação. O Brasil precisa de instituições de comunicação pública fortes, capazes de, em rede, fazer frente em qualidade e audiência às redes privadas. O Brasil precisa disso, não de nostalgia de obrigatoriedades.

O futuro não é confortável, de jeito nenhum. Mas o futuro é esse. O futuro não é o Projeto Minerva.

Saudações a todos.

* * *

Palavras em vão.

Ter modificado o regime legal da *Voz do Brasil* teria sido um belo solavanco na comunicação pública do país, altamente positivo. Mas não deu certo. O seminário caiu no vazio. Com a proximidade das eleições presidenciais, o parlamento foi absorvido pelo calor da sucessão iminente. Outra vez, mais uma vez, a decisão ficou para depois. No rol das coisas que não fiz — não porque não quis fazer, mas por não ter identificado o espaço para fazer —, a mudança do regime de obrigatoriedade da *Voz do Brasil* ocupa o topo. Embora não haja como fazer hipóteses sobre o passado, é possível que, se eu tivesse ido mais a público para defender a mudança, tomando o cuidado de não pôr em dúvida a minha obediência à lei, talvez algum avanço acontecesse.

Dessa derrota, ficaram pequenos ensinamentos. A maior resistência a qualquer mudança na *Voz* repousa no baixo clero da Câmara. A percepção de Arlindo Chinaglia, ao menos quanto a isso, tinha fundamento. Os deputados de menor destaque nos meios de comunicação acreditam, na média, que aparecer no noticiário oficial obrigatório é vantajoso. Têm o programa como um palanque que, na visão deles, faz parte das prerrogativas da função, à qual não pretendem renunciar. Dessa suposta prerrogativa, imaginam extrair vantagens eleitorais pessoais que, acreditam, ninguém mais, além deles, enxerga.

É para não contrariá-los que os governos evitam mexer no assunto. Não querem correr o risco de erodir o apoio parlamentar em nome do que chamam de "uma questão menor". Com essa postura conformista, acabam por se associar ao atraso da manutenção desse anacronismo que só sobrevive porque é tido como ferramenta de propaganda. No que depender dessa combinação, em Brasília, 19 horas é para sempre.

CAPÍTULO 15

O jovem professor de direito
que gostava de rádio

Admito que o timbre de *A voz do Brasil*, aquela sonoridade areno-
sa de chiados com sotaque de diário oficial, rebaixava minha expectativa em relação ao rádio da Radiobrás. Claro: um preconceito, que
logo se mostrou insustentável. Encontrei um universo bem mais diversificado e menos previsível que o burocratês bajulador do notíciá-
rio obrigatório, que ali sobrevivia como um tipo de reserva ecológica
do mal, uma ilha mal-assombrada.

A Nacional FM de Brasília foi minha primeira boa surpresa. Em
2002, já podia ser considerada uma das mais elegantes emissoras do
país, com sua programação ancorada em MPB, digamos, ortodoxa.
Sua programação aceitava descendências reconhecidas e autorizadas
da MPB clássica, mas nada muito fora do diapasão. Nada de "pop anos
1980", nada de comercialismos como os sertanejos, os axés de toda cor
ou os roqueiros de temporada. A Nacional FM era — e continuou sendo — uma purista. Com ela, o melhor que a nova gestão teria a fazer
era continuar.

As outras três rádios que já estavam lá quando cheguei não primavam pela mesma compostura. A Nacional AM se esforçava por fazer jornalismo pela manhã e, à noite, soltava-se em programas popularescos, desbragados e bem-sucedidos: alguns eram campeões de
audiência em suas faixas. Nada contra o gosto popular, mas, naquele
gênero de atração radiofônica, os conflitos de interesse pipocavam
mais à vontade. Havia apresentadores que faziam propagandas dos
próprios discos e dos próprios shows, pois eram cantores e animadores de espetáculos itinerantes. Outros, quando não os mesmos, pro-

moviam de modo disfarçado campanhas eleitorais em causa própria ou em favor de amigos. Não havia propriamente má-fé. Vários deles nunca tinham sido avisados de que certos procedimentos não eram aceitáveis pela ética da administração pública. Apenas se filiavam, sem mais exames de consciência, a um costume que fez escola no rádio brasileiro: as vantagens pessoais compensavam os baixos salários, permitindo ganhos indiretos. Logo trataríamos de esclarecer esses pontos dentro de cada uma das emissoras.

Um mundo totalmente desconhecido se abriu para mim na Nacional Amazônia, que se revelou uma proeza. Transmitida em ondas curtas, recebia todos os meses centenas de cartas dos ouvintes da Região Norte. Eu, que não tinha memória de ter sintonizado um dia alguma rádio em ondas curtas, simplesmente não podia conceber que no século XXI essa freqüência pudesse atingir uma platéia tão massiva e tão cativa. Na minha gestão, a Nacional Amazônia cresceria ainda mais. Quando deixei a empresa, em 2007, desfrutava da imagem de melhor veículo para atingir as comunidades do Norte e chegava a receber mais de duas mil cartas mensalmente.

Por fim, a Rádio Nacional do Rio de Janeiro, nada menos que o centro imaginário do Brasil antes do surgimento da TV, agonizava na miséria. Adorada nos anos 1940, 1950 e 1960 por suas radionovelas, pelo *Repórter Esso* e pelos shows de auditório, ela virou o século em decrepitude física. Os seus transmissores, corroídos, operavam a cerca de um décimo da potência. O auditório tinha sumido, tragado por uma reforma que o reduzira a um salão burocrático de repartição, com mesas cinzentas, cadeiras plásticas de rodinhas, ventiladores empoeirados e cestos de papel distribuídos sobre o chão de tacos sem brilho. Nos banheiros, o teto desabara. Já se falava em fechá-la quando fui vê-la pela primeira vez, no final de janeiro de 2003.

Era quase um cadáver, no alto do Edifício *A Noite*, onde vivera seu apogeu. O próprio edifício era um marco histórico abandonado. Fincado às margens da Praça Mauá, fora inaugurado em 1929, com a reputação de ter sido pioneiro no uso do concreto armado. Nasceu como o primeiro arranha-céu do Rio de Janeiro, com 102,8m de altura e 24 pavimentos. Quando pisei nas suas dependências pela primeira vez, fui abduzido por um túnel do tempo. Na sala do chefe da emissora, no 20º andar, com uma vista esplêndida para o cais, também desativado, móveis e lambris dos anos 1940 resistiam, menos por terem sido protegidos por um impulso preservacionista e mais por falta de alternativa. Tive a sensação de que as coisas estavam lá porque lá tinham sido largadas. No canto da porta, uma cabine em madeira escura guardava um aparelho telefônico dos primórdios. Diziam que ele tocaria de repente e, do outro lado da linha, a voz de Getúlio Vargas me mandaria pôr um discurso no ar. As paredes, os sofás, as escrivaninhas, as pessoas, tudo ali pertencia a uma outra época e pedia para não morrer.

Conversando com um, depois com outro e mais outro, eu tentava me situar. As glórias do passado ganhavam cores épicas nos relatos, enquanto a inoperância se escondia no silêncio. A paisagem geral sugeria desgoverno e abandono. Os empregados estavam entregues à inércia do desmantelamento prolongado, esquivando-se de perseguidores imaginários, como se pressentissem um desfecho súbito que faria aquelas ruínas desaparecerem de vez. Uns carregavam para casa as relíquias de estimação para proteger a memória. Eu soube disso quando estatuetas, um disco antigo, um microfone, um cinzeiro, aos poucos as preciosidades voltavam, à medida que seus guardiões recobravam a confiança na direção da empresa. Até em Brasília fui encontrar objetos que pertenciam à Nacional do Rio. Outro hábito estranho era o de trazer, para dentro da rádio, colaboradores extra-oficiais, que passavam a dar expediente sem ser contratados formalmente. No início, não vi solução. Regularizar as rotinas trabalhistas, recuperar aquilo tudo seria impraticável. Eu não diria que era o caos. Era pior.

O abandono, longe de ser privilégio do Rio, podia ser entendido como um denominador comum. Dentro da sede principal da empresa, na capital federal, os animadores dos programas popularescos, trabalhando no subsolo, não tinham contato regular com suas gerências. Também não participavam de planejamentos e não conheciam, ou pelo menos diziam que não conheciam, as diretrizes da administração. Eu olhava as coisas mais de perto e pensava que não era apenas *A voz do Brasil* que subsistia como ilha lá dentro — cada programa, cada emissora, cada equipe, todos se imaginavam ilhas: uma federação de repúblicas desgarradas, algumas com gente talentosa, muitas com uma boa história de conquistas, mas todas desalinhadas, desarticuladas, divergentes, esquivas. Era um ex-corpo desfiado, um arquipélago de idiomas incompatíveis entre si.

* * *

Eu ainda não tinha a menor idéia de como enfrentar a barafunda radiofônica quando um advogado de 28 anos entrou na sala principal do escritório da Radiobrás em São Paulo para ser entrevistado por mim. Magrinho, cabelos pretos, curtos, tinha uma fisionomia alongada, com as sobrancelhas espessas. Apresentou-se sorridente. A data ficou marcada na minha agenda: 17 de janeiro de 2003, sexta-feira, quatro e meia da tarde.

Eu procurava um assessor jurídico que me protegesse das cascas de banana que vêm nas entrelinhas da papelada oficial, alguém que lesse e aprovasse o que iria passar por minha mesa e reforçasse a equipe jurídica que encontrei em Brasília. Ele procurava um emprego na área pública, fora de São Paulo. Queria dar uma guinada na vida. Era o cara indicado, eu pensei. Mestrando na PUC de São Paulo, tinha trabalhos acadêmicos sobre o direito à comunicação. Li, gostei. Apesar da pouca idade, trazia um currículo de bom porte, com uma boa passagem por um dos melhores escritórios de São Paulo, além de ser professor de Direito Administrativo da PUC. Declarava-se palmeirense, um tipo de predileção que escapa à minha capacidade cognitiva, mas isso não pesou. O melhor é que topava o nosso salário de fome, e com apetite. "Sinto-me privilegiado por integrar a Radiobrás nesse momento político histórico, em que os espíritos estão renovados", declarou no jornal interno da estatal, logo que começou na casa.

Com a vinda de Bruno Vichi, um dos primeiros beneficiados foi justamente o rádio. De cara, ele me ajudou a estabelecer normas sobre conflitos de interesse para o departamento. A partir das normas, organizamos incontáveis reuniões explicativas, pacientemente didáticas, que começaram a reverter as práticas viciadas dos apresentadores e dos produtores. Bruno se impôs como um líder e um administrador bem formado e desenvolto. Contratado como auxiliar do então assessor jurídico da presidência, Sebastião Alves dos Reis Júnior, um ótimo advogado que acabaria deixando a Radiobrás para chefiar a Consultoria Jurídica do Ministério da Integração Nacional, progrediu rapidamente e, menos de um ano depois, ocupava a função de diretor da empresa. Ainda em 2003, foi figura chave na construção do acordo que permitiu a salvação da Rádio Nacional do Rio, que deu certo por meio de um convênio que firmamos com a Petrobras.

Para convencer a Petrobras, lancei mão de uma tese, no mínimo, discutível. Cheguei para os diretores e disse o seguinte:

— A Petrobras nasceu graças à campanha O Petróleo é Nosso, de cinqüenta anos atrás. Mário Lago, da Rádio Nacional, despontou como um dos símbolos dessa campanha. Agora, a Petrobras tem o dever de salvar aquela rádio, que está em ruínas, e devolver o gesto de generosidade.

Era um apelo meio torto, reconheço, mas deu certo. Havia, porém, um senão jurídico: uma estatal não podia repassar dinheiro a outra estatal. Foi então que Bruno Vichi, ao lado dos advogados da Petrobras, encontrou a solução: por meio de um acordo de cooperação, o departamento de engenharia da estatal do petróleo assumiu, diretamente, as obras de recuperação da rádio, numa saída formalmente perfeita e eticamente legítima. No embalo, o dr. Bruno, como passou a ser chamado, assumiu pessoalmente a gestão direta das obras que se seguiriam.

Anunciado em junho de 2003, o convênio atingiu seus objetivos no ano seguinte, com a reinauguração da rádio. Na noite de 2 de julho de 2004, o auditório, novinho, ressuscitou. Um show de Cauby Peixoto, Marlene, Emilinha Borba, Jamelão mereceu aplausos de uma platéia que incluía ministros como José Dirceu, da Casa Civil, Luiz Gushiken, da Secom, Gilberto Gil, da Cultura, e Nilcéa Freire, Secretaria Especial de Política para as Mulheres, além do presidente da República, Luiz Inácio Lula da Silva, e da primeira-dama, d. Marisa Letícia.

Não houve placa para "eternizar" aquela data de celebração para os mais antigos servidores da Nacional do Rio — e de alívio para a direção da Radiobrás. Não permiti. Um quadro de metal com o nome da gente chumbado na parede teria sido autopromoção. Depois, fiquei pensando: se houvesse uma placa, o nome de Bruno Vichi teria de estar lá — não como autoridade, nem como advogado, mas como um craque. Seria uma forma de festejar quem marcou um gol de placa.

* * *

Outras três novas emissoras de rádio nasceriam pelas mãos dele: a Rádio Justiça FM, que criamos em Brasília, num convênio com o Supremo Tribunal Federal, a UFMG Educativa FM, de Belo Horizonte, aberta em parceria com a Universidade Federal de Minas Gerais, e a Rádio Mesorregional do Alto Solimões, em ondas médias, na cidade de Tabatinga, no oeste do Amazonas, construída em parceria com o Ministério da Integração Nacional. Esta terceira, inaugurada em 2006, trouxe inovações que a transformariam numa referência para os rumos da comunicação pública no Brasil. Graças a uma inteligente solução jurídica, a direção da emissora foi posta a cargo de um conselho com representantes da comunidade local, sem deixar de pertencer à Radiobrás. Na sede, além de estúdios, construímos um centro de internet aberto aos moradores.

Os habitantes da cidade, na fronteira com Letícia, na Colômbia, não contavam com uma emissora brasileira que os informasse sobre a vida nacional e regional. O vazio informativo se estendia, imutável, pelas outras oito cidades da mesorregião do Alto Solimões, com nada menos que 214 mil quilômetros quadrados (o equivalente à soma dos estados de Santa Catarina, Rio de Janeiro, Espírito Santo e Alagoas), onde duzentos mil brasileiros praticamente não dispunham de canais de informação que não fosse a TV, acessível apenas aos que tivessem eletricidade em casa, além de antenas adequadas. Ocorre que, naquela mesorregião, muita gente vivia às margens dos rios, longe da área urbana, e portanto sem televisão, de tal modo que a falta de comunicação era a regra. Sem acesso à informação, as pessoas corriam permanentemente o risco de não ter direito a quase nada, pois o cidadão desinformado nem sequer conhece os próprios direitos. As comunidades locais percebiam a gravidade da carência informativa e, quando o Ministério da Integração Nacional instalou, em 2003, o Fórum de Desenvolvimento Integrado e Sustentável da Mesorregião do Alto Solimões, as lideranças apresentaram a sugestão de que fossem criadas emissoras públicas nas cidades.

Aí entramos na história, ou, melhor, só estávamos esperando uma oportunidade para entrar na história. Queríamos abrir emissoras em áreas desassistidas e, com isso, apoiar o desenvolvimento humano daquelas regiões. Tabatinga, onde a Radiobrás já contara com uma emissora no passado, era um bom lugar para começar. Em 2003, quando fomos procurar o Ministério da Integração Nacional para reativar a antiga estação, ainda não conhecíamos o Fórum de Desenvolvimento Integrado. A existência do Fórum abriu o caminho. Assinei com o ministro Ciro Gomes um acordo, e os trabalhos começaram.

A empresa já estava pronta para fazer a idéia dar certo. As jornalistas Márcia Detoni e, principalmente, Taís Ladeira, que se sucederam na chefia do Departamento de Rádio, viajaram várias vezes ao Amazonas. Márcia, que veio para a Radiobrás em 2003, depois de uma temporada de quase dez anos em Londres, onde trabalhou na BBC, infundiu níveis mais exigentes de qualidade entre os radialistas. Foi uma das primeiras jornalistas da nova gestão a ganhar prêmios. Taís, reconhecida ativista das rádios comunitárias, identificou-se com o projeto do Alto Solimões e, apoiada por uma outra jornalista da Radiobrás, Sofia Hammoe, soube envolver a comunidade na sua implantação. Em 2005, as três, Márcia, Taís e Sofia criaram um curso, com três módulos de duas semanas cada um, para capacitar as pessoas da mesorregião locais que participariam da emissora de Tabatinga. Cerca de cinqüenta alunos aprenderam operações técnicas, noções de administração e também redação, locução, edição. Dominar o know-how do rádio representou para muitos dos aprendizes, mais do que um crescimento profissional, uma emancipação política.

Eu mesmo visitei o Alto Solimões, junto com Bruno Vichi e uma equipe do Ministério da Integração Nacional, que acompanhava o ministro Ciro Gomes. Hospedaram-nos num quartel e, por três dias, andamos para todo lado, de barco, de carro e a pé. O ministro Ciro Gomes resolveu andar também numa moto emprestada. Escorregou numa trilha, caiu de mau jeito e voltou mancando para a capital federal. Sob aquele sol inconcebível, digo, equatorial, passei três dias meio resfriado e indisposto. Na viagem de volta, entrei suando amazonicamente no jatinho que transportava o ministro, um Learjet da Aeronáutica, no qual voei de carona. No dia seguinte, já em Brasília, percebi que também tinha levado um tombo — não de moto, mas do ar condicionado do avião. Peguei uma gripe selvagem.

Um pouco ou mesmo muito da vida da Radiobrás ficou plantada nesse projeto da Rádio do Alto Solimões, em Tabatinga. Instalamos funcionários nossos na cidade, em caráter permanente. Nosso pessoal viajou para lá não sei quantas vezes e mais vezes. Tabatinga virou uma prioridade, depois uma afeição e, por fim, uma causa.

* * *

No dia 29 de setembro de 2006, antevéspera do primeiro turno das eleições presidenciais, eu estava em São Paulo. Trabalhava num notebook posto em cima da mesa de jantar. A noite caía sem que eu percebesse, quando o telefone tocou. A voz do diretor de Operações, Roberto Gontijo, deu a notícia. O vôo 1907, da Gol, saído de Manaus, não tinha chegado ao seu destino, em Brasília. "O avião caiu, Eugênio, na certa. Caiu no meio da mata." Entre os 154 mortos, ou, àquela altura, desaparecidos, havia dois dos melhores quadros da Radiobrás: Francisco Alves de Oliveira, conhecido como Chicão, e Osman de Oliveira Melo. Voltavam de Tabatinga, aonde tinham ido ajustar os equipamentos, antes da inauguração oficial da emissora.

Chicão era chefe da Divisão de Manutenção, Operação e Transmissão de Rádio. Cearense de Nova Russas (CE), tinha 48 anos de idade e 26 de Radiobrás. Barba castanha, cerrada e bem contornada, falava pouco e inspirava respeito. No domingo à tarde, depois de votar em São Paulo, cheguei a Brasília e fui visitar a mulher dele, Amílcar Oliveira. Fomos sem avisar, eu, Bruno e Roberto Gontijo. Chovia. Pendurado na sala, reparei num quadro do presidente Lula. "Coisa do Chicão", falou Amílcar. Ela e os três filhos ainda tinham esperança de que houvesse sobreviventes.

Osman, com cinqüenta anos, respondia pelo departamento que cuidava de toda a área técnica de rádio, um alto posto. Era casado com a psicanalista Dirce Melo e deixou dois filhos. Trabalhava na Radiobrás desde 1981. Tinha presidido o Sindicato dos Radialistas do Distrito Federal por duas vezes. Quando criamos a cadeira de representante dos empregados no Conselho de Administração, tornou-se o primeiro funcionário a ocupá-la, eleito pelos colegas. Lia muito, discutia com ânimo e investia na própria formação. Diplomado em eletrônica pela Escola Técnica Visconde de Mauá, no Rio, e graduado em história pela Universidade de Brasília (UnB), cursava jornalismo do Centro Universitário de Brasília (Uniceub). Tocava Beatles no violão. Era franco e não se omitia. Quando havia demissões, ele me procurava: "Eugênio, o seu discurso é bom, mas as pessoas aqui estão com medo." Premido pela certeza de que eu tinha muito para fazer dentro de um prazo exíguo, nem sempre segui suas ponderações — mas jamais deixei de escutá-lo. Acreditou, como poucos, no significado do projeto em Tabatinga e, desde a concepção da idéia até a materialização da emissora, foi um dos seus principais protagonistas. Quem, leitor deste livro, visitar um dia a emissora de Tabatinga, lembre-se de que Osman ajudou a erguer o que está lá com as próprias mãos.

* * *

Quanto ao dr. Bruno, além de conduzir e criação das novas emissoras, soube ser advogado em tempo integral. Dos bons. Quando assumi a empresa, o passivo judicial estava na casa dos 68 milhões de reais. Logo aprendi que aquela expressão jurídica, passivo judicial, indicava uma dívida praticamente irrecorrível pela frente. A empresa com passivo judicial já prevê, no seu orçamento, que terá de desembolsar aquela quantia, mais cedo ou mais tarde. O nosso passivo judicial, ou a dívida, já em fase de execução, resultava de antigos processos trabalhistas. Alcançava um montante superior ao patrimônio da empresa e, portanto, poderia determinar nada menos que a falência da organização que eu presidia. De verdade. Tanto que, quando assumi o cargo, os bens imóveis da Radiobrás, em sua maioria, estavam penhorados.

Entre 2003 e 2006, a Diretoria Jurídica, dando seqüência à linha adotada pelo assessor jurídico Sebastião Alves dos Reis Júnior desde a gestão de Carlos Zarur, logrou o que era dado como altamente improvável: reduziu o passivo de 68 milhões para 7,9 milhões de reais. Parte da dívida (aproximadamente 17 milhões) foi efetivamente paga, depois de boas negociações, mas a maior fatia da redução resultou de sucessivas vitórias jurídicas numa ação trabalhista cujo valor beirava os cinqüenta milhões de reais. Considerada praticamente perdida, já em fase final no Superior Tribunal do Trabalho, a ação sofreu uma virada espetacular. A Radiobrás começou o ano de 2007 com a perspectiva de solicitar que seus bens imóveis fossem retirados da penhora.

Além do famigerado passivo judicial, outras mudanças ficaram na Radiobrás quando eu e o dr. Bruno nos demitimos da empresa, no início de 2007. Havia mais emissoras de rádio, mais pujança nas equipes, os conflitos de interesses tinham praticamente cessado. Ele também tinha passado por uma transformação. Depois de defender sua dissertação de mestrado na PUC de São Paulo, concluiu um percurso que iniciara antes, de formação em psicanálise. Seu horizonte parecia mais amplo e mais leve. No plano espiritual, aprofundou-se no budismo tibetano. Seu compromisso com o aprimoramento pessoal, discreto, sem pregações nem propagandas, foi uma poderosa influência positiva durante os quatro anos em que trabalhamos juntos. Talvez ele ainda se dissesse um torcedor do tal Palmeiras, eu não sei dizer. De novo, isso não pesou.

CAPÍTULO 16

O Haiti é aqui. Ou não?

A revista *Imprensa* de julho de 2006 trouxe uma reportagem de cinco páginas sobre o relacionamento entre o presidente da República e a mídia: "Lulinha – Guerra e silêncio." Assinada por Thaís Naldoni, a matéria de capa daquela edição lembrava, logo nos parágrafos iniciais, os momentos de maior desconforto:

> O próprio presidente não poupou a mídia brasileira. Além de ter tentado a expulsão do correspondente do *The New York Times* no Brasil, por vezes, em seus discursos, a imprensa foi duramente criticada. "Jornalistas fomentam a discórdia", disse certa vez. E na época da tentativa de implantação do Conselho Federal de Jornalismo, o presidente criticou os jornalistas que eram contra o projeto. "Vocês são um bando de covardes", disse.

O correspondente americano que se tentou expulsar se chamava Larry Rohter. Em um de seus artigos afirmava que o presidente da República preocupava o país porque andava exagerando na bebida. A matéria, publicada em 9 de maio de 2004, começava assim:

> Luiz Inácio Lula da Silva nunca escondeu seu apreço por um copo de cerveja, uma dose de uísque ou, ainda melhor, um gole de cachaça, forte aguardente brasileira de cana-de-açúcar. Mas alguns de seus conterrâneos já começam a se perguntar se a predileção do presidente por bebidas fortes não está afetando sua performance no trabalho.

A tese era descabida, quase injuriosa. O Planalto reagiu de modo emocional, açodado e infeliz. Com a estratégia de não mais conceder visto ao correspondente, pretendia forçá-lo a deixar o país. A ação do governo gerou um choque, nacional e internacional. Deu-se o impasse. Dias depois, graças à intervenção do ministro da Justiça, Márcio Thomaz Bastos, o americano declarou que não queria ofender o presidente e, assim, encontrou-se uma saída honrosa para que ele continuasse no Brasil. Apesar do bom desfecho, o abalo na imagem do presidente revelou-se gravíssimo — não porque um jornalista disse que ele gostava de beber, mas porque ele quis expulsar o jornalista que disse que ele gostava de beber. O nome de Larry Rohter virou um signo incômodo no Palácio do Alvorada. Mesmo depois de meses, e mesmo de anos, pronunciá-lo era arranhar nervo exposto. Ninguém sabia direito qual a cara do correspondente americano, mas quase todos repuxavam músculos faciais só de ouvir-lhe o nome.

O Conselho Federal de Jornalismo, também lembrado na reportagem da *Imprensa*, marcou outro capítulo doloroso para o governo. Explodiu poucos meses após o incidente Larry Rohter. O Projeto de Lei nº 3.985, de 6 de agosto de 2004, que o Poder Executivo encaminhou ao Congresso Nacional, estabelecia a criação do Conselho com o objetivo de "orientar, disciplinar e fiscalizar o exercício da profissão de jornalista", envolvendo diversas medidas. Segundo o projeto, que se baseava numa proposta encaminhada pelos dirigentes da Federação Nacional dos Jornalistas (Fenaj), ao Palácio do Planalto, em abril daquele ano, o conselho teria o poder de punir os profissionais com suspensão ou mesmo com a cassação do registro. Como isso funcionaria? Que efeitos traria? As respostas não eram claras. Mesmo assim, a idéia seguiu para o Congresso, mas o debate descambou em radicalizações e, como o resultado, a proposta feneceu. O próprio governo, discretamente, deixou-a de lado. A ferida, contudo, ficou. Para muita gente, a instalação do Conselho Federal dos Jornalistas revelava pretensões autoritárias, instaladas dentro do governo, de controlar a imprensa.

O balanço apresentado pela revista pendia claramente para o negativo. É verdade que a Radiobrás não se saiu mal — mereceu um tratamento à parte, num boxe intitulado "O fim da chapa-branca", onde se lia que "se o governo Lula errou feio na política de comunicação, o mesmo não pode ser dito do trabalho feito da Radiobrás, que deixou de comunicar apenas aquilo que convinha ao governo, para se tornar uma verdadeira agência de comunicação". Mas, para o governo, o quadro era desfavorável. O pequeno número de entrevistas dadas pelo presidente Lula surgia como outro ponto fraco, segundo a contagem da revista. Contra cinco entrevistas coletivas formais concedidas por Fernando Henrique Cardoso durante seu primeiro mandato, Lula, até julho de 2006, aparecia com apenas uma. Se somadas as coletivas e as exclusivas, Fernando Henrique atingia um número aproximado, segundo a revista, de duzentas, enquanto Lula não ultrapassou as 81. Os números exatos apresentados pela revista talvez possam ser contestados, mas a ordem de grandeza não deixava dúvidas. O próprio governo, mais adiante, reconheceria esse "déficit" de entrevistas no primeiro mandato. "Passada a posse", diagnosticou Thaís Naldoni, "o governo Lula passou a manter uma difícil relação com jornalistas." Para ela, "a política de comunicação do Planalto estava longe de ser considerada um sucesso".

* * *

Às várias explicações que já se arriscaram para a convivência difícil entre o presidente e a imprensa entre 2003 e 2006, devo acrescentar uma que nunca foi aventada: a dieta do seu café-da-manhã. Não falo, por certo, de sucos de laranja, iogurtes, torradas ou frutas, mas de outros ingredientes: falo da dieta informativa, que lhe era servida todas as manhãs.

Ela se chamava "Carta Crítica" e consistia num documento confidencial de aproximadamente duas páginas em papel ofício. A pretexto de analisar o noticiário do dia, lançava reprovações severas aos métodos dos repórteres, ao pensamento dos colunistas e aos donos de jornais. A "Carta" aportava na mesa presidencial com os assuntos que, na visão do seu autor, Bernardo Kucinski, demandassem providências do mais alto mandatário do país.

Jornalista e professor titular da Escola de Comunicações e Artes, Kucinski fora requisitado à Universidade de São Paulo pela Secom. Foi contratado no início de 2003 por meio de um DAS (cargo de Direção e Assessoramento Superior). Quando se instalou na capital federal, aos 65 anos, já era conhecido como um dos mais destacados quadros do Partido dos Trabalhadores para análise de jornalismo e dos meios de comunicação. Lula era seu leitor habitual. Desde bem antes de ganhar as eleições de 2002, quando ainda dava expediente na sede do Instituto da Cidadania, em São Paulo, orientava-se pelas análises que o professor lhe preparava sobre o noticiário. As que foram produzidas durante a campanha anterior, de 1998, acabaram se tornando públicas em *As cartas ácidas da campanha de Lula de 1998* (Ateliê Editorial, 2000). As que foram redigidas a partir de 2003 seguiram conservadas em sigilo, pelo menos até o final de 2006.

Ganhador de um prêmio Jabuti em 1997, com *Jornalismo econômico* (Edusp, 1996), e autor de outros livros reconhecidos, como *A síndrome da antena parabólica – ética no jornalismo brasileiro* (Editora da Fundação Perseu Abramo, 1998) e *Jornalistas e revolucionários – nos tempos da imprensa alternativa* (Scritta Editorial, 1991), o professor era uma autoridade na área. Foi ele quem me alertou para o fato de que o jornalismo é uma ética, antes de ser uma técnica. Quando eu preparava o livro *Sobre ética e imprensa* (Companhia das Letras, 2000), seus conselhos me foram preciosos e lhe fiz agradecimentos nesse livro. Tínhamos afinidade. Fiz questão de sua presença na rápida solenidade em que tomei posse da presidência da Radiobrás, no dia 2 de janeiro de 2003. Em meu discurso de improviso, citei-o como referência para o trabalho que pretendia desenvolver. Depois indiquei-o para integrar o Conselho de Administração da Radiobrás e ele, para minha alegria, tornou-se nosso conselheiro.

Infelizmente, nossas trajetórias, que começaram mais ou menos juntas, seguiram trilhas opostas.

* * *

A "Carta Crítica", pude verificar à medida que lia eventualmente uma edição ou outra, mantinha o tônus partidário daquelas que seu autor produzira em outras épocas. Confeccionada no âmbito da Secom, com o apoio de um quadro de assessores fixos, ela buscava desconstruir "a mídia", pois entendia que "a mídia" não passava de uma engrenagem que, na outra via, buscava desconstruir a imagem de Lula. Eu entendia que, num partido, aquele tipo de crítica engajada poderia até ter lugar, mas, no governo, a razão, a função, a justificativa pública de tais escritos francamente me escapavam. Eu me preocupava, mesmo achando que o tema não fosse da minha conta: um presidente da República, encarregado de buscar pontes de entendimento, não poderia se restringir a uma dieta informativa matinal tão, digamos, militante. Como chefe de Estado e chefe de governo, ele era fonte e personagem dos órgãos jornalísticos das mais variadas linhas editoriais. Ele não era meramente um observador externo, ou um adversário em conflito permanente com essa categoria a que se chamava "a grande mídia". O diálogo com os jornalistas e com os diversos públicos era um elemento constitutivo dos seus afazeres. Portanto, como presidente da República, a ele não poderiam bastar caracterizações doutrinárias e chapadas sobre a imprensa.

Não sei se Lula digeria bem a "Carta Crítica", mas a manteve, manhã após manhã, sobre o tampo da escrivaninha. Se houve, como houve, uma indisposição dos veículos noticiosos em relação ao presidente, penso que não é de descartar, por antecipação, a hipótese de que a recíproca tenha sido cultivada não exatamente por ele, mas pelos arrazoados contidos em sua dieta matinal. No contexto desafiador do rumor da imprensa, que requer distanciamento sereno para ser compreendido e capacidade de diálogo para o governante, que, por dentro dele, precisa se mover, a paz de espírito, em lugar do espírito beligerante, pode ser de extrema valia.

Como já disse, eu me preocupava, de longe, mas pensava que não tinha nada a ver com aquilo. Logo vi que tinha me enganado. A Radiobrás era um dos assuntos da produção diária do assessor da Secom, em abordagens bastante corrosivas. Além de não contribuir para um relacionamento mais desenvolto e menos irritadiço do presidente com os meios de comunicação, a "Carta Crítica", não sei se voluntariamente, contribuiu para rebaixar a imagem da Radiobrás no Planalto. Alguns dos meus melhores colaboradores receberam desses escritos a designação de "incompetentes" e "despreparados". Injustamente, como se verá.

* * *

O documento matinal era enviado apenas a Lula e a alguns poucos ministros de um núcleo que, nos primeiros meses de 2003, costumava se autodenominar "duro". A circulação era restrita, muito restrita. Ora, então como ela chegava até mim, se oficialmente era tão reservada? Muito simples: seu autor, no intuito de dar mais alcance às suas formulações, cuidava de remetê-la a um grupo ampliado segundo seu critério pessoal. Só na Radiobrás, pelo menos cinco leitores a recebiam com regularidade. Quando um tiro era desferido contra nós, os destinatários, de dentro e de fora da estatal, tratavam de me repassar cópias. Acabei lendo também, ocasionalmente, edições que não citavam a Radiobrás.

Algumas das manifestações mais explícitas da mentalidade autoritária que tentou sitiar o nosso projeto entre 2003 e 2006, eu as li nas edições da "Carta Crítica". Em regra, aquelas restrições à Radiobrás seguiam para o presidente sem que eu fosse sequer informado, de forma que muito do que se escreveu ali sobre o meu trabalho pode não ter chegado ao meu conhecimento. Eu tinha alguns sinais, isto sim. Às vezes, seu autor expressava sua contrariedade nas reuniões do Conselho de Administração, em explosões que mais pareciam produto de mau humor e, por isso, não me preocupavam. Demorei a ligar uma coisa com a outra, ou seja, a admitir que ele poderia inserir no documento reservado, dirigido ao presidente da República, as suas opiniões sobre a Radiobrás. Nas reuniões, quando o tema era o nosso projeto de informação objetiva e apartidária, ele demonstrava irritação. Numa delas, entre o final de 2003 e o início de 2004, depois de apresentarmos alguns bons resultados editoriais, ele levantou a voz:

— Vocês não têm mandato para fazer o que estão fazendo aqui. O governo não aprova isso. Eu sei que o governo não aprova isso! Vocês vão ter problemas com isso!

Comecei a me inquietar. Que recado estaria por trás daqueles alertas enigmáticos? Que história era aquela de "o governo não aprova", se ninguém do governo me dava qualquer sinal de desaprovação? Eu ainda não tinha recebido nenhum indício, nem sequer os bilhetes com a rubrica de José Dirceu tinham chegado até mim. Naquele início de gestão, eu realmente não sabia como interpretar aqueles alertas soturnos. Será que ele sabia de algo que nós, ali, desconhecíamos? Com quem ele estaria falando para anunciar com tanta segurança a desaprovação do governo?

Àquela altura, eu acreditava que construía o projeto amadurecido dentro de debates do próprio Partido dos Trabalhadores para a comunicação pública. Eu tinha uma boa quilometragem no assunto. Ajudara Perseu Abramo a escrever alguns trechos do programa de governo na área da comunicação social numa das candidaturas anteriores de Lula. Quando Frei Betto organizou um opúsculo, "13 razões para votar em Lula", em 1994, escalou-me para escrever "A razão da comunicação". O meu texto, sob o título "Por um país que dialogue", destacava exatamente o valor do direito à informação, base do projeto da Radiobrás. Em 1994, o meu texto dizia: "Lula significa a marcha cidadã, inclusive nos campos do direito à informação, que vem sendo tão desprezado, e do direito à livre expressão do pensamento." Em 2003, eram exatamente essas as idéias que alicerçavam o nosso trabalho. Por isso eu me intrigava: por que o professor se alterava tanto com o nosso projeto? Será que ele enviava algumas das restrições que nos fazia ao presidente da República?

Ao final de 2004, quando já era evidente que ao menos uma parte do governo não apoiava integralmente a linha editorial que eu encabeçava, veio até mim a cópia de uma "Carta Crítica". Ela censurava a Agência Brasil por não ter enviado repórteres para cobrir a chegada de novas tropas brasileiras ao Haiti, onde o Brasil cumpria a função de integrar e comandar as forças de paz em nome da ONU. Para dar sustentação à hipótese absurda de que a Agência Brasil se omitira, a "Carta Crítica" é que omitia: escondia de seus leitores a grande cobertura realizada por nós nos meses anteriores. Além disso, acusava os jornalistas da estatal de darem munição para a agência de notícias norte-americana United Press achincalhar a imagem do Brasil. Sim, isso mesmo: os servidores da Radiobrás, segundo aquele documento da Secom endereçado ao presidente da República, haviam se colocado "ingenuamente" a serviço de uma campanha internacional para prejudicar o Brasil. Naqueles dias, a imprensa estampava críticas à operação brasileira no Haiti, o que agastava o governo. Agora, aparecia alguém para jogar a culpa nos ombros da Radiobrás.

Confesso que fui tomado de indignação. Eu teria pouco a fazer para corrigir aquela desinformação deliberada, mas tentaria fazer prevalecer a verdade. Se não por mais nada, ao menos para respeitar a reputação dos jovens jornalistas da Agência Brasil. Eles tinham sido atraiçoados por alguém em quem diziam confiar. Eles tinham cumprido seu dever na cobertura da presença brasileira no Haiti, com um enfoque objetivo, sem nenhuma patriotada, e agora se viam acusados de omissos. Eles não passariam sem reparação. Não no que dependesse de mim.

A "Carta Crítica" do Haiti tinha data de uma segunda-feira, 6 de dezembro de 2004. Guardei uma cópia do trecho que se referia à Agência Brasil:

A batalha da informação no Haiti

Além de seu caráter profundamente humanitário, nossa presença no Haiti é a maior operação de tropas militares brasileiras desde a Segunda Guerra Mundial. São 1.200 militares das três forças que estão sendo substituídos por novos soldados, a maioria de São Paulo. Há uma grande movimentação de aviões e navios, transportando homens e mantimentos para o Haiti.

Mas na Agência Brasil essa enorme movimentação não foi notícia. Nem mesmo para efeitos de registro histórico do término bemsucedido da primeira fase da operação a Radiobrás esteve presente. A Radiobrás também não enviou nenhum repórter com esse novo contingente, apesar dos enormes esforços da Secom nesse sentido e da insistência dos comandantes por uma presença mais firme da comunicação estatal.

Começou o bombardeio ideológico

A Agência Brasil é fonte primária de informações sobre ações e decisões do governo para centenas de jornais nacionais e estrangeiros. Se ela não noticia, eles também ignoram. A presença da Radiobrás no Haiti é de fundamental importância numa fase em que nossa presença ela [sic] começa a ser bombardeada no plano ideológico por uma parte da imprensa internacional. Se não desenvolvermos e disseminarmos a nossa visão dos fatos, perderemos a batalha da informação dentro e fora do Brasil. E qualquer incidente poderá desencadear uma onda de críticas contra nossa decisão de ir ao Haiti.

Na sexta, o general Heleno Ribeiro denunciou que está sofrendo pressões das grandes potências para ser mais duro no Haiti. E Celso Amorim acusou as grande [sic] potências de estarem mais preocupadas consigo mesmas — em evitar imigração em massa de haitianos ou o tráfico de drogas — do que com o povo haitiano.

Mais significativo foi o despacho da United Press dizendo que a visita ao Haiti de uma delegação chefiada por Paulo Ferreira, secretário de Relações Internacionais do PT, tinha por objetivo de [sic] "forjar uma nova esquerda" para trazer o Haiti para a área de influência de países da América Latina que elegeram líderes da esquerda nos últimos anos, como Brasil, Argentina, Uruguai e Venezuela.

Por ironia, o despacho do [sic] *UP baseou-se num furo de reportagem da própria Radiobrás. A mesma Radiobrás que não noticiou ações do governo, foi noticiar ações do PT. Ainda traduziu a reportagem para o inglês. Com isso, ingenuamente, deu munição á* [sic] *UP.*

A indignação que senti e o mal que pressenti ao ler as palavras acima se confirmaram: elas perpetraram um abalo no prestígio da direção da Radiobrás. Bem naqueles dias, Gilberto Carvalho, chefe do Gabinete Pessoal do Presidente da República, e Luiz Gushiken, ministro-chefe da Secom, tinham me dado pistas de que o presidente andava irritado com a nossa cobertura no Haiti, e eu não entendia por quê. Aquela Carta era a peça que faltava no quebra-cabeça. O poder da intriga não é a desinformação que ela carrega — esta você pode até corrigir, pontualmente —, mas a desconfiança que ela semeia e depois cuida de regar, silenciosamente, um dia depois do outro, gota a gota. Havia uma intriga plantada contra o meu trabalho e contra a minha equipe.

CAPÍTULO 17

A decupagem do sintagma obscuro

Aquela edição da "Carta Crítica" alfinetou-se na sina da Radiobrás feito um vodu. Para não sucumbir aos seus propósitos, tive de decifrá-la e desmontar sua malignidade. Ela continha falsificações que não podiam passar em branco. Como um médico-legista de crendices fossilizadas, dissequei-lhe as juntas verbais e ali identifiquei os sinais de alergia à opinião pública, como se o debate aberto fosse um ambiente hostil. Ela nutria aptidão preferencial para o que é secreto. Não me foi trabalhoso extrair, dos seus seis parágrafos desarranjados, o que batizei de sete pecados capitais do pensamento autoritário.

Vou comentar cada um dos sete. Pilares do credo essencial da "Carta Crítica", funcionaram como a ossatura do discurso mais ou menos anônimo que se bateu contra nós. Para os principiantes em autoritarismo, os sete pecados capitais que identifiquei podem ser seguidos como se fossem os sete segredos do autoritarismo "de esquerda":

Primeiro Pecado Capital do Discurso Autoritário:
O ESQUECIMENTO PROPOSITAL
Sonegar a história e ocultar os fatos que não convêm ao argumento.
Era verdade que, nos primeiros dias da troca das tropas no Haiti, a Agência Brasil não estivera presente, pois não dispunha dos recursos para as despesas, que, embora pequenas, necessitavam de fundos para serem autorizadas — lidei com essa escassez diária durante quase toda a gestão. Acontece que aquela tinha sido uma ausência momentânea; a empresa já havia noticiado muita coisa, mas muita coisa mesmo, a respeito da presença brasileira no Haiti e, em questão de uma sema-

201

na, tendo providenciado o dinheiro, enviaria nova missão àquele país (nos dias 14 e 15 de dezembro). Em sua denúncia, a "Carta Crítica" sonegara ao presidente da República o que a Radiobrás já tinha feito.

Para reduzir os estragos na nossa imagem, nós produzimos, nos dias que se seguiram à acusação, um levantamento das coberturas anteriores e o distribuímos, em papel timbrado, para vários altos funcionários da administração federal. Ele circulou no dia 17 de dezembro de 2004, com os seguintes dados: até 16 de dezembro de 2004, a Agência Brasil publicara 117 matérias sobre as forças de paz no Haiti e distribuíra 172 fotografias; entre julho e dezembro, nossas equipes já tinham feito três viagens ao Haiti, a terceira delas entre 14 e 15 de dezembro, exatamente para cobrir a chegada do novo comando e do novo contingente de tropas; *A voz do Brasil*, Rádio Nacional AM, Rádio Nacional FM, Rádio Nacional da Amazônia e Rádio Nacional do Rio de Janeiro apresentaram cerca de quarenta reportagens sobre o assunto, além de vinte entrevistas exclusivas com as autoridades envolvidas; as emissoras de TV (NBr e TV Nacional) tinham transmitido quase quatro horas de programas informativos sobre o Haiti; a TV Nacional apresentara 24 matérias e cobriu as visitas do ministro da Defesa e do presidente da República àquele país; a visita oficial do presidente Lula ao Haiti, em agosto de 2004, entrou ao vivo na TV pela NBr. Nada disso foi mencionado na "Carta Crítica", pois esses fatos desautorizariam o sentido geral da peça acusatória.

Segundo Pecado Capital:
O COLETIVO COMPULSÓRIO
Dizer "nós" para impor obediência e intimidar a divergência.
É interessante investigar, do ponto de vista retórico, a quem se refere o "nós" atrás do qual se esconde o narrador do discurso autoritário. Segundo os termos da Carta, "a *nossa* presença no Haiti" era o grande fato que reclamava ampla difusão para o mundo inteiro. Mas quem

exatamente estaria incluído dentro do pronome possessivo "nossa"? Seria a nação brasileira, unida? Não, claro que não, pois, justo a seguir, a Carta iria se referir a uma "batalha da informação" entre "nós" e outros "dentro e fora do Brasil". Logo, se dentro do Brasil havia uma guerra entre "nós" e outros, obrigatoriamente existiam outros, aqui mesmo, no Brasil, que não se encontravam abrangidos pelo "nós" do narrador. Tratava-se, portanto, de um "nós" que não incluía todos os brasileiros, que não podia ser lido como o "nós, o Brasil".

Sendo assim, "nós", quem? "Nós", o governo, talvez? Uma análise rápida dirá que não, como é fácil demonstrar. Será que o Departamento Nacional de Infra-Estrutura de Transporte (Dnit), do Ministério dos Transportes, estaria abrangido pelo "nós"? Não é provável, pois o Dnit, assim como centenas de outros órgãos da administração federal, não tinha participação sequer indireta nas mobilizações em torno do Haiti. O "nós" da Carta Crítica, um relatório reservado de governo escrito por um agente público, assim como não fazia sentido como nação, também não fazia sentido em termos estatais ou em termos administrativos. Não fazia sentido em termos públicos.

Ele apenas teria consistência lógica se lido por um prisma não público, mas privado, ou seja, por um prisma partidário. Tínhamos ali um "nós" demagógico, que fazia desaparecer as mediações e as instâncias distintas de tomada de decisão nas esferas estatal e governamental, que não levava em conta as muitas áreas autônomas que a administração pública deve preservar para funcionar como convém, como se tudo isso compusesse um "nós" indivisível. Aquele "nós" partidarizava a atuação do governo, submetendo as instâncias públicas a motivações particulares de uma corrente doutrinária. Ao carregar nas tintas da "nossa batalha" contra "eles", sendo "eles" aqueles que "ignoram" a "nossa presença no Haiti", aquele "nós" execrava a Agência Brasil, essa indisciplinada, que "não noticia" nada do que "nós" precisamos que seja noticiado. O "nós" designava os heróis da "batalha da informação", enquanto a Agência Brasil era a nau dos traidores. O "nós", enfim, deixava de fora alguns servidores da administração pública federal, como os jornalistas omissos da Agência Brasil.

Só me restava um caminho para entender aquele "nós". Ele era um "nós", além de demagógico e partidário, impositivo, encobria a complexidade que necessariamente existe nas tomadas de decisão de Estado frente a cenários contraditórios das relações internacionais. O "nós" sacralizava a concordância e satanizava a divergência, empobrecia a análise e infantilizava as relações humanas e institucionais que tecem a esfera do Poder Executivo. O narrador se antecipava a ser *o* porta-voz de todos "nós" — os que diziam "sim" ao que ele mesmo definia como sendo o certo — contra todos os demais.

Terceiro Pecado Capital:
A FUTRICA INSTRUMENTAL
Semear a intriga palaciana para prejudicar os que pensam diferente.
O terceiro pecado é mercadejar informação interna para produzir cizânia e lhe dar verossimilhança. Se o destinatário é, ele mesmo, uma fonte privilegiada, com poder sobre os demais, tanto melhor. A Carta dizia que "a Radiobrás também não enviou nenhum repórter com esse novo contingente, apesar dos enormes esforços da Secom nesse sentido e da insistência dos comandantes por uma presença mais firme da comunicação estatal". Eu, pessoalmente, nunca tinha ouvido nenhum militar, comandante, oficial ou soldado raso, falando em "presença mais firme da comunicação estatal", mas deixei isso de lado.

De fato, a Radiobrás recebera uma sugestão da Secom para que embarcasse uma equipe rumo ao Haiti. Era uma boa pauta. Acontece que não dispúnhamos de recursos para a viagem e precisávamos alugar equipamento. Por isso não mandamos ninguém naquele dia. Tão logo o passivo foi resolvido, a reportagem seguiu viagem. Não por termos recebido "ordens" da Secom, pois aquele pedido não recebemos como ordem. De modo algum. O conteúdo editorial da Radiobrás, na minha gestão, podia até aceitar propostas de fora, vindas da sociedade ou do governo, mas era decidido, soberanamente, pelas instâncias editoriais internas. Mandamos gente para o Haiti porque o que se passava lá era notícia de interesse do cidadão brasileiro, só por isso.

Lendo na "Carta Crítica" a informação de bastidores sobre uma crise entre funcionários de segundo ou terceiro escalão da Radiobrás e da Secom, eu me fazia algumas perguntas: O que aquilo tinha a ver com a leitura das notícias publicadas pela mídia? Por que um documento confidencial sobre o noticiário do dia se rebaixava a passar recados diretamente ao presidente da República sobre eventuais desavenças funcionais tão menores? Seria lícito que um relatório reservado ao chefe de Estado, cujo propósito oficial era analisar a imprensa, pudesse se ocupar das rixas da repartição?

Quarto Pecado Capital:
A APOLOGIA DO APARELHISMO
Promover — abertamente ou, se necessário, de forma dissimulada — o uso dos meios de comunicação públicos para fins do grupo que governa.
O discurso autoritário diz que os meios são estatais como se isso fosse um modo cifrado de dizer que eles são do partido ou do grupo político que governa. Por isso, quando a "Carta Crítica" usava a palavra "estatal" eu lia outra coisa. O pecado do aparelhamento é parente em primeiro grau daquele outro pecado, o uso da primeira pessoa do plural para intimidar a divergência. Nesse vocabulário, "nós, o Estado", significa "nós, a nossa turma". Em nome do Estado, o "nós" partidário é quem pratica o aparelhamento.

Segundo a intriga plantada, a Radiobrás, mesmo quando instada insistentemente pela própria Secom, ou, em suas palavras, "apesar dos enormes esforços da Secom" — esta sim, cumpridora de seu dever perante o "nós" autoritário —, teimava em não colaborar "conosco". Nesse momento, o subtexto da "Carta" esbravejava: Quem essa Radiobrás pensa que é? Com que mandato ela nos desobedece? O subtexto urrava: uma empresa pública de comunicação não existe para informar com objetividade, mas para passar "a nossa visão dos fatos", pois sem isso "perderemos a batalha da informação dentro e fora do Brasil. E qualquer incidente poderá desencadear uma onda de críticas contra nossa decisão de ir ao Haiti".

Aqui, chapa-branca é pouco. Estamos diante de um caso crônico de chapabrancolatria esquerdômano-aletofóbica, que, clinicamente, não passa de delírio. Tal grau de aparelhamento é simplesmente irrealizável. Ainda que existisse a tal "nossa visão", uma e indivisível, seria o caso de se perguntar, para bem do próprio aparelhamento pretendido: como é que essa "nossa visão" iria sentar-se às mesas dos editores da Radiobrás para definir o que seria dito no rádio, o que seria mostrado na TV, o que seria escrito na internet? Por mais que se procurasse, só se encontraria um jeito: o autor da "Carta Crítica", em pessoa, teria de se multiplicar em centenas de réplicas de si mesmo para ser editor, repórter e *cameraman*, tudo de uma vez só, e então o serviço seria factível. Portanto, o propósito se revelava impraticável.

Conseguimos, para o bem da democracia e do próprio governo, demonstrar que cabia à Radiobrás fazer justamente o contrário: colher as várias visões e reportá-las, objetivamente, para que o cidadão, na ponta da linha, dispusesse dos dados necessários para formar a sua própria visão, que não é obrigada a ser igual à visão de mais ninguém, muito menos igual à "nossa".

Quinto Pecado Capital:
O ÓDIO À IMPRENSA
Banir a reportagem e profetizar que todo jornalismo será castigado.
Segundo o discurso autoritário, a Radiobrás estava terminantemente proibida de fazer o que vinha tentando: reportagens. Às vezes, no exercício dessa prática proscrita, ela conseguia notícias exclusivas e as punha no ar, para desalento de alguns. Foi assim que os repórteres da

estatal, inocentes, coitados, descobriram e noticiaram a missão de um representante do Partido dos Trabalhadores ao Haiti. Chegaram à heresia de publicar suas declarações. Por isso, a "Carta Crítica" tratou de queimar, não em praça pública, mas no Gabinete do Presidente da República, a reputação profissional dos repórteres. Onde já se viu uma agência de notícias dar um furo de reportagem? Só poderia mesmo ajudar o inimigo: "Por ironia, o despacho da UP baseou-se num furo de reportagem da própria Radiobrás. A mesma Radiobrás que não noticiou ações do governo foi noticiar ações do PT. Ainda traduziu a reportagem para o inglês. Com isso, ingenuamente, deu munições à UP." Em sua visão, que ele chamava de "nossa visão", só o que a Agência Brasil poderia fazer era reproduzir exatamente a "nossa visão", quer dizer, a dele. Para a visão autoritária, o contraditório é insuportável. O que vai a público, fora de seu controle, é intolerável.

E se o envio de tropas ao Haiti fosse uma decisão equivocada? Os repórteres da Radiobrás, segundo a "nossa visão", não poderiam, é evidente, fazer essa pergunta a ninguém. Só o que eles poderiam fazer era repisar sem descanso a "nossa visão" sobre a "nossa presença" no Haiti. O contraditório não poderia existir na Radiobrás.

Sexto Pecado Capital:
A ARROGÂNCIA SEM SUBSTÂNCIA
Desdenhar do outro para desqualificá-lo.
Aqui, limito-me a um exemplo: o modo como a idéia de ingenuidade se converte num xingamento para rebaixar a dignidade do acusado. Quando cometiam o grave engano de fazer reportagem, os jornalistas da Radiobrás só poderiam estar incorrendo na ingenuidade. A "Carta Crítica" cuidava de lançar o xingamento de "ingênuo" para desqualificar quem agisse segundo outros cânones, quem se arriscasse a descobrir notícia exclusiva. Desqualificar a pessoa, desqualificar sua subjetividade, desqualificar a identidade de qualquer um que desafie a "nossa visão" é dever do narrador do discurso autoritário.

Sétimo Pecado Capital:

CONDENAR *A PRIORI*

Acusar pelas costas, na escuridão, sem provas e sem tolerar o direito de defesa.

A "Carta Crítica" era um documento confidencial. Os acusados nem sequer sabiam que se falava deles para o presidente da República. Segundo a cartilha pela qual agia o autor da "Carta Crítica", ninguém há de ter direito de defesa contra o discurso autoritário. O acusado não precisa saber. Se souber, não precisa se manifestar. Se se manifestar, não poderá se defender. Se se defender, não será ouvido de qualquer jeito. Ele que desapareça. Os criticados jamais tinham qualquer pista de que estavam sendo acusados e, quando sabiam, já era tarde para se defender.

CAPÍTULO 18

O aspirante

Ao saber que eu tomara conhecimento de sua sombria acusação aos jornalistas da Agência Brasil, e que não tinha gostado, o responsável pela "Carta Crítica" deu ares de preocupação. Mandou-me um e-mail no dia seguinte, em 7 de dezembro de 2004:

Prezado Eugênio,

Não posso gastar o tempo do PR com trivialidades ou obviedades — tenho que tratar de questões problemáticas que exigem alguma atenção ou decisão ou reflexão. Por outro lado tenho que correr contra o tempo. Por isso, às vezes posso cometer algum equívoco na síntese ou apreciação dos fatos.

Quero te assegurar que não foi esse o caso do meu comentário sobre a cobertura do Haiti pela Radiobrás. Justamente por envolver a Secom e a Radiobrás, chequei duplamente as informações.

Não é aceitável sob nenhum pretexto que a Radiobrás não tenha enviado ninguém este final de semana e que nesta altura do campeonato condicione o envio de jornalista ao Haiti à obtenção de uma verba adicional para alugar uma mera filmadora.

Eu pergunto: se a Radiobrás achou que não é prioritário ter uma equipe no Haiti, quais são as prioridades da Radiobrás? Como você sabe, eu sempre me interessei em discutir as políticas editoriais da Radiobrás ao participar das reuniões do conselho, mas nossa pauta sempre é ocupada com questões triviais.

Saudações.

Ele procurava ser cortês. Eu também, durante todo o período, perseverei no relacionamento civilizado. Quando me dirigi a ele, eu o fiz, no início, de modo francamente amistoso e, depois, polidamente. Não há registro de uma palavra áspera de minha parte. Até que, naturalmente, paramos de nos falar. No mais, era isso: o novo bilhete demonstrava que, além de julgar-se sabedor do modo como o assim chamado PR deveria dispor do próprio tempo, o professor prescrevia receitas que deveriam ser seguidas pelos editores da Agência Brasil. Naquela mesma semana marquei uma reunião com Luiz Gushiken, então ministro da Secom. Apresentei a ele a minha visão, que nada tinha da "nossa visão": tínhamos chegado ao limite; não havia mais espaço para que o nosso acusador se mantivesse no Conselho. Dias depois, o próprio conselheiro, que em outras oportunidades já manifestara seu desejo de sair, comunicava que se afastaria por sua vontade. Fiquei satisfeito com a coincidência de visões nesse quesito.

Quanto à reputação dos repórteres e editores da Agência, tentei restabelecê-la. Consegui entregar ao presidente da República, cerca de uma semana depois, um dossiê com todas as reportagens que tinham sido publicadas na Agência sobre o Haiti. Sabia que ele não teria condições de conferir todo o material. Eram tempos duros. A vida na empresa ficava mais difícil.

* * *

Eu não recuei no projeto de autonomia. Quanto ao ex-conselheiro da Radiobrás, seguiu com sua campanha.

No dia 13 de julho de 2005, mais de seis meses depois, enviou uma correspondência a Gilberto Carvalho. Sua carta se mantinha fiel aos sete pecados capitais do discurso autoritário. Dessa vez, porém, ele notificou os arrolados: mandou cópias para mim e para Gushiken. No novo documento, mostrou em detalhes a Gilberto Carvalho como é que ele teria editado as manchetes do dia com muito mais governismo. Eis a íntegra:

> *Caro Gil,*
> *Já que você expressou ante-ontem* [sic] *interesse pelo jornalismo da Radiobrás, envio a capa de hoje de manhã da Agência Brasil, um exemplo, embora não tão dramático como de outros dias, da linha*

editorial equivocada. A Agência Brasil é uma referência para a mídia nacional e internacional e um dos nossos únicos meios de comunicação massiva.

1. Em primeiro lugar, está errada a ordem das manchetes. Sei que essa ordem vai mudando ao longo do dia. Mas a página fechada que passou a noite no ar deveria começar com as ações do governo: o anúncio de que mais de 180 mil contratos de casa própria poderão ser renegociados, o anúncio do ministério, depois o crescimento da produção. Em quarto lugar, a disponibilização [sic] de informações sobre saúde indígena na internet. Quatro pautas positivas, quatro ações de governo que em conjunto quebrariam o enquadramento negativo da mídia nacional do que se passa no país. Não é gratuito o fato da [sic] maioria dos jornais não ter destacado na primeira página o perdão parcial da dívida dos mutuários da casa própria.

2. Depois disso viria [sic] o acordo na greve da Cultura, que envolve o governo, e a ação da CGU nos correios, outra ação de governo, mas que fornece duas leituras, uma delas negativas. Finalmente, a pesquisa CNT, que não é ação de governo, mas diz respeito ao governo.

3. Só depois, devem vir itens que já são cobertos por outros veículos e dizem respeito indiretamente à ação do executivo, como a votação da LDO.

4. A Radiobrás não deveria acompanhar sistematicamente as CPIs porque isso não é assunto de governo, é assunto de Congresso, que já cobre on line, 24 horas através de seus veículos. Não faz o menor sentido fazermos disso o nosso grande assunto.

A página ficaria mais ou menos assim:
Governo dá perdão parcial a dívidas da casa própria – Cerca de 180 mil mutuários serão beneficiados.

Lula anuncia novos ministros – Renomado físico Sérgio Resende, na Ciência e Tecnologia

Produção industrial cresce em 13 estados – Média foi de 5,5% em relação a maio de 2004

Criado o novo serviço da internet para a saúde indígena

Aumenta o apoio popular ao presidente – avaliação positiva ao desempenho pessoal sobe 2,5 pontos.

Governo conclui primeira etapa da auditoria nos correios – E apura que prejuízos ao cidadão podem ter chegado a R$ 54 milhões.

Outras observações:

1. O texto sobre a pesquisa CNT/Sensus é fraco, pobre e anti-governo [sic]. Está aquém do que deram outros jornais. Note que a avaliação de Lula subiu 2,5 pontos, o que é muito, mesmo estando dentro da margem de erro. Essa matéria da Agência Brasil é um escândalo. Estou anexando Valor *e* Gazeta *para mostrar que mesmo os jornais convencionais deram tratamento mais positivo.*

2. O tema CGU–Correios é muito delicado, porque permite uma leitura anti-governo [sic] (corrupção no governo). Deveria ter como sujeito o governo e como objeto o combate à corrupção ("Governo descobre que..."). Do jeito que está poderia ser primeira página da Folha. *Note que pouca gente associa CGU a Executivo. Muitos pensam que é um órgão do judiciário. Daí usar a necessidade da palavra "governo".*

3. Todas as minhas críticas sobre o equívoco editorial da Radiobrás já foram feitas por escrito e oralmente, ao Gushiken, ao Bucci, ao Garcez, ao Dieguez, mais de uma vez. Além disso ofereci as soluções, por escrito, também mais de uma vez. Acho que um dos problemas do nosso governo foi a forma como deixamos setores vitais em mãos despreparadas e principalmente não dispostas a ouvir. Demiti-me do Conselho da Radiobrás por causa disso e o Lassance se demitiu há pouco por causa disso. Betty [sic] Carmona também se demitiu. Registre, para todos os efeitos, que a direção da Radiobrás imprimiu uma determinada direção à cobertura jornalística da Agência Brasil, chamada por eles de jornalismo público, que além de executada de modo incompetente e não atender nossas necessidades de comunicação, nunca recebeu mandato explícito do governo.

Obs.: Estou anexando uma CC especial que mandei ontem à noite ao PR sobre a pesquisa CNT/Sensus. Também estou anexando uma das propostas que fiz ao ministro Gushiken sobre como re-estruturar [sic] nossa comunicação, em que falo explicitamente da Radiobrás.

Antes de tudo, três correções preliminares e uma observação.

Primeira correção: O mês de julho de 2005 não foi ameno: José Dirceu acabava de deixar o ministério, Luiz Gushiken estava cai-não-cai, a crise do chamado "mensalão" se aprofundava e o noticiário da

Radiobrás sofria contestações de todo lado. Antônio Lassance, então chefe de gabinete do ministro Gushiken e presidente do Conselho de Administração da Radiobrás, manifestava abertamente o seu descontentamento com o nosso noticiário. Apresentara o seu pedido de demissão, mas contornamos a pequena crise e ele permaneceu no Conselho até 2007. Quando eu saí, ainda estava lá.

Segunda correção: Não empregávamos a expressão "jornalismo público" para designar o nosso trabalho.

Terceira correção: Beth Carmona de fato deixara antes seu posto no Conselho, mas sua saída não teve relação com qualquer avaliação do trabalho jornalístico da empresa.

A observação: Garcez, ou José Roberto Garcez, citado no final da carta, ocupava o cargo de diretor de jornalismo da Radiobrás. Dieguez, ou Flávio Dieguez, também citado ao final da carta, chefiava a Agência Brasil havia mais de um ano, em substituição a Leandro Fortes. Aos 54 anos, fizera carreira como um respeitado jornalista científico. Depois de passagens pela imprensa alternativa, em São Paulo, assumiu, no final da década de 1980, o cargo de redator-chefe da revista *Superinteressante*, da editora Abril, onde nos conhecemos. Convivemos na mesma redação por mais de quatro anos. Aprendi muito com ele: aprendi a desenhar páginas, a olhar a natureza e a ciência com olhos de criança, sem prejuízo do rigor. Flávio deixou a editora Abril em 2001. Na Radiobrás, a meu convite, já tinha chefiado a sucursal de São Paulo. No comando da Agência, trabalhava até 16 horas por dia. No meio de tantas obrigações e tantas urgências, o que mais o consumiu, creio, foi a imposição que eu lhe fizera de usar terno e gravata. Com sua barba escorrida, acompanhando a linha do queixo, e seu hábito de ir fumar embaixo da marquise, bem na porta da empresa, Flávio não era um modelo de elegância em traje passeio, mas poucos foram tão profissionais, tão calorosos, tão animados e tão motivadores como ele. Tinha com Bernardo Kucinski uma amizade de trinta anos.

* * *

O missivista, mais uma vez, falseava o seu objeto. Para que não pairem dúvidas, recapitulo aqui o material publicado pela Agência Brasil naqueles dias, 12 e 13. Sim, no dia 12 também, pois muitas das notícias de que a carta a Gilberto Carvalho sentia falta tinham sido noticiadas no dia anterior, embora não com o enfoque ufanista defendido pelo missivista. Tinham sido noticiadas no dia anterior porque eram fatos do dia anterior, embora o professor não tivesse levado isso em conta.

• A matéria sobre a renegociação das dívidas dos 187.195 mutuários da casa própria foi publicada pela Agência Brasil às 11h50 do dia 12 de julho de 2005. É curioso que o professor da CC tenha dado pela falta dela 24 horas depois de ela ter ido ao ar. O assunto foi a quarta chamada de capa da Agência Brasil, acompanhado de foto do secretário do Tesouro, Joaquim Levy.

• Ainda no dia 12, o destaque tinha sido a nomeação do ministro Luiz Marinho, para o Ministério do Trabalho, que mereceu quatro matérias da Agência Brasil: "Ministro do Trabalho toma posse prometendo lutar por salário mínimo maior", "Lula diz que Marinho tem capacidade de negociar para defender os trabalhadores", "Lula afirma que Berzoini volta à Câmara para ser um defensor do governo" e "Recuperação do salário mínimo é meta do novo ministro do Trabalho". A partir das 10h do dia 13, a manchete passou a ser a reforma ministerial: "Silas Rondeau descarta risco de apagão até 2009."

• A produção industrial também foi noticiada quando deveria, ou seja, na manhã do dia 12, quando os dados foram divulgados pelo IBGE. Às 12h02, a manchete da Agência Brasil era: "Produção industrial cresce em quase todo o país." Esses dados foram desdobrados ao longo do dia. O assunto só saiu da manchete para dar lugar ao anúncio da reforma ministerial: "Lula anuncia nova etapa da reforma ministerial."

• Às 20h36 do dia 12 de julho foi publicada a notícia: "Informações sobre saúde dos povos indígenas serão divulgadas via internet."

• A maior chamada de capa do dia 13 de julho de 2005 pela manhã — entrou às 8h12 — era: "CGU: prejuízo nos Correios passa de R$ 54 milhões." A reportagem trazia o resultado da auditoria realizada pela Controladoria Geral da União nas contas da estatal. Ao lado, uma foto do ministro Waldir Pires.

• Abaixo, na segunda chamada, havia destaque para o fim da greve no Ministério da Cultura. A terceira chamada se referia à avaliação estável do governo. Na segunda foto, a reunião ministerial em que o presidente anunciou mais uma etapa da reforma ministerial.

• Quanto à pesquisa, a cobertura da Agência Brasil não era antigoverno. Nem era pró. Simplesmente revelava que a avaliação positiva do presidente Lula oscilou de 39,8% em maio de 2005 para 40,3% em julho, e que a negativa também oscilou para cima, de 18,8% em maio para 20% em julho. A margem de erro era de três pontos percentuais. Não seria possível, sem mentir, publicar a informação de que teria havido "crescimento" da avaliação positiva do governo. A pesquisa também investigava a percepção da população sobre a corrupção. Eram números fortes, de amplo crescimento da percepção de corrupção no governo Lula. Foi isso o que a Agência Brasil noticiou.

• A Agência Brasil cobriu, intensamente, tudo o que se referia às CPIs e às apurações das denúncias de corrupção. A auditoria dos Correios foi manchete na manhã do dia 13.

* * *

As tentativas de esclarecer, por mais que descêssemos a detalhes, iam se provando um esforço inútil. A "Carta Crítica" não dava trégua. No dia 22 de julho de 2005, veio outra:

Mídia: dois pesos, duas medidas

A mídia não quer abrir espaço à percepção de que a corrupção é generalizada. Quer manter o rótulo pregado só no PT. Os jornais de referência nacional rebaixaram o mais possível a notícia do envolvimento do deputado Roberto Brant do PFL nas contas de Marcos Valério e *praticamente ignoraram a prisão de Cícero Lucena por desvio de R$ 12 milhões. A sigla PFL, por exemplo, mal aparece nos títulos. Só a* Folha *deu destaque ao caso Brant.* Correio *deu mais peso à reação indignada dos Tucanos. A mídia escrita operou no sentido de manter o PT como protagonista principal da corrupção.*

No Jornal Nacional, *o caso Brant foi uma das manchetes, mas a reportagem misturou deliberadamente seu nome com os de José Mentor do PT, Zilmar Fernandes, sócia de Duda Mendonça, e Rodrigo Barroso Fernandes, tesoureiro da campanha de Fernando Pimentel à prefeitura de Belo Horizonte.*

Mais preocupante foi a cobertura da Radiobrás. Ignorou por completo o caso Brant e a Operação Confraria da Polícia Federal que levou à prisão de Cícero Lucena. Em vez desses fatos duros, deu espaço ao discurso da oposição com a seguinte manchete: "PFL e PSDB alegam que PT violou legislação."

Outra vez, distorções. A Agência Brasil e seus jornalistas não se incomodavam de dar notícias que podiam ser lidas como "desfavoráveis" ao "nosso" governo, mas era muito desagradável ver que nossas equipes eram acusadas sistematicamente de sonegar informações que tinham sido bem apuradas e devidamente publicadas.

A redação, sabendo de mais esse ataque infundado — alguns de seus jornalistas tinham acesso à "Carta Crítica" antes de mim —, não se conformou. No dia 23 de julho de 2005, Flávio Dieguez, na condição de chefe da Agência Brasil, resolveu tomar uma atitude, para a qual contou com o apoio dos outros citados direta ou indiretamente. Pôs o interesse público acima da sua relação de amizade com o acusador, num sacrifício pessoal difícil de se aquilatar, e, num dos gestos mais dignos que já testemunhei em redações, escreveu uma carta sóbria e firme para repor a verdade:

Caro Bernardo,
Quero te pedir dois favores, um pedido que demorei para fazer, devia ter feito ontem mesmo, mas refleti bastante antes de me decidir.
Primeiro, quero que você deixe de mandar a "Leitura da Mídia" [título que, segundo eu soube, teria sido usado em algumas edi-

ções da "Carta Crítica"] *para mim e para as outras pessoas da minha equipe que a recebem, como é o caso do Rodrigo Savazoni.*

Segundo, que você deixe de usar a "Leitura da Mídia" para transmitir informações equivocadas sobre a Agência Brasil — digo equivocadas, mas, sinceramente, está cada vez mais difícil acreditar que sejam realmente equívocos os erros que você vem cometendo desde as críticas que fez à nossa cobertura do Haiti, há coisa de um ano.

Só nos últimos dias você errou diversas vezes, como, nos casos mais incompreensíveis, ao dizer que não demos destaque à pesquisa da CNT e à queda do desemprego. Fui leniente porque estamos na mesma trincheira há muitos anos, compartilhamos idéias e trabalho, e não preciso ficar aqui lembrando o quanto devo a você e sinto falta de sua competência e conhecimento. Não fui eu, no entanto, que desrespeitei esse convívio e essa cumplicidade.

Foi você, que ontem passou do limite: não consigo entender como você pode não ter visto a manchete da Agência sobre a Operação Confraria! Que ficou quatro horas na primeira página — no mínimo: quatro horas é o que posso garantir porque só tenho cópia impressa da capa até as 19h, mas é praticamente certo que a manchete ficou até as 21h. Para não falar das várias matérias que demos sobre o assunto ao longo do dia.

Aliás, você ainda ficou devendo o cuidado ético mínimo de corrigir esse, digamos, equívoco; precisa fazer isso o mais rápido possível.

Não quero que você responda esse e-mail. Evidentemente cometo erros, e sei que você poderia contribuir muito para corrigi-los; mas também é evidente que as informações e os comentários errados da "Leitura da Mídia", da maneira desigual e injusta como são colocados, contribuem mesmo é para desqualificar o meu trabalho.

Isso, para falar a verdade, não me preocupa tanto: posso defender minhas decisões onde e quando considere conveniente. Me preocupam essencialmente a indignação e o desânimo que tomam conta da minha equipe a cada novo equívoco (?) seu. São jovens, muitos com carreira brilhante à frente, que se dedicam com entusiasmo emocionante ao projeto de jornalismo da Radiobrás.

Aí não dá. Até porque, e já o alertei sobre isso várias vezes pessoalmente, você não conhece direito o nosso trabalho. Não lê a Agência e não tem idéia razoavelmente precisa que seja sobre o que publicamos nem como. Isso desautoriza profundamente sua crítica —

ainda mais se feita na "Leitura da Mídia", porque não temos como nos defender, como saber que tipo de julgamento se faz de nosso trabalho a partir do que lá se escreve, ou mesmo que jurados, exatamente, estão nos julgando, com que fim ou conseqüências. Então não dá.

Tenha certeza de que não falo só em meu nome. Falo em nome da minha equipe. Falo em nome de todos que desenvolvem esse trabalho e que muito nos orgulha. Leituras críticas sobre o que fazemos são sempre bem-vindas. Estimulamos. Queremos muito mais gente opinando e interferindo no nosso trabalho porque não sei de outro jeito de construir um jornalismo mais digno neste país. Agora, com certeza, não precisamos de julgamentos sumários. Disso, realmente, não sentimos falta nenhuma. E o mínimo que você poderia e deveria fazer é tornar esta carta pública a todos que recebem as suas críticas, diariamente, e que leram e — porventura — acreditaram nos seus "equívocos".

Não sei se foi casual o que se seguiu a isso, mas, desde então, a "Carta Crítica" — ou, como a chamava Flávio Dieguez, a "Leitura da Mídia" — deixou de ser assunto para nós.

* * *

Rodrigo Savazoni, citado na carta de Flávio Dieguez como um dos destinatários da "Carta Crítica", já era o segundo na linha de comando da Agência Brasil. Ao lado de André Deak, Aloisio Milani, Pedro Biondi e Spensy Pimentel, era um dos jovens cujo trabalho fora agredido. Spensy Pimentel eu conhecera havia quase dez anos, quando dei aulas para ele numa Oficina de Jornalismo em Revistas na Escola de Comunicações e Artes da Universidade de São Paulo (ECA-USP), onde ele estudou jornalismo. Depois disso, trabalhou na assessoria de imprensa de Lula e, após a eleição de 2002, foi funcionário da Secretaria de Imprensa e Divulgação, bem no início do governo. Logo se transferiu para a Agência Brasil. Com seu pensamento livre, seu caráter altivo, sua lealdade às idéias comuns e sua inesgotável capacidade produtiva, foi um dos jornalistas mais destacados da gestão. André Deak e Aloisio Milani — este, autor de muitas reportagens sobre o

Haiti, foi profissional e pessoalmente ferido pelos ataques — também tinham sido meus alunos, mas não na ECA. Estudaram comigo na Cásper Líbero, em São Paulo, durante todo o ano de 2001.

Voltando a Rodrigo Savazoni, outro ex-aluno meu da Cásper Líbero, ele assumiria mais adiante o comando da Agência. Como os outros, ele sobressaía dentro da sala de aula e pelos trabalhos que apresentava. Chamou minha atenção ainda no começo do curso, quando, numa prova, escreveu longamente para demonstrar o que eu chamaria de proficiência em Guy Débord, autor um tanto difícil, cujo nome constava da bibliografia da minha disciplina. No dia seguinte, ao fim da aula, chamei-o para conversar, dando início a um diálogo que não mais cessou. Em 2003, eu o contratei. Ele começou como assessor da Diretoria de Jornalismo, ajudando no planejamento editorial da Agência. Em seguida foi transferido para a redação. Progrediu rápido. Em março de 2006, quando Dieguez foi promovido para chefiar a nova Central de Pauta da Radiobrás, Rodrigo, aos 25 anos, assumiu o posto de editor-chefe.

Em pouco tempo, mudou bastante a Agência. Sob seu comando, ela sofreu sua maior reforma conceitual na busca da ampliação dos serviços prestados. Com sua equipe, separou definitivamente a página eletrônica institucional da Radiobrás do espaço de produção jornalística. Redesenhou o projeto gráfico e reformulou editorialmente o Arquivo Brasil a partir dos conceitos da WEB 2.0, a nova geração de linguagem na internet — recursos multimídia como vídeos, áudios, infográficos animados e opções de navegação. Também adotou a licença Creative Commons — um novo regime de compartilhamento de conteúdo na internet, criado pelo professor Lawrence Lessig, da Universidade de Stanford. O Creative Commons não é baseado exclusivamente na idéia de cobrança de direitos autorais. É um conjunto de ferramentas jurídicas a partir das quais o produtor de uma obra pode escolher de que forma quer administrar o seu direito autoral. Pode ser usado pelos que cobram direitos, mas sua maior virtude é trabalhar com a premissa de direitos livres e com a citação correta dos créditos. Para a Agência Brasil, parecia uma ferramenta feita sob encomenda. Como ela não cobrava direitos pela reprodução de suas matérias, mas solicitava que seu nome fosse sempre creditado, a invenção de Lessig veio em ótima hora. A licença adotada permite a reprodução, o uso para obras derivadas e até para peças comerciais, mediante a publicação do crédito. A inovação de conteúdo que acontecia na Radiobrás se realizava ainda mais quando dava as mãos às inovações tecnológicas de ponta em matéria de democratizar, de arejar, com redes interconectadas, a esfera pública. O paradigma do trabalho proposto pela Radiobrás atingia seu ponto mais favorável não nos meios convencionais, mas nos meios que exploravam as fronteiras para além do mercado e das cercas entrincheiradas que resguardam patentes na superindústria do entretenimento. Foi assim que, graças ao Creative Commons, as mudanças promovidas por Rodrigo Savazoni ampliaram o alcance da produção da Agência.

Para desenvolver e implantar o novo projeto, Rodrigo contratou Roberto Taddei, de trinta anos, que participara da reforma do Portal do Estadão, do qual tinha sido editor-chefe. No dia 24 de junho de 2006, um sábado, os dois brilharam no Rio de Janeiro durante o iSummit, um encontro anual dos profissionais de novas tecnologias que partilham, no dizer deles mesmos, da "filosofia do Creative Commons de promover a liberdade de acesso ao conhecimento". Em sua fala de abertura, o próprio Lawrence Lessig saudou o pioneirismo da Radiobrás pela escolha do Creative Commons. Depois, Roberto Taddei e Rodrigo apresentaram, em primeira mão, a nova cara da Agência.

Logo após a apresentação, Rodrigo se viu abordado por jornalistas de várias nacionalidades. Um repórter sul-africano veio lhe fazer perguntas. Depois, um brasileiro. Enquanto isso, Roberto, sentado a seu lado, com o notebook no colo, mostrava para um correspondente americano como é que se navegava pela nova Agência Brasil. Rodrigo trocou algumas palavras com esse americano. Notou que ele falava relativamente bem o português, mas não deu mais atenção àquele homem maduro, de barba por fazer. Quando o sujeito se afastou e os dois tiveram uns minutos de sossego, Roberto se virou, com um ar divertido:

— Bitchão, você sabe quem era o cara que estava aqui do meu lado?

Rodrigo respondeu que não, e aí levou um susto:

— Era Larry Rohter.

Dessa vez, a matéria no *The New York Times* foi simpática.*

---

* "In Digital Age, Advancing a Flexible Copyright System", publicada na edição de 26 de junho de 2006.

CAPÍTULO 19

Um caso de bem-estar entre o presidente e a imprensa

Começo por um recuo no tempo.

Onze anos antes de eu me mudar para Brasília, no dia 21 de janeiro de 1992, o dissidente cubano Eduardo Díaz Betancourt, condenado à morte por terrorismo, foi executado em seu país. O fato chegou ao conhecimento do Conselho de Redação da revista trimestral *Teoria & Debate*, publicada pelo Diretório Regional de São Paulo do Partido dos Trabalhadores, quando a edição nº 17 estava praticamente fechada. Entre 1987, quando ela foi lançada, e o final de 1991, fui o editor da publicação. Deixei o cargo, que não era remunerado, mas permaneci no Conselho de Redação, onde pusemos em debate, às vésperas do fechamento, a execução do dissidente. Decidimos que este seria o tema do editorial, que o Conselho me incumbiu de escrever. Eis um trecho:

> A democracia se realiza, em contrapeso à força das maiorias, na proteção e nas garantias dos setores minoritários e desprotegidos. Eliminar fisicamente um condenado é desconsiderá-lo como ser humano, é riscá-lo da paisagem social, é inaceitável. Há a pena de morte em vários países, por certo, e somos contra. Mas em Cuba, nesse momento e especificamente nesse caso, a situação é ainda mais grave. Ali, a pena de morte se reveste de autoritarismo político e é animada por ele. O regime de Fidel Castro dá mais uma prova de que não admite divergências. (...) Lamentamos profundamente esse curso dos acontecimentos. Identificamos, aí, uma linha de continuidade do arbítrio. O *paredón* se vincula à mesma truculência que condena os aidéticos ao confinamento, que censura as publicações da perestroika. Infelizmente, e somos obrigados a ates-

tar, seria muito difícil fazer uma revista como *Teoria & Debate* sob aquele regime, uma vez que a crítica, a divergência e a problematização da ideologia têm sido impossíveis sob Fidel Castro. (*T&D* 17, 1º trimestre de 1992, página 1.)

Minha geração passou a juventude e boa parte da vida adulta sob uma tensão que não se resolveu: defender a igualdade ou expandir a liberdade. Por igualdade, entenda-se universalizar as oportunidades de acesso à riqueza e ao poder, o que é mais do que promover a "inclusão social", como ficou na moda dizer. Almejar a igualdade não é filantropia, mas uma procura legítima de realização pessoal, pois não existe a perspectiva de dignidade humana — nem mesmo de felicidade, para os que acreditam em felicidade — se você se isola numa ilha cercada de rebaixamento alheio por todos os lados. A dignidade humana requer a dignidade dos semelhantes.

Como a grande maioria dos meus contemporâneos, fui impelido por indagações como essas a me aproximar da ação política. Não havia muito como ser diferente: no Brasil que saía da ditadura militar de direita, eu me identifiquei com o campo da esquerda. Era preciso mudar a agenda e desbancar o sistema de guaritas que protegia da plebe as salas em que se tomavam as decisões nacionais. Dentro da esquerda, porém, às vezes eu me batia com o outro lado da tensão, que me feria tanto quanto o primeiro: o autoritarismo que existe na idéia de se uniformizar o pensamento. Por isso me marcou tanto a experiência daquele editorial criticando o autoritarismo em Cuba: ali estava em pauta, de modo explícito, o tema da liberdade.

De vez em quando me chamavam de "liberal" nas reuniões do Conselho de Redação da *Teoria & Debate*. Era um modo de me atacar polidamente. Aliás, um dos integrantes do Conselho, que não comparecera à sessão que decidiu pelo repúdio à execução do dissidente cubano, qualificou-me de liberal no encontro seguinte. Talvez com razão. Quando diziam que em Cuba não faltava remédio nem escola nem comida, eu, sem negar o fato, costumava responder que nas boas cadeias também não faltava nada disso e, mesmo assim, os que estavam lá dentro não passavam de prisioneiros. Eu não era capaz de aceitar supostas conquistas materiais, como diziam, como se fossem uma compensação à falta de liberdade. A conquista da igualdade de oportunidades não pode cobrar seu preço em menos liberdade — ou gerará mais liberdade, mais ainda, em todos os níveis, ou não será igualdade para valer.

No final dos anos 1970, quando ingressei no movimento estudantil como vendedor de jornalzinho, praticamente não mais subsistiam ilusões com relação às experiências de poder da esquerda. Nelas, a igualdade de oportunidades, em lugar de meta, servira de artifício retórico para erguer não sociedades justas, mas sociedades escravizadas por tiranias mais ou menos primitivas. Suprimiam a liberdade e, com isso, sacrificavam a própria aspiração de igualdade. Claro que isso tudo está ultrapassado, mas uma vida é curta para nos autorizar a dizer que entendemos, vivenciamos e superamos todas as encruzilhadas. Sou parte dessa história, desse movimento, e não me pretendo maior que ele. Creio que apenas nos marcos da democracia — o único paradigma que nos resta — a oposição entre igualdade e liberdade poderá ser enfim superada e poderá ser vista, quem sabe, como falso dilema. Por enquanto, inacreditavelmente, essa oposição ainda alimenta polêmicas sem sentido.

Desde aqueles tempos, ou mesmo desde antes, não aceito qualquer relativização da liberdade. Olho os que admitem lidar com relativizações e sinto, em relação a eles, uma ponta de desconfiança: ou são candidatos a escravos ou a escravocratas. Ou a liberdade é vista como um valor inegociável, absolutamente inegociável, ou o interlocutor é um impostor. Ou ela é vista como causa universal, universal até o fim, mais que burguesa, mais que liberal, ou não pode haver conversa.

Entre janeiro de 2003 e janeiro de 2007, quando pude conversar com o presidente da República sobre imprensa, falei como um liberal convicto, embora o liberalismo não tenha sido propriamente a minha escola. A bandeira da liberdade pertence a todos, não apenas aos liberais que gostam de ostentar pedigree. Não há outro caminho: é preciso cultivar e cultuar incondicionalmente a imprensa livre, ou melhor, a imprensa, sem adjetivos — se ela não é livre, não é imprensa. Sem medo de excessos retóricos, digo que só ela pode iluminar a casa da liberdade.

Para o jornalista e para aqueles que respeitam o jornalismo, trata-se verdadeiramente de uma profissão de fé. A liberdade de imprensa, por ser um direito do cidadão, só pode ser um dever para o jornalista, o primeiro e mais alto dever que lhe cabe. Pretender que o jornalista esmoreça no cumprimento desse dever é o mesmo que pedir ao cidadão que renuncie ao próprio direito à informação. Dizendo a mesma coisa pela via inversa, o jornalista tem o dever de exercer a liberdade porque o cidadão tem o direito de se informar livremente. Aos que acreditam que a liberdade é algo como uma prerrogativa dos profissionais de imprensa, advirto que se trata de um equívoco primário: ela é um penoso dever para o profissional, que, ao cumpri-lo, expõe-se. Liberdade não significa impunidade. O dever de exercer a liberdade significa que ele não tem outro caminho a seguir se quiser de fato exercer o ofício que lhe cabe. O dever da liberdade significa o dever de arriscar-se ao erro, de apresentar-se ao exame do público, ao julgamento dos iguais, às sentenças, às condenações. A liberdade não é apenas o primeiro: é também o mais árduo dever da imprensa. E, por fim, o ponto fatal: a liberdade não existe para a prática do elogio; ela existe para incomodar, para olhar a cena com espírito crítico.

Poucas vezes fui chamado pelo presidente a me pronunciar sobre isso. Em quase todas, fui ouvido.

* * *

Um ano e meio depois de eu me mudar para Brasília, no dia de 22 de setembro de 2004, a revista *Veja* deu ao seu editorial (a seção "Carta ao Leitor") o nome de "Sincronia constitucional":

Por pouco não passou sem a devida ênfase uma das mais inequívocas declarações de princípios feitas pelo presidente Luiz Inácio Lula da Silva. Ao discursar em São Paulo na solenidade que comemorou os 25 anos de fundação da Associação Nacional de Jornais, na terça-feira passada, Lula praticamente enterrou a malfadada idéia de implantar no país um mecanismo com o objetivo de "orientar, disciplinar e fiscalizar o exercício da profissão de jornalista". Projeto de lei nesse teor foi mandado ao Congresso Nacional pelo Executivo há cerca de um mês. Sem o apoio do presidente, o destino do projeto é definhar. Pelo que afirmou na terça-feira, Lula reconhece que o papel da imprensa é o de fiscalizar o exercício do poder — e não o contrário. Disse Lula: "a sociedade precisa do jornalismo para fiscalizar seus governantes e suas autoridades".

Em outro trecho do discurso, o presidente Lula reafirmou sua crença em um princípio que parecia tisnado por recentes ações e declarações de seus íntimos colaboradores. A crença em questão é um dos pilares das sociedades abertas, justamente aquele que assegura o livre fluxo de informações. "Só com a plena liberdade de imprensa o direito à informação pode ser atendido", disse o presidente.

O momento era delicado. Poucos meses antes, o governo tentara impedir que o correspondente do *The New York Times*, Larry Rohter, permanecesse no país. O projeto de criação do Conselho Federal de Jornalismo (CFJ), tinha deixado dúvidas sobre a possibilidade de que surgisse daí um organismo para intimidar jornalistas e veículos. Claro que não era essa a intenção do presidente. No discurso que proferiu na ANJ ele repeliu qualquer hipótese de censura, conforme registrou favoravelmente o mesmo editorial da revista *Veja* — que, é bom lembrar, não se caracterizou exatamente por elogiar o presidente durante o seu primeiro mandato:

Contemplando outras perplexidades suscitadas pelo projeto — que, como se viu, chegou ao Congresso sem que todas as suas implicações fossem analisadas pelo governo —, Lula dissipou na semana passada a idéia atemorizante de que se planejava a instalação de alguma modalidade de censura no país: "Isso não voltará a acontecer no Brasil, e muito menos voltará a acontecer de forma dissimulada."

É interessante lembrar outros parágrafos do mesmo discurso, que não foram reproduzidos na revista. Naquela terça-feira, dia 14 de setembro, Lula também declarou: "Nós sabemos que, sem informação de qualidade, o cidadão não tem como exercer a plenitude de seus direitos. E a liberdade de imprensa é a outra face da moeda do direito à informação."

E disse ainda:

> Todos nós, que prezamos a liberdade de imprensa, prezamos igualmente a independência dos jornais. Não é por acaso que, logo em seu primeiro artigo, o Código de Ética da Associação Nacional de Jornais afirma que todos os jornais aqui representados se comprometem em manter a sua independência. Não é por acaso. Sem independência, os jornais não conseguem cumprir a sua missão mais precípua, que é a de buscar a verdade dos fatos para informar o público. Sem a necessária independência, os jornais estariam entregues a um amontoado de interesses menores, interesses partidários, religiosos, familiares ou econômicos que distorcem e, mais que isso, estragam a informação que deve buscar, antes de tudo, a objetividade.

A repercussão ajudou a desanuviar o horizonte. No dia seguinte, quarta-feira, no fim da manhã, o telefone tocou na minha sala. Lula conversou por cinco minutos comigo, para agradecer a colaboração que eu dera para a sua fala no encerramento do congresso da ANJ. De fato, na noite de segunda, dia 13, Gilberto Carvalho me ligara, pedindo que eu rascunhasse o que o presidente poderia dizer na solenidade. Foi o que fiz. Às 7h43 da própria terça-feira, a minha proposta de pronunciamento estava na caixa do correio eletrônico de Gilberto Carvalho, que a encaminhou à equipe chefiada pelo ministro Luiz Dulci, encarregada dos discursos de Lula. A não ser por pequenos ajustes, o que ele leu em São Paulo foi o que escrevi. O mérito, naturalmente, não era meu. Se houve acerto naquela fala, ele se deve à sabedoria do próprio Lula, que, naquela hora, buscou a mensagem mais justa. Eu apenas lhe servi de redator. Redigi o que, segundo eu podia perceber, ele gostaria de dizer. No telefone, deixei claro que não era ele, mas eu quem devia agradecer a confiança em mim depositada.

* * *

Nenhuma sociedade avança na direção da justiça social se não elege a liberdade de imprensa como bem maior. Sem relativizações. Sou testemunha de que, nas convicções do presidente Lula, o compromisso com a liberdade ocupou um lugar central durante o período em que trabalhei com ele. Não foi apenas no episódio do artigo do correspondente americano que eu o vi ser machucado de forma gratuita e injusta. Naquela e em outras ocasiões, ele experimentou a dor de ver referências que o ofendiam — e a seus familiares — e se empenhou em não permitir que sua dor humana contaminasse a postura que lhe era exigida, como governante, de zelar pela vigência da liberdade. Ao menos a meu juízo, Lula soube pôr o seu dever de governante acima do seu sofrimento pessoal.

Convivendo com ele, aprendi que um presidente da República, embora não tenha o dever da liberdade no mesmo grau que um jornalista o tem, uma vez que não é um praticante do ofício de informar e de mediar o debate público, encontra-se também submetido ao mesmo dever de outro modo: a ele cabe a missão de não permitir que nada, nem mesmo a sua dor pessoal, abale a certeza de que, para ele, a liberdade de imprensa não é negociável e está acima de tudo. Nessa medida, cabe-lhe o dever de vivenciar e de comunicar, em cada gesto, a certeza de que a chama da liberdade, a cada dia, estará mais protegida e mais forte no país que ele governa.

Ao longo de 2005 e, depois, em 2006, durante o processo eleitoral, afastei-me do presidente. As gravações do programa de rádio, que aconteciam todas as semanas, ficaram interrompidas ao longo de todo o segundo semestre. De longe, eu sabia das reclamações que ele ouvia sobre a Radiobrás. Não me senti inseguro. Confiei no valor da liberdade de imprensa, certo de que ele valia também para a estatal em que eu trabalhava, mesmo contra a pesada tradição de subserviência. Quando penso no conjunto das reportagens produzidas durante a minha gestão, penso que ele é uma prova, ainda que modesta, de que, no fim das contas, prevaleceu no governo o compromisso com a liberdade. Nesse quesito, foi um governo que superou os anteriores. Não fosse por mais nada, só por isso já teria valido a pena.

CAPÍTULO 20

... tá bonces

Em dezembro de 2006, eu já tinha esvaziado as gavetas. Dava por finda a minha passagem pelo serviço público. A missão estava concluída, e bem concluída, eu me esforçava por crer. Meus papéis, empacotados em caixas plásticas verdes de arquivo morto, repousavam no quartinho da área de serviço do apartamento onde morei. A maior parte dos livros tinha sido armazenada no mesmo cômodo, em caixas de papelão mais resistentes. Outros pertences, como uns quadros, um abajur, um porta-incenso, talvez dois, e mais outros papéis e livros, descansavam numa saleta em meu gabinete, à espera da hora de se pirulitar. Havia mais de um mês, eu entregara uma carta ao presidente da República pondo o cargo à disposição — esse código tão palaciano pelo qual você pede demissão sem pedir demissão exatamente. Ela seguira no dia 31 de outubro, dois dias depois do segundo turno das eleições presidenciais. No mesmo dia, o ministro Luiz Dulci, da Secretaria-Geral da Presidência, e Gilberto Carvalho, chefe do Gabinete Pessoal do Presidente, receberam cópias da carta, a eles também endereçada.

Desde 2005 era sabido, dentro e fora do governo, que, terminado o primeiro mandato, eu me afastaria. Anunciei a decisão numa entrevista à revista *Caros Amigos* em outubro de 2005. Em 2006, eu a reforcei em outras declarações públicas. Apenas não queria pedir — e não pedi — demissão. Demitir-me unilateralmente iria interromper o andamento da administração da empresa, desnecessariamente. A perspectiva era de continuidade, e, para isso, eu gostaria de colaborar. Vali-me do expediente de "pôr o cargo à disposição". Entreguei-o e esperava que o governo determinasse a hora da minha saída. No texto enviado ao presidente, descartei sutilmente a hipótese de permanecer por mais um mandato:

> Excelentíssimo Senhor Presidente da República,
>
> 1. Cumprimentando-o pela vitória nas eleições de domingo e agradecendo a honra de ter sido escolhido por Vossa Excelência para presidir a Radiobrás durante o seu primeiro governo, venho anunciar que meu cargo se encontra à sua disposição. Ao longo desses três anos e dez meses, cumpri o compromisso de acompanhá-lo em cada dia do seu mandato. Agora que o povo acaba de reconduzi-lo ao posto, configura-se o momento ideal para que eu envie esta carta a Vossa Excelência. Na montagem das equipes que integrarão o seu segundo governo, sinta-se à vontade para dispor, no momento que lhe for mais conveniente, da posição que ocupo.
>
> 2. Desde que de seu agrado, ofereço-me para auxiliá-lo na transição. Havendo interesse, posso indicar um nome para me substituir e dar prosseguimento ao projeto vitorioso que, com seu apoio, imprimimos a esta empresa.
>
> Com os meus votos de estima, aguardo as suas determinações.

As determinações tardaram. O ministério seria mudado, mas o anúncio do novo ministério empacou. Sem ser confirmado no posto, Dulci não se sentia à vontade para tratar do meu afastamento. Numa noite de domingo, já em março de 2007, saíamos do Palácio do Alvorada no mesmo automóvel. Insisti em apressar a demissão. Ele, de novo, pulou fora: "Eugênio, como a gente diz lá em Minas, sossega o facho." Ele não tinha garantias de que seria mantido na pasta e se seria ou não o incumbido de tomar conta da Secom e da Radiobrás. De fato, não o foi.

A minha saída só se consumou no dia 20 de abril, vários dias depois de o ministro Franklin Martins tomar posse daquela que seria chamada de Secretaria de Comunicação Social, reunindo num só organismo a Secretaria de Imprensa, as funções de Porta-Voz e a antiga Secom. Após tomar posse, Franklin disse mais de uma vez que tinha uma avaliação positiva do meu trabalho. Nos primeiros dias, pediu publicamente a minha permanência, elogiando a gestão. Insistiu comigo para que eu ficasse, e só depois de uma semana ou duas concedeu que eu partisse.

Durante a longa espera de quase seis meses, entre a entrega da minha carta e a minha saída do posto, não tive remédio. Por maior que fosse o meu fartão, obriguei-me a tomar conta da empresa com a mesma energia. Com disciplina, labutei quase sem reclamar, embora não conseguisse conter o mau humor. O que mais me baqueava era constatar que os padrões de apartidarismo pelos quais eu tanto me batera ainda não tinham se firmado. Sofriam com negligências e chapa-branquices reincidentes. Às vezes, eu dava de cara com programas que pareciam querer provar que eu tinha pregado no deserto. Era desalentador. E eu achando que já estava bom.

* * *

Tínhamos apresentado um desempenho satisfatório na cobertura das eleições presidenciais. Na largada, tomamos uma atitude inédita e marcante. No dia 10 de maio de 2006, publicamos na internet o nosso "Protocolo de Compromisso com o Cidadão", um documento alentado, minucioso, que explicitou as posturas éticas a serem observadas na cobertura da campanha eleitoral. Por meio dele, a empresa reafirmava sua postura de apartidarismo e buscava preservar sua credibilidade. A nossa cobertura seguiu bem, com boa produção, e não fugiu dos campos minados. Um dos pontos altos foi a investigação de fôlego que empreendemos para entregar ao público um levantamento exaustivo das pendências de candidatos no Tribunal de Contas, em reportagens que foram reproduzidas em diversos veículos. Durante a campanha, a correção do nosso conteúdo não foi contestada uma única vez. A Radiobrás saiu das eleições de 2006 maior do que entrou.

Em boa medida, o êxito deve ser creditado ao "Protocolo de Compromisso com o Cidadão". Ele lançou e fez valer compromissos sem precedentes na história de qualquer entidade pública de comunicação no Brasil, tanto no âmbito federal como nos estados. Parte das suas disposições apenas traduzia o que já era exigível pela Lei Eleitoral e também pelas resoluções da Comissão de Ética Pública. Dito assim, pode parecer uma banalidade formal, mas foi um passo que custou decisão, coordenação e esforço. Outra parte, essa bem mais difícil, avançava um pouco além do previsível. Em seu "Protocolo", a Radiobrás estabeleceu restrições que, à primeira vista, pareciam discutíveis a alguém menos familiarizado com a calamidade e os estragos gerados pela partidarização das instituições públicas no Brasil. Fizemos o que fizemos para proteger a empresa e seu conteúdo dessa doença nacional.

Segundo estabelecemos no "Protocolo", qualquer empregado da Radiobrás que pretendesse trabalhar, com ou sem remuneração, em campanhas eleitorais, só poderia fazê-lo mediante licença, mesmo quando a sua atividade em comitês partidários acontecesse fora do seu horário normal de trabalho na empresa. Se quisesse dar expediente em campanha, o empregado teria de obter uma licença sem vencimentos. Além disso, nenhum funcionário tinha autorização para, durante o seu horário de trabalho, estivesse ele dentro ou fora da empresa, portar, trajar ou distribuir material alusivo a candidatos. Restrições como essas levavam em conta que, durante sua jornada, o funcionário representa a empresa, sobretudo quando se trata de uma empresa de comunicação, e é portador da confiança do público. Como seria se, durante uma entrevista, o operador de câmera aparecesse diante do entrevistado com uma faixa no meio da testa em que se lesse o nome de um candidato? O que dizer de alguém que grudasse um adesivo de propaganda eleitoral num carro da empresa, ou num mural, ou mesmo no monitor de seu computador? O que pensaria da lisura e da objetividade daquelas redações um visitante, um entrevistado, ou mesmo o público? À luz disso tudo nós decidimos, depois de muito amadurecer esses parâmetros em numerosas reuniões com dezenas de jornalistas e radialistas, ao longo de meses, adotar as limitações que adotamos. O "Protocolo de Compromisso com o Cidadão" não surgiu como um decreto, mas como uma elaboração que representava o consenso. Daí veio a sua eficácia.

Para os chefes, dirigentes e figuras públicas da empresa, como os apresentadores de TV, as disposições eram mais duras. Disso tratava o artigo 9º do "Código da Radiobrás aplicável ao Período Eleitoral", parte integrante do "Protocolo de Compromisso com o Cidadão". Dizia o artigo:

> Para impedir que leitores, ouvintes e telespectadores sejam levados a crer que haja um vínculo entre alguma candidatura e a Radiobrás, empregados da Radiobrás ocupantes de função de direção, chefes de departamento da área jornalística ou aqueles cuja imagem ou voz estejam estreitamente associadas à imagem da empresa (apresentadores, âncoras e repórteres) estão proibidos de fazer gravações para campanhas políticas, animar comícios, posar para fotos, dar declarações verbais ou escritas em favor ou contra candidatos ou partidos.

Outra vez, à primeira vista, essas limitações podem soar exageradas. Não eram, e é fácil demonstrar por que não eram. Como seria o ambiente de apartidarismo se, de uma hora para outra, o presidente da Radiobrás aparecesse num programa eleitoral apoiando alguém? Com que autoridade os gerentes ou diretores a ele subordinados iriam exigir eqüidistância de suas equipes ao cobrir as eleições? Mais grave ainda seria o constrangimento a que seriam expostos aqueles que tivessem opiniões políticas diferentes das de seus superiores. Também em respeito a essas diferenças, os que exerciam cargos de comando ou de destaque aceitaram, convictos, restringir suas próprias atividades partidárias em benefício da qualidade e da credibilidade da função social que lhes cabia.

A campanha eleitoral de 2006 caracterizou-se, como se sabe, pelo acirramento da disputa de idéias, com cores ainda mais fortes nos meios de comunicação. Pois mesmo assim não houve um único episódio de atrito interno na Radiobrás. Os funcionários, independentemente de suas preferências partidárias, reconheceram e sustentaram a razão de ser das limitações impostas pelo "Protocolo de Compromisso com o Cidadão". Foi graças a ele que cobrimos as eleições em rádio, televisão e internet, com muitos acertos, com informações exclusivas, e sem um único incidente que conspurcasse a imagem ou a integridade da instituição.

E agora eu amargava aquela espera que não sabia até quando se estenderia. Quando o governo me mandaria embora? Os dias mais longos eram aqueles em que eu dava de cara com as demonstrações de que o governismo ainda vivia entre nós, teimoso.

* * *

O dia 18 de dezembro foi uma segunda-feira densa. No final de semana, eu tinha visto, no canal da NBr, exatamente o canal encarregado de cobrir a agenda oficial da Presidência da República, alguns programas de uma série bem comprida sobre o primeiro mandato do presidente Lula. Era uma retrospectiva, como qualquer canal informativo poderia apresentar. O problema é que aquilo estava laudatório demais, propagandístico demais. Liguei no mesmo fim de semana para Maria Alice Lussani, chefe do departamento de televisão, responsável tanto pela NBr como pela TV Nacional, a emissora de sinal aberto da Radiobrás.

Alice, uma gaúcha de fibra, estava alerta a qualquer hora do dia. Tinha conquistado avanços na TV, e isso sem recursos. Em apoio a Chico Daniel, seu antecessor na chefia, teve parte na implantação do *Diálogo Brasil*, programa semanal apresentado por Florestan Fernandes Júnior, que chegou a ser retransmitido por quase todas as filiadas à Associação das Emissoras Públicas, Educativas e Culturais (Abepec), presentes em vinte estados brasileiros. A partir de 2004, quando filiamos a Radiobrás à Abepec, a TV Nacional virou a representante da Rede Pública de TV no Distrito Federal: jogou fora todos os resquícios de veículo oficial do governo — função que permaneceu apenas com a NBr — e, com uma programação de 24 horas diárias, passou a exibir atrações produzidas em dez estados diferentes da União. Alice também ajudou a criar e a pôr no ar, praticamente sozinha, novos programas que também fariam escola, como o *Ver TV*, em parceria com a TV Câmara, apresentado pelo professor Laurindo Lalo Leal Filho, sobre a qualidade da programação de TV no Brasil. O conteúdo diversificado de fontes e de opiniões cresceu bastante nos noticiários de TV da Radiobrás, mas o DNA da chapa-branca não seria varrido assim tão facilmente.

Mudar a mentalidade da TV foi uma pedreira. Mais de uma vez, essa pedreira nos derrotou e, no final da gestão, sabíamos que ela não tinha sido vencida. A NBr, com sua incumbência de cobrir e transmitir ao vivo as solenidades do presidente da República e os atos do governo federal, padecia do que posso chamar de crise de identidade: embora fosse hierarquicamente subordinada à direção da Radiobrás, sua equipe se via como se fosse uma extensão da assessoria direta do Chefe de Governo. A proximidade pessoal, diuturna, entre os ordenanças do presidente e os operadores da NBr conspirava para que se formasse uma indiferenciação entre os interesses da Presidência e os procedimentos da NBr. Adotando métodos que incluíam técnicas de planejamento e controle editorial, a direção da Radiobrás se esforçou por imprimir uma conduta objetiva também à NBr: ela deveria cobrir, tal como era seu dever, as atividades do Poder Executivo Federal, mas deveria fazê-lo sem se confundir com os interesses das autoridades, agindo de modo impessoal e objetivo. Sempre repetíamos, nas reuniões de planejamento e de avaliação crítica, das quais as equipes participavam, que a Constituição Federal, a legislação ordinária e a legislação eleitoral condenavam qualquer desvio de finalidade nessa matéria. A NBr estava proibida de incorrer em promoção pessoal do presidente e dos ministros. Houve melhoras, por certo, mas não o suficiente, como aquela retrospectiva insistia em escancarar.

Eu verifiquei em seguida que alguns programas da série, que ainda iriam ao ar (para nossa sorte a retrospectiva ainda estava muito no início), faziam com que o primeiro mandato do presidente Lula surgisse na tela mais cor-de-rosa do que de fato tinha sido. Era uma apoteose da comunicação chapa-branca. Na segunda-feira, dia 18, enviei um e-mail aos diretores e gerentes envolvidos.

Caros,

A retrospectiva do governo, que a NBr pôs no ar este mês, cuja exibição ainda se encontra no início, está inteiramente fora dos padrões de objetividade e apartidarismo adotados pela Radiobrás. Mais que isso: ofende esses padrões, como se fosse uma série produzida na antiga Radiobrás. A sensação é de que o passado foi remontado com a finalidade de transmitir ao telespectador a impressão falsa de que ele foi mais cor-de-rosa do que de fato foi.

Para tanto, os fatos elencados na retrospectiva são apenas aqueles que a visão autoritária de comunicação chamaria de "fatos positivos". Já os episódios que essa mesma visão chamaria de "negativos", esses foram deixados artificialmente de fora. Dou um exemplo: a demissão de Waldomiro Diniz não é sequer mencionada. É como se nunca tivesse ocorrido no governo.

Questionei a chefe de televisão, Maria Alice, sobre isso e ela alegou que procurou listar o que o governo realizou, de acordo com o noticiário da NBr. A explicação é insuficiente, pois demitir aquele servidor foi algo que o governo efetivamente fez, de modo rápido, tão logo surgiram as denúncias e, mais ainda, o presidente tocou no assunto em um de seus discursos, no sul do país, e esse discurso foi transmitido pela NBr.

É importante que fique claro: tão logo compreendeu o risco que a nossa credibilidade poderia correr, Maria Alice prontificou-se a corrigir os programas que iriam ao ar ainda no final de semana.

Não tenhamos dúvidas: as ações do governo, tanto naquela passagem como em outras, precisam ser comunicadas ao telespectador quando se trata de uma retrospectiva. Ao adulterar o passado, estamos cometendo uma dupla falta: a primeira, contra o relato objetivo dos fatos; a segunda, contra aquilo que a própria NBr noticiou e transmitiu. Ao ver aquela retrospectiva do modo como ela foi editada até aqui, o cidadão poderá ser levado a crer que a NBr nunca noticiou o que ali não é lembrado, o que compromete gravemente a credibilidade que tão duramente construímos até agora.

Há falhas ainda mais comprometedoras na retrospectiva. Um jornalista da Radiobrás, no estúdio, apresenta cada um dos fatos — que depois serão relembrados em reportagens da época — fazendo comentários sintéticos. Numa dessas breves introduções, o apresentador se permite exaltar a iniciativa do governo, externando um comentário que elogia os governantes, resvalando na propaganda indevida da autoridade. Trata-se do momento em que se fala da abertura de financiamento da casa própria, em que o apresentador faz menção antijornalística ao "sonho do brasileiro", um sonho antigo, segundo ele, que agora estaria sendo atendido.

Para nossa sorte, a retrospectiva está no início, em tempo de ser ajustada. É o que deve ser feito. As omissões cometidas até aqui devem ser corrigidas, de modo a que não permaneça a impressão de que estamos aqui para distorcer o passado. Após a correção, tanto do que já foi ao ar quanto do que já estava pronto para ser veiculado, mas com os mesmos erros, é preciso esclarecer outro ponto: não é verdade que a omissão de episódios polêmicos ajude a imagem do governo ou da Radiobrás. Ao contrário, traz danos terríveis.

Valeu a pena ter escrito o e-mail. Como a série estava no começo, os responsáveis tiveram prazo para corrigir o curso da retrospectiva. Em janeiro, fevereiro e março de 2007, participei de revisões críticas do conteúdo dos noticiários da televisão que também produziram bons efeitos. Ainda consegui promover mudanças de estrutura e de pessoas. O meu ânimo, porém, já era outro. Eu não via a hora de deixar o emprego para trás. Eu já tinha me programado a ir embora. O meu prazo de validade iria expirar. Eu repetia, em silêncio: já está bom, já está bom.

* * *

"Tá bonces", eu dizia em voz baixa, numa piada em solilóquio, que me levava de volta a uma das boas experiências que vivi na Radiobrás, quando encarei a aventura de construir o primeiro canal público internacional do Estado brasileiro: a TV Brasil – Canal Integración. Na área de televisão, aquela foi a caminhada mais empolgante.

A passagem que ainda me fazia rir, a história do "Tá bonces", acontecera numa das nossas missões internacionais. Num fim de tarde de domingo, 19 de junho de 2005, tínhamos acabado de pousar em Lima, no Peru. O trabalho só começaria na segunda, às 9h30, numa audiência com o presidente da Televisão Nacional do Peru. A delegação de quatro integrantes decidiu que ainda era tempo de um almoço, já passado da hora, e se dirigiu para a Plaza de Armas, no centro. Achamos uma mesinha na área externa de um restaurante quase na esquina da praça, onde um frio respeitável nos abraçaria antes de terminarmos a refeição. Os termômetros caíam a tal velocidade que deixamos os pratos esperando — e esfriando — na mesa e fomos comprar blusas de lã numa loja que estava aberta, bem ao lado.

Naquela tarde, mal tínhamos nos acomodado nas cadeiras do restaurante, quando Delorgel Kaiser, da área de Comunicação do Supremo Tribunal Federal, fez o seu pedido, com várias recomendações específicas em um espanhol bastante aceitável. Ele era o único entre nós que estudava seriamente o idioma. Cabelos curtos, quase raspados, olhos claros, Kaiser impunha uma autoridade de jurisdição supranacional, graças talvez ao seu modo de falar sem pressa, cadenciado e inabalável. Deu-se uma rápida negociação entre ele e o garçom, que alegava não ter um dos itens do pedido e recomendava outra coisa no lugar. Kaiser procurava opções, perguntando disso e daquilo, esmerando-se no castelhano que fazia boa figura nos encontros oficiais. O diálogo, porém, ia além dos protocolos, acelerando-se em sua total inutilidade. Então, Kaiser se viu sem alternativa que não fosse aceitar a indicação que o sujeito lhe empurrava. Em tom de resignação, tirou os cotovelos da mesa, recuou levemente o corpo na direção do encosto da cadeira, voltou a palma das mãos para cima e, inclinando a cabeça para o vencedor, aquiesceu:

— Entonces, entonces...

E emudeceu, sem mais recursos idiomáticos. Faltava-lhe um complemento para a frase e, num lapso, criou-se um vazio, um silêncio, uma falha na linguagem. Lembrando-me de que os garçons constituem a primeira vítima do portunhol torrencial dos brasileiros, ocorreu-me um fecho adequado para o impasse:

— Entonces, tá bonces.

O garçom fez que sim com a cabeça, compreendeu o recado e tomou seu rumo para aviar o pedido. A partir de "entonces", aquela seria a senha para o nosso conformismo quando não houvesse escolha. Um ano e meio depois, em Brasília, naquela prorrogação indefinida em que eu me encontrava, invoquei a mesma senha para me descontrair: "Entonces, tá bonces, compañero!"

Criar uma televisão internacional pública era uma idéia antiga, defendida por quase todo mundo. Se boa ou má, dependeria da realização. Tratei disso nas primeiras semanas de 2003. No dia 17 de fevereiro daquele ano, eu, Marco Aurélio Garcia, assessor do presidente da República, e Samuel Pinheiro Guimarães, secretário executivo do Itamaraty, almoçamos um bacalhau na Academia de Tênis. O Itamaraty apoiaria. A TV Brasil–Canal Integración viria um pouco mais tarde, embalada por uma encomenda do presidente da República, ainda no primeiro semestre de 2003. Ele contou que já conversara com o presidente do Senado, José Sarney, e os dois tinham resolvido reunir no projeto os três poderes da República. A proposta era criar não um canal da Radiobrás, mas do Estado em sentido amplo, para fortalecer a integração regional no plano da comunicação e da cultura.

Fui conversar com as Secretarias de Comunicação da Câmara e do Senado. Concordamos que deveríamos convocar a área de comunicação do Supremo Tribunal Federal, que, representada pelo jornalista Renato Parente, logo aderiu. Kaiser se juntaria ao grupo um pouco mais tarde, e foi um dos mais dedicados — no final de 2006, seria feito chefe da Comunicação do Supremo. Nos primeiros contatos com a

Câmara e o Senado eu realmente temia pela cara que a nova TV iria ter. A sombra da *Voz do Brasil* pairava sobre nós. Se deixássemos a coisa entregue ao piloto automático, o espírito-que-anda da *Voz* daria o bote e aquilo viraria um monstrengo chapa-branca em portunhol. Às vezes, alguém falava em repartir os horários entre os três poderes, para que cada um cuidasse do seu pedaço. Eu tinha calafrios, lembrando que *A voz do Brasil* também sobrevivia assim, cadavericamente esquartejada em faixas de horário, uma para cada um dos poderes. Quase ouvia um locutor às antigas aparecendo no vídeo com olhos esmaecidos e voz de polenta:

— En Bracília, diecinuêve huêras!

* * *

A paranóia ajudou. Passei a combater o tom oficial antes mesmo que ele tentasse se instalar. Nessa causa, eu não estava só. A persistência do Itamaraty, que via na vertente da propaganda oficial o caminho mais curto para o desastre diplomático, ajudou a arrefecer as pretensões da sanha chapa-branca internacional. Como já tínhamos feito no início da gestão da Radiobrás, fomos até a Escola Nacional de Administração Pública (Enap) para redigir os primeiros planos estratégicos. Aí, o caráter público, não governamental, firmou-se como o único roteiro razoável: a televisão deveria ter a cara da integração, e não a de um país único; a coordenação editorial deveria ser única, sem fragmentação ou repartição de horários estanques entre os poderes; a programação seria bilíngüe, com conteúdos que viessem dos vários países da região.

O planejamento nos absorveu até meados de 2004. No dia 27 de setembro desse mesmo ano, um decreto de Lula criou oficialmente o Comitê Gestor, com representantes do Senado, da Câmara e do Supremo, além do Itamaraty, da Secom e da Radiobrás, encarregado de conduzir o projeto de prestação de serviços de televisão para o exterior. A primeira transmissão experimental da TV Brasil – Canal Integración aconteceu na cobertura do Fórum Social Mundial de Porto Alegre, no final de janeiro de 2005. Escolhemos o Fórum para inaugurar as operações porque se tratava de um acontecimento não-governamental, em que os países da América do Sul estariam representados não pelos governos, mas pelos movimentos sociais, e as transmissões do Fórum não seriam vistas como veiculação de atos governamentais. Com quarenta jornalistas e técnicos dos três poderes, gente que nunca tinha atuado em conjunto, montamos emissora completa em Porto Alegre com redação, um estúdio, controle mestre, tudo. Foram cerca de treze horas diárias de transmissão, boa parte delas ao vivo, e, como aquela pré-estréia se destinava exclusivamente aos públicos de língua espanhola, decidimos fazer a cobertura integralmente nesse idioma. Estações e redes de quase todos os países do continente, públicas e privadas, avisadas de que o sinal estaria disponível, aproveitaram trechos das transmissões da TV Brasil – Canal Integración em seus noticiários locais. A estréia experimental vingou.

O passo seguinte já estava agendado. Desde antes da boa atuação em Porto Alegre, os jornalistas Armando Rollemberg e Márcio Araújo, responsáveis respectivamente pelas Secretarias de Comunicação do Senado e da Câmara, também integrantes do Comitê Gestor, prepararam o ato de lançamento oficial da TV Brasil – Canal Integración. Negociaram com os presidentes do Senado e da Câmara a realização de uma solenidade com a presença do presidente da República e do presidente do Supremo Tribunal Federal. No dia 10 de fevereiro de 2005, no segundo andar do Palácio do Planalto, a cerimônia aconteceu. Ali, os presidentes da Câmara, João Paulo Cunha, do Senado, José Sarney, do Supremo, Carlos Veloso, que estava interinamente no cargo, e o presidente da República, Luiz Inácio Lula da Silva, assinaram o acordo de cooperação que depois foi publicado no Diário Oficial da União.

Na abertura da sessão, eu exibi trechos das transmissões realizadas em janeiro, em Porto Alegre, e resumi o propósito da nova televisão internacional. Em seu discurso de encerramento, Lula reforçou que aquela não era uma TV de governo, mas do Estado, e que seu propósito não era a propaganda, mas a integração. "Por ser o Brasil o país economicamente mais forte e geograficamente maior, com maior número de habitantes, o que tem o maior PIB", disse o presidente, numa fala de improviso, "nós temos que ter mais responsabilidade e muita generosidade na construção de um projeto dessa natureza." Lula prosseguiu:

> Um projeto como este, para dar certo, não pode ser visto pelos países da América do Sul como uma intromissão de um país que quer ter hegemonia sobre os demais países. Muito cuidado, porque isso tem que ser visto e recebido, pelos governantes e pelo povo, como um instrumento a mais no processo de integração solidária que nós queremos fazer na América do Sul e na América Latina.

Com ênfase, reiterou que o canal deveria servir não para que os outros países conhecessem a realidade do Brasil, mas para que os brasileiros conhecessem mais os seus vizinhos.

As missões internacionais começaram logo em seguida. Ao longo de 2005, participei de quase todas as delegações da TV Brasil, com exceção da que foi ao Paraguai. Estive no Chile, na primeira semana de abril de 2005, na Argentina e na Colômbia, em maio, e na Argentina, no Uruguai, no Peru e no Equador em junho. Mais tarde um pouco, iríamos à Venezuela. Pessoalmente, fiz 75 reuniões nesses países, com ministros, presidentes de órgãos públicos, emissoras privadas e centros culturais, com saldos rápidos e positivos: dessas reuniões saíram meia centena de acordos de cessão de conteúdo, sem custos para ninguém. Os diplomatas André Maciel e George Firmeza, alternadamente, viajavam conosco e orientavam a agenda. Em Buenos Aires, em Lima, em Quito, em Bogotá e em Montevidéu, as embaixadas montaram apresentações do projeto para dezenas de convidados. As reações nos animaram: o caráter do canal, definido pela presença de produções de diferentes países em sua grade de programação, era rapidamente compreendido. As adesões aumentavam. A iniciativa do Estado brasileiro era recebida com simpatia, como se ela devesse mesmo ter partido do

Brasil. Em todos os países, sem exceção, ouvi palavras muito parecidas vindas de pessoas muito diferentes: "O nosso continente precisa de um canal assim, que não seja propaganda ideológica."

As transmissões regulares só iriam ao ar no dia 30 de setembro de 2005, no encerramento da primeira reunião de Chefes de Estado da Comunidade Sul-americana de Nações (Casa), que se iniciara na véspera. Dois dias antes, dias 27 e 28, os mesmos diplomatas, George Firmeza e André Maciel, montaram em Brasília o Seminário "Televisión e Integración Sudamericana", que reuniu 59 dos maiores especialistas em cultura e televisão da América do Sul, entre intelectuais, executivos de emissoras e autoridades do setor audiovisual.

A partir de fevereiro de 2006, as transmissões já ocupavam as 24 horas do dia. Ao final de 2006, a TV Brasil – Canal Integración contava com 46 convênios firmados com instituições públicas e privadas do continente, entre elas o Canal Futura, da Fundação Roberto Marinho, o Canal 7, de Buenos Aires, a TeleSur, da Venezuela, e a TV Ciudad, de Montevidéu, para a cessão de conteúdo. Nada menos que duas centenas de operadoras de cabo de diversos países já estavam autorizadas a transmitir o sinal da TV Brasil para telespectadores das Américas do Sul e Central. No Brasil, ainda não tínhamos um canal exclusivo para a nova emissora, mas algumas televisões, como a NBr, já exibiam trechos da programação em suas grades. O projeto sonhado em 2003 estava de pé. Ainda era frágil, com uma equipe de apenas trinta profissionais — quase todos saídos dos quadros da Radiobrás, que mesmo assim não aumentou o número total de seus funcionários —, mas estava de pé.

* * *

Outra vez, como no caso da Agência Brasil, o mérito deveria ser creditado à juventude da Radiobrás. Capitaneada pela jornalista Lia Rangel, que assumiu aos 26 anos a chefia da operação, a TV Brasil – Canal Integración ultrapassou as metas fixadas no planejamento que fizemos na Enap entre 2003 e 2004. Entre outras invenções, ela criou um telejornal semanal em português, o *América do Sul Hoje*, o primeiro informativo regular sobre os países vizinhos a ter lugar na TV brasileira. Aproveitando reportagens recebidas dos parceiros, sem custos, o noticiário reunia semanalmente um material que muitas vezes nem mesmo as agências de notícias conseguiam oferecer aos clientes brasileiros. Logo passou a ser exibido em outros canais públicos.

Em 2006, quando se afastou em licença-maternidade, Lia foi substituída com desenvoltura por Adriano de Angelis, de 28 anos. Nada como a falta de experiência. Se Adriano, Lia e alguns outros fossem mais velhos, não acreditariam naquele pequeno projeto ao qual faltavam recursos. Como acreditaram, puderam transformá-lo em realidade antes do final da gestão. Em portuñol castiço, eu tinha de admitir: estava bonces até demais.

CAPÍTULO 21

Construção por estilhaços

No mesmo mês de dezembro de 2006, quando ainda lutava contra o vírus da chapa-branca, conseguimos pôr em circulação um livro que para mim representaria um marco: o *Manual de jornalismo da Radiobrás*. O nosso plano era lançá-lo nos primeiros dias de novembro, imediatamente após o segundo turno das eleições presidenciais; houve um atraso, mas nada que comprometesse o cronograma. Impresso pela Gráfica do Senado, sem ônus para a Radiobrás, numa bela edição — sem ser de luxo, o que seria desperdício, mas resistente, preparada para o manuseio diário —, foi o primeiro livro desse tipo no Brasil a unificar padronizações para internet, rádio e televisão. Suas 250 páginas reuniam orientações sobre conflitos de interesses, uso da língua, princípios éticos, pronúncia, e, principalmente, apresentavam os parâmetros pelos quais o jornalismo com foco no cidadão identificava, apurava, editava e veiculava a informação de interesse público. Cada jornalista, radialista ou comunicador da empresa recebeu seu exemplar. Outras instituições, redações e escolas solicitaram e ganharam cópias.

No *Manual,* o leitor não encontrava a expressão "independência editorial" para designar o trabalho da Radiobrás. Seria impróprio o uso desse conceito. Sendo uma empresa literalmente "dependente do Tesouro", deficitária e, portanto, incapaz de existir sem receber recursos orçamentários, a Radiobrás não dispunha nem poderia dispor de independência financeira e administrativa, requisitos da independência editorial formal. Seria demagogia afirmar que, numa empresa dependente do Tesouro, nós iríamos construir um regime de independência editorial clássica. Não iríamos. O que era possível afirmar, e realizar, aí sim, em respeito às exigências legais, era a autonomia. Sendo empresa pública, vinculada, mas não subordinada, a um ministério, nos termos da lei, a Radiobrás tinha a possibilidade e, na opinião de seus diretores, o dever de prestar informações objetivas, não contaminadas por propagandas oficiais: essa era a formulação adotada pelo *Manual.*

Autonomia era a palavra — mais que palavra, já era a prática reiterada. O que estava escrito no *Manual* era para valer. Quando saiu da gráfica, ele retratava procedimentos já adotados com normalidade na rotina de um projeto que corria bem, em velocidade de cruzeiro. Nós não o publicamos antes de testar e de transformar seus preceitos em hábito. Fizemos o contrário: só o publicamos quando o que ele preconizava já estava consagrado nos fluxos da organização. A inversão foi proposital. O livro era a consolidação de um modo de proceder, não era propriamente uma novidade. Tanto que os textos que explicavam os fundamentos do projeto, presentes no *Manual,* como "O jornalismo na Radiobrás", o "Protocolo de Compromisso com o Cidadão" (sobre a cobertura das eleições de 2006) e outros, não eram inéditos. Os documentos fundadores, por assim dizer, já tinham sido exaustivamente aperfeiçoados em debates internos e, depois disso, tinham sido publicados no site da Radiobrás e na Agência Brasil, bem antes de o *Manual* sair da Gráfica do Senado. O primeiro deles, "O jornalismo na Radiobrás", que se tornaria a principal referência do projeto, entrou no site da empresa no dia 29 de julho de 2005, depois de uma série de discussões, por mais de seis meses, com as equipes jornalísticas. Tê-lo publicado naquele momento, em meados de 2005, quando se alastravam as denúncias de que haveria um "mensalão" corrompendo parlamentares, foi decisivo para que não houvesse desvios.

"O jornalismo na Radiobrás" trazia as idéias centrais:

> Não pretendemos, e não é a nossa função, tutelar ou direcionar a formação da opinião pública. (...) É nosso dever dar as informações necessárias para que os cidadãos formem livremente a pró-

pria opinião. (...) A informação continua sendo um dos direitos mais preciosos do homem [como se dizia no artigo 11 da Declaração dos Direitos do Homem e do Cidadão, da França, de 26 de agosto de 1789], de todo homem, mesmo que ele não tenha dinheiro para comprá-la. Ou é assim ou a própria democracia é que se terá tornado um projeto esvaziado e estéril.

Em várias passagens, "O jornalismo na Radiobrás" orientava os funcionários:

Os jornalistas, comunicadores e todos aqueles que atuam no processamento da informação que oferecemos ao público têm o dever de evitar o partidarismo, a pregação religiosa, o tom promocional e qualquer finalidade propagandística. (...) Não produzimos comentários opinativos, textos autorais nem análises ou interpretações. Não é nosso papel. Noticiamos e explicamos os acontecimentos.

O documento também denunciava a usurpação governista que era tradicional, e defendia abertamente a necessidade de se "dar um passo à frente em relação a vícios do passado desta empresa, marcado pelos subjetivismos, que, aí sim, nada mais eram do que biombos para a mera adulação das autoridades".

Quando se tornaram públicas, essas palavras pesaram sobre os funcionários da Radiobrás com força de lei. Isso mesmo, força de lei. A direção da estatal fez mais do que pôr na internet os princípios de impessoalidade no trato da informação. Ela os transformou em norma oficial de conduta para os empregados e chegou a punir os que insistiram nos velhos hábitos. As normas internas aboliram expressamente os compromissos antigos com as veleidades dos governantes e, em seu lugar, firmaram compromissos com o atendimento do direito à informação do cidadão.

É claro que a adoção dos novos padrões de conduta gerou reações adversas, mas nós tínhamos bons argumentos. Pacientemente, os nossos documentos públicos explicavam os fundamentos do projeto, a começar por "O jornalismo na Radiobrás". Havia neles uma legitimi-

249

dade forte: eles não expressavam apenas a vontade da diretoria, mas o ânimo e a prática das equipes, que tinham participado da sua criação. Ninguém ousou confrontá-los publicamente.

Uma das pedras de toque das posturas editoriais expressas no *Manual de jornalismo da Radiobrás* foi a abolição do "off" no conteúdo das notícias. O *off* — termo em inglês que no jargão das redações brasileiras designa genericamente aquela informação cuja fonte prefere manter-se anônima — tinha se tornado uma praga na imprensa, abrindo espaço para que insinuações maldosas entre rivais da política, do mundo dos negócios, das colunas sociais, dos esportes e de tudo o mais fossem disparadas diariamente sem que seus autores assumissem a responsabilidade pelo que diziam. Ora, a origem da informação é parte da sua qualidade. Num raciocínio que não se pretendia universal, mas apenas útil às necessidades dos públicos da Radiobrás, passamos a sustentar que um jornalista da casa poderia até se basear nesse tipo de *off* para iniciar uma apuração, que lhe permitisse confirmar ou negar aquilo que a fonte afirmava, mas repassá-la sem mais cuidado ao público seria precipitação e, às vezes, irresponsabilidade. A Radiobrás decidiu diferenciar-se, deixando de publicar qualquer informação cuja origem não fosse declarada e segura. Nem mesmo a data de uma solenidade era publicada sem que a origem oficial da informação viesse expressa. Graças a esse tipo de cuidado, os que julgavam possível passar recados por meio dos informativos da Radiobrás tiveram de reprogramar suas expectativas.

Outra prática que abolimos, aos trancos, mas abolimos, foi o que posso chamar de "opinionismo": os comentários que os apresentadores de radiojornais ou de telejornais, ou mesmo os repórteres, costumavam despejar sobre a audiência. Segundo os novos parâmetros adotados, só as fontes poderiam emitir opiniões — o dever dos jornalistas era equilibrá-las, buscando ouvir as diversas correntes de pensamento. A Radiobrás não teria mais "comentaristas" em seus quadros. Como empresa pública, qual a opinião que deveria ter acesso privilegiado às câmeras ou aos microfones? A opinião do governo? A opinião do funcionário? A opinião de quem? A resposta era: todas as opiniões têm direitos iguais de se expressar e, por isso, os mediadores do debate público na empresa pública não se põem a serviço da opinião de nenhuma das partes.

Foi uma construção difícil, erguida de pedras pequenas, não um nirvana que atingimos num clímax ou numa ruptura explosiva. Sabíamos que aquela era uma construção que nunca terminaria, que reciclava o passado, que se abastecia dos estilhaços a que reduzia o que deixava para trás, e que iria bem à medida que não parasse. Foi uma construção feita de gestos modestos, de movimentos quase imperceptíveis e de gente rara. Gente como Celso Nucci.

* * *

Lá no começo de 2003, eu dava notícias de como ia a minha aventura brasiliense falando ao telefone com um grande amigo. Eu era mais otimista naqueles primeiros meses, e achava que o futuro seria luminoso. Arrisquei:

— O ideal era se você viesse para cá.

Ele respondeu com uma pergunta:

— E por que você não me chama?

Chamei. Primeiro para uma reunião, depois para algumas atividades com grupos de jornalistas e, finalmente, no dia 21 de agosto, Celso Nucci foi contratado como assessor especial da Presidência da Radiobrás. Tinha sido meu chefe na editora Abril, por uns bons dez anos, e estimulou, na condição de um mentor definitivo, a minha evolução profissional e pessoal. Três anos antes, em 2000, quando ele já tinha tomado a iniciativa de sair da Abril — e quando já não era mais meu chefe —, eu lhe dediquei um livro meu, *Sobre ética e imprensa* (São Paulo: Companhia das Letras).

Quando pude contratá-lo, comemorei. Ele era o maior especialista na área de planejamento editorial que eu já tinha conhecido, autor de uma visão de gestão que combinava, num único modelo, aspectos que sempre foram tratados separadamente nas empresas: o planejamento e a governança da qualidade editorial, a elaboração e a observância das posturas éticas, a identificação, a atração e o desenvolvimento de talentos, o conhecimento sistemático do público e a administração dos custos. Ele chamava esse conjunto que, quando posto num diagrama, lembrava a forma de um grande dirigível, um Zepelim, de modelo sistêmico. Não havia nada que, tangenciando o fluxo de produção do conteúdo editorial, pudesse ficar de fora do seu modelo sistêmico de gestão.

Foi por isso e para isso que o convoquei. Já aposentado, aos 58 anos, ele aceitou deixar seu retiro na casa que construiu no alto de um morro em Tiradentes, em Minas Gerais, de onde se avista um horizonte inacreditável, com as copas das árvores e as torres da matriz, tendo a serra de São José ao fundo. Em troca daqueles 12.000 metros quadrados de paz ecológica em meio ao barroco, ingressou numa rotina de ponte aérea, quarto de hotel e batalhas inglórias, recebendo um salário de 4.411,00 reais. Poucas vezes o dinheiro público valeu tanto.

Eu tinha segurança de que, sob a orientação dele, o nosso planejamento editorial poderia começar. As equipes entraram em ritmo de elaboração conjunta, num clima um tanto fervilhante, e iniciaram a preparação de pouco mais de vinte planos editoriais. As emissoras, cada uma delas, as agências de notícias e os principais programas de rádio e televisão passariam a ter missão e objetivos bem definidos, além de metas com prazos agendados, em textos que se consolidavam mediante o envolvimento das equipes. Os planos não eram baixados por decreto, como se costuma dizer, mas emergiam das contribuições das pessoas que a eles iriam depois se submeter. Elas se convertiam em autoras dos parâmetros que teriam de obedecer, como num pacto. Depois, o cumprimento dos planos passava pelas reuniões de qualidade, de onde tirávamos as correções de curso. Em reforço às reuniões de qualidade, Celso preparou profissionais para a elaboração de críticas internas periódicas, que também dariam origem a um programa de cursos de redação especialmente montados para jornalistas, que a professora Ana Paula Cardoso, jornalista e mestre em Teoria Literária pela USP, ministrou durante três anos da minha gestão.

Algumas das críticas internas, as mais extensas e detalhistas, eram redigidas pelo jornalista Paulo Machado, também preparado por Celso Nucci. Em janeiro de 2007, Paulo tomaria posse da função de ouvidor da Radiobrás, com colunas semanais na Agência Brasil, no rádio e na TV — ao menos no Brasil, foi o primeiro ouvidor (com funções parecidas com a de um *ombudsman*) a publicar suas críticas numa agência de notícias da internet e a ter um espaço semanal em um noticiário de televisão. Também aí a Radiobrás conseguiu inovar. Celso também atuou como um conselheiro — para mim, principalmente, e também para uma boa dezena dos melhores jornalistas da casa. Foi ele o organizador do *Manual de jornalismo da Radiobrás.*

Método. Por obra do método, pudemos aglutinar as lideranças e os talentos da empresa sob uma visão precisa, que fazia sentido para o grupo. Tínhamos um norte. O projeto ganhava corpo, consistência, coerência e eficácia à medida que agregava gente em sua concepção e em sua tradução prática. Sempre o método. Onde outros teriam adotado técnicas e ferramentas da disputa política, indo buscar apoios, alianças, acordos e repartição de cargos, a gestão empregou ferramentas públicas de planejamento. Não negociava favores; cumpria metas, aferindo resultados, medindo desempenhos, segundo planos que especificavam missões e objetivos para cada área, no estrito cumprimento da lei. Não se pense que, agindo assim, a administração da estatal foi "despolitizada": ela se despartidarizou, isto sim. Na plenitude do cumprimento das suas atribuições, posso dizer que, no sentido amplo da palavra, nunca foi tão política, nunca ela se vinculou tão radicalmente ao atendimento do direito à informação.

CAPÍTULO 22

Breve ensaio sobre o público, o estatal e o corporativismo disfarçado

Eu tinha consciência de que as mudanças na Radiobrás não dobrariam o marasmo e o atraso da comunicação pública em geral no Brasil. Durante a gestão, Celso Nucci, Rodrigo Savazoni, Bruno Vichi e outros estudaram o assunto com disciplina. Começamos a pensar algumas propostas para o setor e, quando o Ministério da Cultura lançou a idéia de realizar o Primeiro Fórum Nacional de TVs Públicas, entramos de cabeça. A coordenação de quatro dos oito grupos temáticos que trabalharam na fase preparatória do Fórum, ao longo do mês de dezembro, reunindo mais de setenta especialistas do país inteiro, ficou a cargo de gente da Radiobrás. Em maio de 2007, o Fórum propriamente dito aconteceu, no Hotel Nacional em Brasília, com centenas de participantes. Na cerimônia de encerramento, no dia 11 de maio, na presença do presidente da República, o presidente da Abepec, Jorge da Cunha Lima, leu um manifesto assinado por todos os presentes em defesa de televisões públicas "independentes, democráticas e apartidárias". Foi um bom passo, principalmente quando se leva em conta a tradição governista da maioria dessas televisões. Mas ainda faltava muito.

A necessidade de emissoras de rádio e televisão públicas, não comerciais, nunca foi bem compreendida no Brasil. Mesmo depois do que fizemos na Radiobrás. Dizer que a sociedade democrática precisa de um padrão equilibrado de comunicação social, que estimule a pluralidade de fontes, a diversidade cultural e regional, resguardando a convivência de múltiplas vozes, é mais ou menos como falar grego. Não há acúmulo, não há massa crítica para que se compreenda a razão pela qual o país precisa da presença de uma radiodifusão pública ao lado da radiodifusão comercial.

O Brasil não tem um padrão equilibrado para a radiodifusão, seja em rádio ou em TV. Os veículos comerciais parecem preencher todos os vazios. Os veículos de comunicação pública, quando existem, são minoritários e cabisbaixos. Na média, padecem cronicamente de má gestão. Ora, para que o espaço público — atualmente mediado pelos meios eletrônicos, cuja presença se tornou mais forte e mais central que a dos meios impressos — respire valores pluralistas, é preciso que exista uma convivência saudável entre o sistema público, não comercial, e o sistema privado, comercial por definição. As democracias européias, a americana, a canadense, entre outras, têm em comum o respeito a essa convivência, embora as soluções nacionais guardem muitas diferenças entre si.

Para os brasileiros, a discussão parece inócua, ou mesmo extraterrestre, porque aqui televisão comercial virou sinônimo de televisão. Dizer televisão comercial é como cair num pleonasmo. É muito difícil para o telespectador médio visualizar o que seria uma televisão não comercial, assim como é quase impossível para um ouvinte médio descrever como deveria funcionar uma rádio pública. O público não dispõe de referências, de vivência para esse exercício.

A radiodifusão comercial e a radiodifusão pública deveriam ser vistas como complementares. A primeira se organiza de acordo com os parâmetros dados pela publicidade, o que impõe aquele seu ritmo repartido pelos intervalos comerciais e que, num plano mais profundo, acaba por incidir na própria definição dos gêneros de programas. Os índices de audiência exercem uma forte pressão sobre os critérios da grade — mecanismo que não é moralmente bom ou ruim, mas apenas condizente com a natureza comercial da atividade. Já a comunicação pública, quando bem administrada, privilegia outras referências e outros critérios. Em lugar da audiência — que não deve ser desprezada, mas pode ter seu peso relativamente atenuado —, adotam-se critérios como a difusão da cultura e da educação, a experimentação estética, a função didática e formativa, a oferta mais ampla da informação de interesse público. Uma emissora pública que consiga difundir um conteúdo informativo ou ficcional a públicos que, de outro modo, dificilmente teriam acesso a esse bem cultural pode se considerar justificada, ainda que, naquele horário específico, não atinja níveis elevados de audiência. Se souber cultivar sua identidade essencial, a comunicação pública poderá, aí sim, ser vista como indispensável — e poderá, em muitos momentos, competir pelos melhores índices de audiência, ainda que não seja esta a sua finalidade primordial.

As vocações das emissoras públicas e das comerciais, sendo diferentes, determinam diferenças no ritmo, no repertório e na estética de cada uma. As primeiras não estão obrigadas a adotar intervalos comerciais, não fazem merchandising e também não deveriam veicular publicidade ordinária — apenas mensagens institucionais de apoios culturais, o que lhes permitiria uma grade totalmente distinta. Podem prover o espaço público de conteúdos que não são economicamente sustentáveis e que nem por isso deixam de ser relevantes. De outra parte, não há democracia sem a existência de veículos comerciais independentes do governo e influentes.

A sociedade precisa contar com os dois sistemas de radiodifusão: o público e o comercial. Ambos se complementam como dois pratos de uma balança, um servindo de contrapeso ao outro. A saúde do espaço público democrático depende dessa complementaridade. Para chegarmos lá, entretanto, ainda falta muito. Falta-nos, para início de conversa, clareza: clareza entre os próprios administradores da comunicação pública. Em sua infra-estrutura, as emissoras públicas ainda formam um conjunto débil, pulverizado e desorganizado, desprotegido diante de uma comunicação comercial acachapante e acaba ditando a forma do discurso televisivo e do discurso radiofônico. Sem uma noção profunda do seu lugar no espaço público, eles ainda pecam por imitar a comunicação comercial, como se padecessem de um complexo de inferioridade.

Só a partir dessa clareza as emissoras públicas já existentes terão uma gestão competente e emancipadora — e só aí a sociedade saberá exigir o que mais nos falta: um novo marco legal para o setor. Para que a radiodifusão pública possa ajudar no equilíbrio no espaço público, o Brasil necessita, além de boas gestões, de uma lei geral de comunicação que corrija os anacronismos e as omissões que persistem no Código Nacional de Telecomunicações, um texto dos anos 1960 ainda em vigor.

Ao novo código caberia fixar regras de competição comercial na área, com limites para a propriedade cruzada dos meios de comunicação — o controle, por uma mesma empresa ou por um mesmo grupo empresarial, de veículos impressos e de radiodifusão, de grande audiência, na mesma área geográfica — e para outras formas de concentração que prejudicam a livre concorrência. Essas duas limitações existem há décadas nos marcos regulatórios das democracias mais estáveis, mas nunca foram levadas a sério pelos legisladores brasileiros. De uma nova legislação viriam também os parâmetros para o funcionamento da comunicação pública em nível nacional.

Essa medida é urgente. O Brasil entrará na era da TV e do rádio digitais sem ter resolvido temas como esses, que, nos países desenvolvidos, já se encontram, há tempos, equacionados, ainda que não congelados, pois estão em constante evolução. Só a partir daí o lugar da radiodifusão pública estará definido, regulado e assegurado.

* * *

Enquanto a lei geral não vem, improvisa-se no limbo, com desvantagem para a comunicação não-comercial. A Constituição Federal, em seu artigo 223, fala em complementaridade dos sistemas privado, público e estatal. Quanto ao que o primeiro representa, não cabem dúvidas: trata-se daquele que é propriedade de particulares, que tem por objetivo o lucro, e, por fonte de receita, a publicidade. O limbo se insurge no que se refere aos outros dois. E já começa na própria Constituição, que institui os sistemas estatal e público de radiodifusão sem indicar uma distinção mínima entre ambos. Prossegue na ausência de lei complementar para organizar a matéria. Poucos são os estudiosos que sabem fazer uma distinção sensata entre o que é o sistema estatal e o público. No vazio legal, o senso comum dos profissionais — e dos políticos — da área consagrou o maniqueísmo estapafúrdio de que a comunicação estatal é aquela que "defende o ponto de vista do governo" e a pública é aquela que "dá voz à sociedade". Não é nada disso, mas o senso comum prevalece.

Nenhum órgão de radiodifusão sob gestão do Estado pode virar defensor de um "ponto de vista" em detrimento de outros pontos de vista, mesmo que seja o ponto de vista do presidente da República. Quem oficialmente defende governos são os porta-vozes, os ministros, a base de sustentação ao governo no Congresso. Aos meios estatais de radiodifusão cabe entrevistar as fontes que falam pelo governo — e não assumir para si a fala que deve ser das fontes. Os meios estatais não podem tomar como seus os pontos de vista do governante porque não pertencem ao governante, na exata medida em que o Estado não pertence ao governante ou, se preferirem, pela mesma razão que Estado e partido — ou coalizões partidárias, envolvendo mais de um partido — são entidades que o gestor público tem o dever de separar.

Os meios estatais não têm, não podem ter e não podem abraçar "ponto de vista". Os meios estatais são públicos, por definição, o que quer dizer que não pertencem mais a uns, que apóiam o governo, do que a outros, que não o apóiam. Não se pode admitir, sob nenhuma justificativa, que um lápis, uma impressora, uma ambulância ou um canal de TV do Estado não sejam administrados com critérios impessoais. Não se pode admitir que se subordinem a "pontos de vista". O que é estatal, ora essa, também é público — obviedade que parece ter sido esquecida. Em matéria de comunicação pública, não pode haver dúvidas, o estatal deve ser entendido como uma subcategoria do público, ou seja: embora nem tudo que é público seja estatal, tudo o que é estatal só pode ser público.

Quanto à opinião de que a comunicação pública, *stricto sensu*, não estatal, daria mais voz à sociedade, o que existe aí é um sofisma cuja intenção é demonizar o estatal, que teria de nascença a sina governista, e santificar o "público", que jamais cairia em tentação. As coisas não são assim necessariamente. Ocorre que na gestão costumeira dos órgãos de comunicação do Estado brasileiro, os dirigentes são indicados e demitidos, a qualquer tempo, diretamente, pelos chefes dos poderes da República — o Executivo, o Legislativo (que controla a TV Senado e a TV Câmara, entre outras) e o Judiciário (TV Justiça). Em razão disso, supõe o senso comum que os chefes dos poderes teriam a prerrogativa de fazer gato e sapato dos meios públicos sob sua alçada. Não é verdade nem poderia ser verdade. Ainda que nomeados pelos chefes dos poderes, nenhum dirigente de órgão público tem mandato para promover as autoridades ou as teses que atendam aos interesses da autoridade, o que configuraria uma afronta aos princípios constitucionais da impessoalidade, da moralidade e da legalidade.

O fato de um servidor passar pela indicação dos poderes da República não faz dele um jagunço verbal dos que o nomearam, embora a atitude explícita de servidão dos nomeados ainda seja o modelo. Basta verificar o que se dá em outras áreas. O procurador-geral da República ou os ministros do Supremo Tribunal Federal são indicados pelo presidente da República e aprovados pelo Poder Legislativo e nem por isso são serviçais de um ou de outro. Quando abaixam a cabeça, traem os ideais dos postos que ocupam e ferem a lei.

Não se pode mais conviver com a suposição de que o Estado pode se prestar a abrigar cabos eleitorais com roupagens de servidores públicos. Há, claro, problemas graves com os órgãos estatais de comunicação, que ainda não mereceram um tratamento menos paroquial da administração do Estado — eles deveriam desfrutar de mais autonomia gerencial, e seus dirigentes deveriam ter mandato fixo —, mas o fato de serem indicados pelo presidente da República ou pelo presidente da Mesa do Senado não significa que carreguem o propósito de praticar desmandos.

As emissoras estatais são estatais porque são de propriedade do Estado, diretamente, e, por isso mesmo, estão ainda mais obrigadas que as outras aos princípios constitucionais. Devem dar o exemplo. Imaginar que elas, porque estatais, sejam governistas, é conceder ao patrimonialismo. Essa mentalidade precisa ser superada o quanto antes.

Já as emissoras ditas públicas, não-estatais, pertencem, em geral, a uma associação, a uma fundação, enfim, não são de propriedade do Estado. São, porém, regidas por regras públicas. Normalmente, elas têm os seus dirigentes aprovados por um conselho cuja maioria é formada de representantes da sociedade — governos podem até indicar alguns membros do conselho, mas o bom senso recomenda que os representantes do Executivo não constituam maioria. Temos pelo menos uma televisão no Brasil que pode ser chamada de pública: a TV Cultura de São Paulo, que pertence à Fundação Padre Anchieta, cujo Conselho Curador passei a integrar, como membro eletivo, a partir de maio de 2007. O conselho, com um total de 47 integrantes, tem membros natos, como os reitores das universidades estaduais, e 23 membros eletivos, ou seja, eleitos pelo próprio conselho, com mandato de 3 anos. A maior fatia do seu orçamento vem do governo do estado, mas, nela, o presidente executivo não é posto ali pela vontade do governador; ele é eleito pelo conselho e exerce um mandato com prazo preestabelecido.

Isso não garante, porém, que numa TV formalmente pública as vozes dos movimentos sociais ou dos cidadãos aparecerão mais do que poderiam aparecer numa TV estatal. Também não garante que uma TV pública não sofra pressões governamentais, por meio de constrangimentos políticos ou chantagens orçamentárias. Elas sofrem pressões e por vezes, muitas vezes, cedem a elas. Sem esforço, qualquer observador vai encontrar emissoras formalmente públicas que, em determinados períodos, têm uma programação mais chapa-branca do que alguns canais estatais. Afora o regime de propriedade, portanto, a distinção entre as públicas e as estatais se refere mais à forma de gestão, e menos ao conteúdo, se mais ou menos governista. Quanto a isso, é bom não esquecer que, com freqüência, emissoras comerciais põem no ar noticiários que ganhariam todos os campeonatos de notícia chapa-branca. Ou seja, se o grau de governismo fosse critério para separar o que é estatal do que é público, alguns telejornais de redes privadas ganhariam fácil, ao menos em alguns períodos, o título de TV estatal, à frente de todas as demais.

Quanto ao financiamento, não há uma distinção que possa ser considerada central. Em ambas, as públicas e as estatais, os recursos públicos — ou aqueles garantidos pelo ordenamento público, como a imposição de lei que obriga que cada lar com televisão pague uma taxa anual para a televisão pública, como acontece, por exemplo, no Reino Unido — devem responder pela maior parte das receitas. Nem as emissoras públicas nem as estatais devem ser financiadas pelo mercado publicitário, embora alguns países, como o Chile, apostem nessa solução. Quando vivem de anúncios, os canais públicos são levados a competir com os comerciais e se tornam esteticamente parecidos com eles, o que termina sendo um mau negócio para a sociedade. Se um país tem canais públicos que se igualam aos comerciais, esse país, na prática, não tem canais públicos.

* * *

Uma das origens do mal-entendido, dessa verdadeira doença cívica de acreditar que as emissoras estatais existem para fazer propaganda das autoridades, talvez remonte à chamada comunicação institucional, bastante adotada no Estado brasileiro. Como se sabe, institucional é aquela forma de comunicação que promove não exatamente as pessoas, mas a instituição à qual está vinculada. No Brasil, os canais estatais institucionais mais conhecidos são a TV Câmara, a TV Senado e a TV Justiça. Os três cumprem, ou pelo menos deveriam cumprir, o papel de dar transparência ao funcionamento das respectivas casas, mas sua finalidade precípua, ainda que não declarada, é promovê-las institucionalmente. Em outras palavras, a finalidade de dar transparência está subordinada a finalidade de promoção.

Isso não quer dizer que sejam canais partidários. Neles, a possibilidade do vício do partidarismo é relativamente remota. Na TV Câmara, por exemplo, dificilmente um único partido, ou mesmo um grupo de partidos, obterá o controle pleno do conteúdo; a convivência entre as diversas siglas partidárias produz um ambiente plural que naturalmente aciona alarmes e freios contra o desvio do partidarismo, de tal forma que todos os parlamentares obtêm espaço, ainda que exíguo, para se expressar. O risco mais sério da comunicação institucional de Estado, tal como ela vem funcionando no Brasil, aparece não no partidarismo, mas no corporativismo. Quando entram em jogo as causas corporativas da instituição, aí a distorção aparece. É preciso cuidado com essa questão. Se levado ao limite, o espírito corporativo pode se converter numa força contrária ao interesse público.

Embora, como instituições sob controle do Estado, esses canais integrem o amplo universo da comunicação pública, eles não se dedicam prioritariamente aos interesses e aos direitos dos cidadãos. Por mais que prestem serviços e que sejam úteis à sociedade, buscam, antes, projetar a boa imagem da instituição a que servem. Há diversas provas disso na programação, e talvez convenha lembrar aqui um desvio corporativo reincidente. Em períodos eleitorais, deputados e senadores candidatos à reeleição costumam ter, nos canais das suas casas legislativas, uma exposição que lhes dá vantagens eleitorais sobre os candidatos que ainda não exercem mandato. Sob o pretexto de retratar a atividade da casa, a TV Câmara, a TV Senado e suas congêneres nos estados às vezes transmitem pronunciamentos dos parlamentares que tentam se reeleger e, com isso, desequilibram, talvez involuntariamente, aquilo que a própria lei tenta resguardar quando impede, entre outras práticas, que candidatos tenham programas de rádio ou de televisão durante o período eleitoral.

A radiodifusão institucional nesses moldes, infelizmente, é uma das formas possíveis da comunicação estatal. Terá de se aperfeiçoar, livrando-se progressivamente do corporativismo. O que interessa observar, no entanto, é que nem mesmo ela, por maior apoio que encontre entre deputados e senadores de todas as correntes, pode se arvorar a "defender pontos de vista" de uma parte do espectro partidário em detrimento de outra parte. Nem mesmo essa comunicação institucional que abraça causas corporativistas tem se rendido à prática do partidarismo deslavado, como faziam — e ainda fazem — emissoras estatais ou aquelas aparentemente públicas em vários cantos do país em favor do Poder Executivo. O partidarismo — ou o governismo, que, com colarinhos e gravatas de oficialismo, continua sendo uma forma vil de partidarismo — é inaceitável até na comunicação institucional de Estado.

* * *

A comunicação institucional está em toda parte, é verdade. É uma das formas preferenciais de difusão de conteúdos. Empresas privadas fazem comunicação institucional. Igrejas também. A Nasa faz comunicação institucional. Sindicatos e centrais sindicais, igualmente. A Câmara, o Senado, o Supremo Tribunal Federal, a Assembléia Legislativa de São Paulo, a Câmara Municipal de São Paulo e outros órgãos públicos também fazem, com o privilégio de terem para si, e só para si, canais de rádio e televisão. Às vezes, canais abertos.

O que distingue a comunicação institucional, pública ou privada, é que, nela, o sujeito que fala se confunde com o sujeito de quem se fala. Mais que se confundirem, ambos são o mesmo sujeito. Na TV Câmara, na TV Senado ou na TV Justiça, o autor do relato informativo e a fonte da informação constituem a mesma pessoa jurídica: a própria instituição da Câmara. Não há uma separação formal, oficial, nem mesmo prática, entre o canal que comunica e o órgão sobre o qual ele comunica. A TV Senado, que informa sobre o Senado, é subordinada diretamente à Mesa Diretora do Senado, como um departamento interno qualquer. É, enfim, o Senado falando sobre o Senado, mas de um jeito disfarçado, encenado, como se ali o Senado fosse observado e reportado por um narrador independente.

Com freqüência, esses canais se afirmam como jornalísticos. Na verdade, não o são, por mais que prestem informações com valor jornalístico. Não pode haver jornalismo se a pessoa que escreve a notícia e a pessoa que é fonte da notícia constituem a mesma pessoa. Não há, aí, o distanciamento material e formal que é precondição para que se instaure o relato jornalístico. Não há o enunciador do discurso jornalístico se ele não se emancipa de seu objeto e de sua fonte. Exatamente por isso, a comunicação institucional estatal, por mais que ajude a dar transparência ao funcionamento do poder a que se vincula, não pode ser concebida como uma força a serviço incondicional da transparência. O que se dá é bem o contrário: a transparência é um pequeno tributo que ela paga para credenciar-se em sua função de alto-falante a favor dos interesses do órgão, interesses corporativos inclusive, com a finalidade de espraiá-los por sobre a opinião pública. Eles não servem à opinião pública. No limite, trabalham para dela se servir.

Se levarmos o raciocínio um pouco mais longe, não será difícil concluir que o cidadão tem o direito de acompanhar as sessões dos parlamentos e dos tribunais por meio de um serviço que guarde compromisso com ele, cidadão, e não com as autoridades que comandam essas casas. O ideal seria que esse direito fosse atendido por organismos de comunicação com gestão independente desses mesmos poderes. Nessa matéria, o Brasil estaria mais bem servido se tivesse um só canal estatal, ou grupo de canais (o que será possível com a TV digital), para cobrir os poderes da República, mas com gestão independente. Como isso não parece estar no horizonte, ainda, deve-se considerar a comunicação institucional uma modalidade à parte, uma exceção, dentro do universo da comunicação estatal. Deve-se, também, torcer — ou colaborar — para que ela mude.

* * *

A Radiobrás, antes e durante a minha gestão, tinha alguns de seus pilares alicerçados perigosamente no mesmo limbo. A NBr, canal encarregado de comunicar os atos do Poder Executivo, saltava como o exemplo mais gritante: fazia comunicação institucional a serviço do governo, embora exibisse programas e noticiários produzidos segundo critérios jornalísticos, dentro de emissoras que nada tinham a ver com a comunicação institucional. Era uma situação difícil, mas, no nosso caso, não era incontornável. Conseguimos conviver com ela e até demarcar pequenos avanços. Como a Radiobrás, até o final da minha gestão, era uma empresa pública de direito privado, não integrando, portanto, a administração direta — à qual pertencem os ministérios e as secretarias da Presidência da República —, tinha pequenas, mas cruciais, diferenças em relação às emissoras de comunicação institucional dos outros poderes. Nela, a pessoa do funcionário da empresa não se confundia com a pessoa que era a fonte da informação em nome do Poder Executivo. Havia, ali, ao menos formalmente, a separação entre o autor do relato, o objeto do relato e a fonte da informação que aparecia no relato. Mesmo assim, a NBr não podia ser definida como um canal jornalístico. No conteúdo e na prática, ela era e continuou sendo um canal de comunicação tipicamente institucional, a serviço do Executivo Federal. O melhor que conseguimos ali foi impedir, dentro dela, a prática do partidarismo ou do governismo.

Também em sua composição institucional, a Radiobrás padecia de ambigüidades indesejáveis. De um lado, tinha um bom grau de autonomia formal. De outro lado, ainda era, senão controlada, ao menos indiretamente controlável pelo governo, que nomeava seus diretores e seus conselheiros a qualquer tempo. Pior ainda, o governo podia contingenciar seus recursos orçamentários de uma hora para outra.

Com pelo menos um veículo claramente institucional, a NBr, convivendo lado a lado com outros tipicamente públicos e não-governamentais, como a TV Nacional ou a Rádio Nacional do Rio de Janeiro, a Radiobrás era o que já sabíamos desde o início: uma solução híbrida demais. Antes do final da minha gestão, eu lançaria a proposta de dissolvê-la dentro de uma outra instituição, esta, sim, verdadeiramente pública.

O Estado brasileiro ainda convive com ferramentas de comunicação concebidas sob as doutrinas autoritárias que governaram o país durante longos períodos do século XX. Essas ferramentas permaneceram e se converteram com ardor à lógica privada do marketing eleitoral e das promoções de fundo corporativo. A combinação das ferramentas de autoritarismos ultrapassados com os requintes da publicidade ultramoderna é ainda a forma predominante da comunicação pública a que se chama de institucional. Antes, governar era sinônimo de fazer obras monumentais. Mais recentemente, governar parece ser sinônimo de fazer propaganda de obras, sejam elas grandes, pequenas ou simplesmente inexistentes. Antes, a corrupção caminhava preferencialmente pelos tentáculos das empreiteiras. Depois, ela passou a se mover também, alternativamente, pelas agências de propaganda. Não raro, por dentro do Estado.

CAPÍTULO 23

Roda-gigante

Brasília, quando entra setembro, ensurdece. A primavera começa a pinicar os canteiros da Asa Sul, com as cigarras, horrendas, decompondo-se nos troncos, zumbindo, apitando. A roda das estações do ano, em Brasília, tem esse marco sonoro que queima o cérebro da gente: em setembro, a cidade zune.

Depois das cigarras, mais um ou dois meses e começam a chegar os mendigos, que acampam nos vazios das superquadras, cozinham em latas ao lado da igrejinha da 308, avolumando-se para pedir esmolas com a proximidade das festas natalinas. Enquanto isso, os deputados rareiam; só voltarão mesmo depois do Carnaval. Aí as chuvas cessam, chega a seca, vêm as férias de julho e, então, as cigarras outra vez. A gente mal vê o tempo passar. Apenas ouve.

No Planalto Central, o tempo cíclico da natureza, que se confunde com as estações do ano, soma-se a um outro tempo cíclico, de arco expandido: o tempo cíclico da política, que dá uma volta completa a cada quatro anos. De dois em dois, abrem-se as temporadas eleitorais: primeiro as municipais, depois as presidenciais. Ninguém vota para prefeito ou vereador em Brasília, mas a cidade sente as eleições municipais quase como sente as presidenciais porque, numas e noutras, quando entra julho, os políticos revoam, indo despachar com seus assessores em suas plagas de origem. Só não deixam o Plano Piloto às moscas porque o deixam às cigarras que virão, sibilando sem ter a quem incomodar, a não ser a mim.

A cada termo de quatro anos os ocupantes dos apartamentos se revezam e os corretores imobiliários se assanham. Os blocos das superquadras do Plano Piloto não trocam de pele, mas de conteúdo. Os vizinhos se vão, uns parlamentares perdem cadeiras, os aspones cinzentos são atirados pelas janelas, as amantes perdem seus namorados, os lobistas vão ter de se declarar eternos admiradores de gente que eles não conheciam, esquecendo numa virada de mês aqueles outros a quem tinham jurado admiração infinita e que passarão a nunca ter admirado jamais. A terra se revolve e nada permanece, nada: nem os lobistas, que terão trocado de discurso para não trocar o hábito, nem os motoristas, que terão trocado de chefe, nem as cigarras, que trocaram de pele e morreram, nem os mendigos que, voltando sempre à mesma cidade, voltam a uma cidade mudada a pelo menos cada quatro anos. Como a cidade é outra, com outros padrões de interpelação entre seus sujeitos itinerantes, nem os mendigos são os mesmos.

* * *

Antigamente, quando não havia arranha-céus e o avião era artigo escasso, um menino que andava de roda-gigante pela primeira vez, se não estivesse paralisado de medo, experimentaria o deslumbramento ao ver sua cidade ao redor por ângulos inesquecíveis. Os telhados vistos do alto, o muro intransponível ficando para baixo, a vizinha recolhendo roupa do varal justo no domingo, olha lá onde as ruas se acabam. O mundo não tinha sido feito para ser visto daquele modo e, no entanto, lá estava ele, aberto inocentemente, uma toalha estendida sem segredos. A experiência de sair da roda-gigante era banal e também cruel. A criança olhava para trás e percebia que ela continuava lá, imperial e impassível, enquanto ela, criança, tinha passado por uma revelação que a transformara até o fundo. A passagem pela roda-gigante era um encontro desigual. O menino se apaixonava perdidamente pela roda-gigante, e esse amor não era correspondido.

A gente desce de Brasília como se ela fosse a roda-gigante, mas não se sai de Brasília apaixonado por Brasília. O ponto é outro. A permanência ali, durante o giro completo desse tempo cíclico que mescla a natureza à política, permite uma infinidade de miradas para o país, para as muitas formas de vidas que aí se embrenham. A roda gira, o seu panorama se amplia, você sente que os limites se esmaecem, você vê os de cima pelo alto, o país segue seu curso. A idéia de que é possível atuar sobre a sociedade e sua história se apresenta em toda a sua magnitude e em toda a sua precariedade de uma única vez. Depois de descer de Brasília, você sabe que o Brasil é outro bicho. Você pode contemplá-lo, pode tocá-lo, pode ajudar a melhorá-lo, mas, para sorte de todos, o fundamental do Brasil é maior que qualquer governo. A suposição de que um governo deva comandá-lo chega a ser insultuosa. Nada é mais antipúblico no homem público do que tentar imprimir sobre a coisa pública a sua suposta marca pessoal.

* * *

Quando devolvi meu cargo ao presidente Lula, sabia que a minha volta chegara ao fim. Era tempo de sair, mas sair direito, por vontade própria, a passos lentos, com tempo de dizer até logo ao rapaz da portaria, sem esquecer a escova de dentes no armarinho do banheiro da repartição. Acho que essa é a obra mais difícil de se realizar ao longo de um governo: sair bem.

Claro que eu também, como os mendigos, era um personagem tornado outro. Era o mesmo sem mais ser o mesmo. O que eu tinha percorrido me redesenhara. Quando me levantei para sair, estava preparado para deixar no passado o que durante muito tempo era tudo o que eu via à minha frente. Voltava em mim a lembrança da noite não-dormida no quarto da Academia de Tênis, úmido, maciçamente úmido, quatro anos antes, na véspera da minha posse. Foi quando tive contato com o temor inocente das dificuldades que teria de enfrentar: em 2003 eu acreditava que as minhas assombrações vinham dos obstáculos futuros que deveria vencer. Não era nada disso. Em 2006, passados quase quatro anos, eu chegava a rir daquele medo antigo.

Engraçado: atravessei e gostei muito de ter atravessado aquilo que eu temia — ou pensava que temia. Cada pedaço. O caminho me ensinou que a razão dos meus temores não eram os desafios que se iniciavam, as ameaças, as barreiras, a opinião geral de que nosso projeto era impossível, mas a desconfiança de que o meu destino não me pertencia, uma sensação ainda não consciente. Em 2003, eu não tinha escolha: tinha de estar ali, naquela hora, porque eu era parte inseparável daquela fila, daquele rio de gente desaguando em festa em Brasília, talvez imbuído de arroubos de grandeza, como se acreditasse que a roda-gigante fosse levantar um vôo apoteótico, feito nave espacial em filme americano, um vôo definitivo, arrasador, com todos eles ali dentro. Eu pertencia àquilo tudo e era devedor daquele pertencimento. Não havia alternativa. Isso, sim, era apavorante, mas, naquela noite, em 2003, eu não tinha como enxergar e sequer tinha como admitir. Ainda bem que cumpri o ciclo.

* * *

Acho que só em 2004, ali pela metade do ano, eu comecei a entender melhor, se é que entendi. O cerco se fechava. Houve ocasiões em que me vinha o desânimo dos derrotados. Minha disposição cambaleava. A rotina me oprimia. Aquela história de foco no cidadão, de jornalismo objetivo, pensei em desistir. Aquilo não tinha cara de que fosse dar certo. Eu chegava em casa à noite e largava a pasta numa tábua estreita e comprida, de quatro metros, que parafusei numa das paredes do quarto, pouco acima do rodapé, para deixar uns livros descansando. Ia para a sala ainda pensando que aquela tábua tinha ficado bem ali no quarto; era bonita. Via um pouco da novela das oito, ao lado dos meus filhos, e me reconectava com a realidade brasileira, com as banalidades que de fato ocupavam a imaginação da pátria. Comecei a caminhar pelas manhãs, ao longo de um trecho da Asa Sul. Conheci de perto as cigarras, os mendigos, as calçadas esburacadas, milimetricamente esculpidas para a gente tropeçar e se estatelar adiante, esfolando a barriga. Nos melhores tempos, cheguei a correr cinco quilômetros. Expulsei de mim uns quatro quilos que, na outra estação, lutariam para recobrar o que era deles.

Eu seguia assim, seguia para não parar, quando veio junho de 2005 e, com ele, o horror. Todos os dias o abominável era noticiado. O que não tinha jeito de piorar se degradava. As denúncias de corrupção explodiam no meio da rua ou na cozinha de qualquer um, como num jogo hiper-realista de Batalha Naval. Ministros caíam como abacates. O nível moral dos fatos escorria para baixo, rumo ao nonsense. No dia 8 de julho de 2005, um assessor parlamentar de um deputado petista do Ceará foi preso no aeroporto de Congonhas com duzentos mil reais em dinheiro vivo, dentro de uma valise, e mais cem mil dólares presos ao corpo, embaixo da cueca. Naquela noite, vendo os telejornais, o país virou a chave da tragédia para a comédia e começou a gargalhar. Mais tarde, numa garagem de prédio, vi de longe uma grande amiga, ela também servidora do governo. Fui me aproximando para dar boa noite e pedir amparo e ela destampou a chorar alto, sem conseguir parar. Havia um bueiro se exumando à nossa volta. A gente tinha vergonha de se olhar no espelho.

Amigos me ligavam, insistindo para que eu saísse de Brasília. Eu quase concordava com eles. A sensação de que tinham emporcalhado um projeto coletivo era pesada demais para suportar — e enigmática demais para romper com ela sem tentar decifrá-la. Era preciso entender melhor o que se passava. Estávamos todos ultrajados, paralisados. Tínhamos sido traídos, mas não havia como nos declarar traídos. Foi então que, no dia 12 de agosto de 2005, uma sexta-feira, com o ministério reunido à sua frente, o presidente Lula fez um pronunciamento à nação, transmitido ao vivo pela televisão, e declarou que se sentia traído:

Companheiros, ministros e ministras,
Estou consciente da gravidade da crise política. Ela compromete todo o sistema partidário brasileiro. Em 1980, no início da rede-

mocratização, decidi criar um partido novo que viesse para mudar as práticas políticas, moralizá-las e tornar cada vez mais limpa a disputa eleitoral no nosso país. Ajudei a criar esse partido e, vocês sabem, perdi três eleições presidenciais e ganhei a quarta, mantendo-me sempre fiel a esses ideais, tão fiel quanto sou hoje. Quero dizer a vocês, com toda a franqueza, eu me sinto traído. Traído por práticas inaceitáveis das quais nunca tive conhecimento. Estou indignado pelas revelações que aparecem a cada dia, e que chocam o país. O PT foi criado justamente para fortalecer a ética na política e lutar ao lado do povo pobre e das camadas médias do nosso país. Eu não mudei e, tenho certeza, a mesma indignação que sinto é compartilhada pela grande maioria de todos aqueles que nos acompanharam nessa trajetória. Mas não é só. Esta é a indignação que qualquer cidadão honesto deve estar sentindo hoje diante da grave crise política. Se estivesse ao meu alcance, já teria identificado e punido exemplarmente os responsáveis por esta situação.

Eu ouvia o presidente pela TV, pensando sozinho: "Se ele, que é ele, se sente traído, como é que eu devo me sentir?" Ao final do discurso, ele falou em desculpa:

Eu não tenho nenhuma vergonha de dizer ao povo brasileiro que nós temos que pedir desculpas. O PT tem que pedir desculpas. O governo, onde errou, tem que pedir desculpas.

Não sei dizer com precisão, mas, naquela hora, deve ter me passado pela cabeça que o presidente se dirigia também a mim. Gostei de ouvi-lo dizer que o PT devia desculpas à sociedade. Continuei colado na TV e comecei a me sentir descolado de Brasília. Não era bem traído que eu me sentia, mas expulso, expelido, desconvidado, intimado a me retirar. O sentido da minha presença ali se esvaziara. Cheguei a tomar uma decisão intuitiva de partir. E quase parti.

Quase. Um sentimento me segurou. Ou mais de um. No começo, era um sentimento indefinido, a que eu atendi sem racionalizar. Eu tinha um trabalho do qual queria tomar conta, e não iria abandoná-lo às hienas, aos oportunistas reconvertidos à utilidade pública da *Voz do Brasil,* aos cabos eleitorais transformados em assessores de luxo que, com seu vocabulário de meia dúzia de expressões de esquerda, apenas reafirmavam o mais arcaico dos patrimonialismos. Para eles eu não entregaria o que estava sob meu domínio; nem pensar.

No começo, fiquei como um animal acuado. Depois, como um animal humano. Quando me reunia com os jornalistas da Radiobrás, via nos olhos deles a confiança que não era ingênua, mas era mais verdadeira que a própria ingenuidade. Eles dependiam da minha presença para prosseguir e só o que almejavam era prosseguir. Eu não iria rifá-los. Dia após dia, fui entendendo melhor o que tinha me segurado ali.

Em primeiro lugar, eu fiquei por lealdade aos meus subordinados. Eles tinham se comprometido comigo, e não havia hipótese de eu me demitir sem avisá-los com alguns meses de antecedência, para que se planejassem. Abandonar o barco seria mudar de papel: de mais que traído, eu passaria a mais que desertor. Em segundo lugar, fiquei porque me convenci de uma verdade elementar: se alguém tinha que cair fora, esse alguém não era eu. Se eu saísse, talvez pegasse o mesmo avião dos demitidos por justa causa. Eu não tinha errado, não tinha nada a ver com eles. Se eu saísse, enfraqueceria aqueles que, sem saber da podridão, tinham se comportado à altura do bem público.

Foi assim que, sem mudar a certeza de que, mais tarde, eu iria embora — mas numa hora favorável para o governo —, reverti minha decisão imediata. Fiquei, e fiquei com vontade, para valer. Julguei que, ficando, eu ajudaria o presidente, e aquele julgamento me surpreendeu. Eu, que tanto me esforçava para não me confundir com o governo e para impedir que a Radiobrás se visse como governamental, fui tomado por brios em defesa, não exatamente do governo, mas dos princípios que tinham animado eleitores, militantes, servidores públicos — princípios que também eram meus. Com todos os vexames e todas as dores, aquele governo me pertencia, nem que fosse indiretamente. Eu iria ajudar a defendê-lo. Não dos críticos, mas dos vermes.

Eu iria combater por ele, porque iria combater ainda mais os autoritários, os adeptos do obscurantismo, do segredo indevido, das salas trancadas, onde a corrupção se reproduz. A equação começava a se inverter: antes, eu pertencia ao rio de gente que desaguava no poder; agora, aquele rio de gente é que pertencia a mim, sim senhor, e, no que dependesse de mim, o rio não perderia o curso.

Reconheci em mim a fidelidade ao militante estudantil de vinte anos que fui, quando ia de penetra nas assembléias da Vila Euclides, em São Bernardo do Campo, sonhando que um dia os trabalhadores governariam o país e eu estaria junto. Não, eu não era um sujeito neutro. Eu também carregava uma causa: a impessoalidade, o apartidarismo, o aprofundamento da comunicação democrática e do respeito aos direitos dos cidadãos, acima das legendas e dos interesses estratégicos dos grupos políticos. Em nome do que fui aos vinte anos, fiquei para ser ainda mais impessoal, ainda mais apartidário, ainda mais objetivo no cargo que me cabia. Ir embora de repente seria mentir, negar, fingir que não era comigo, e era. Eu não aceitaria sair, por mais que me sentisse desconvidado, expelido, traído. O cenário à minha volta era repulsivo — e ele era meu.

Foi um fenômeno imprevisto: o nojo que eu sentia começou a me revigorar. Quanto mais nojo, mais disposição. No pedaço em que eu trabalhava diariamente, os controles seriam redobrados, a transparência seria obsessiva. Se os ratos agiam no escuro, no lixo, no esgoto, pus iluminação ofuscante por dentro dos becos, fiz a assepsia e a desinfecção dos corredores, dos papéis, dos envelopes. Não iria pular fora, fazendo o número de tiozinho escandalizado. Romper e ir para onde? Para São Paulo, pedir desculpas para os outros tiozinhos? Não. Eu iria até o fim. E fui.

CAPÍTULO 24

Na arena pública

Resistir me fez bem e, no final, até me trouxe um desagravo de foro íntimo. Permitiu que eu fosse à forra. Tive a chance de um segundo embate contra os detratores do projeto àquela altura já instalado na Radiobrás, agora publicamente. Em novembro de 2006, notas de jornais davam conta de que "setores do Partido dos Trabalhadores" reivindicavam a empresa para si. Não reagi e recomendei que meus companheiros de gestão também não reagissem. Era a briga da raia miúda para manter seus empregos ou amealhar meia dúzia de cargos novos para os correligionários. Outros distribuíam documentos reservados nos atacando. Tinham a mesma finalidade, fisiológica. Uns cobravam da Radiobrás que ela produzisse uma "narrativa do governo", quer dizer, narrativa pró-governo, para compensar o que viam como ataques orquestrados da tal "grande mídia". Não percebiam que nos propunham uma conduta claramente irregular, que não havia cabimento na pretensão que expressavam. De novo, nós não reagimos.

No dia 24 de novembro de 2006, dia do meu aniversário, quando completei inadmissíveis 48 anos, surgiu um dado relativamente novo. O professor Bernardo Kucinski, desligado havia quatro meses do governo federal, reapareceu em nosso caminho com um artigo no site "Carta Maior" atacando a Agência Brasil. Os argumentos eram os mesmos que, um ou dois anos antes, já tinham sido invocados por ele mesmo e derrotados pela nossa prática. O dado novo era que, agora, ele falava abertamente. Eu me aborreci, mas depois percebi que aquele ataque foi um senhor presente de aniversário.

277

A partir dele, o debate ganhou os jornais. Sem que eu tivesse calculado, abria-se uma oportunidade para que a Radiobrás esclarecesse o sentido público do que vinha construindo. Nossa primeira decisão foi incumbir Rodrigo Savazoni, chefe da Agência Brasil, de escrever, na mesma "Carta Maior", uma resposta ao professor Kucinski. No texto que foi ao ar no dia 28 de novembro de 2006, Rodrigo repôs a verdade e expôs, de modo definitivo, os fundamentos adotados pela Agência Brasil. O assunto ganhou relativo destaque na imprensa e entrou na ordem do dia de setores do governo e também do PT. A minha ansiedade disparou. Eu me sentia perseguido, injustiçado, quase uma vítima. Acuado, pedia apoio aos amigos, mas não havia outra opção: eu teria de entrar na arena, dar explicações, rebater os golpes. Nós estávamos com a verdade, e aquela era a hora de mostrar.

Alguns postulavam que o governo dirigisse o noticiário da Radiobrás a seu favor. Eu era contra. No dia 27 de novembro, o jornalista Paulo Moreira Leite, de *O Estado de S.Paulo*, publicou uma entrevista comigo. "O governo não pode dirigir o noticiário", eu declarei. "Governo é fonte e alvo de investigação. Deve ser fiscalizado e deve dar respostas." Na quarta-feira, dia 29 de novembro, foi a vez do site do Partido dos Trabalhadores me entrevistar, dando grande destaque à defesa do apartidarismo e registrando a conduta objetiva do jornalismo da Radiobrás. Nas minhas declarações, ressaltei que, nas propostas que saíram do próprio PT para o segundo mandato de Lula, as referências ao jornalismo da Radiobrás, qualificado como "avanço", eram elogiosas.

Na mesma quarta-feira, dia 29, a *Folha de S.Paulo* trouxe outra entrevista, esta concedida a Vera Magalhães. Ela perguntou: "Como o senhor responde à crítica de que a Radiobrás deixou de construir uma 'narrativa própria' do governo Lula?" Eu fui direto:

O que significa "narrativa própria" de governo? Eu não consigo entender o significado dessa expressão. Quem teria — se é que isso seja definível e desejável, porque eu tenho dúvidas — essa incumbência é quem tem a voz do governo. Portanto, quem ocupa postos na administração direta, que é o governo por excelência. Evidentemente que não pode ser o reportariado da Radiobrás o incumbido de tal categoria política cujos contornos eu desconheço.

Nessa mesma entrevista, afirmei que não era tarefa de um governo emitir juízos de valor generalizante sobre jornais e revistas, como faziam os que defendiam um noticiário tendencioso na Radiobrás. "Quem tem de discutir a imprensa não é o governo. A imprensa tem o dever de discutir o governo, mas não o contrário." Claro que, como ressalvei na resposta, cabe sempre ao governante e às autoridades solicitar correções de erros factuais no noticiário, mas a caracterização peremptória sobre a orientação desse ou daquele veículo jornalístico, na boca de alguém que exerce funções de Estado, acaba gerando potenciais conflitos de interesse.

Convém detalhar um pouco o tipo de conflito de interesses que pode surgir quando uma alta autoridade resolve praticar *media criticism* em público. Ao Estado, como se sabe, cabe regular o setor dos meios de comunicação. Qualquer preferência — ou rejeição — manifestada por um governante ou por alguém em seu nome em relação a um ou outro órgão noticioso inspira dúvidas na sociedade quanto à isenção desse governante quando ele for chamado a tomar uma decisão que possa afetar, direta ou indiretamente, o órgão sobre o qual ele opinou. Esse é apenas um dos muitos conflitos de interesse possíveis. Por isso, mesmo sendo atacados cotidianamente pelos jornais, os chefes de Estado e de governo dos países democráticos evitam emitir julgamentos totalizantes, generalizantes, e, quando se pronunciam sobre o tema, cercam-se de cuidados. Debater a mídia, de modo sistemático e persistente, é mais que um direito, um dever da sociedade, dos partidos políticos, dos cidadãos. Quanto mais a imprensa é questionada, melhor ela se torna. Mas os governantes e as autoridades públicas devem se resguardar quanto a isso.

Eliane Cantanhêde, colunista da *Folha de S.Paulo*, voltaria ao tema no dia seguinte, 30 de novembro: "A fala de Bucci é um rasgo de bom senso republicano." Vinicius Mota, colunista do mesmo jornal, também: "Na Radiobrás, [*Bucci*] implantou diversos protocolos de procedimento inspirados nas melhores práticas jornalísticas. Ajudou a arejar, enfim, um rincão da máquina de comunicação federal." O colunista Jorge Bastos Moreno, em seu blog, assumiu a defesa das mudanças da Radiobrás: "Eugênio Bucci tornou a Radiobrás uma empresa jornalisticamente admirável. Claro que, para isso, estimulou uma equipe inteira. A Radiobrás é hoje uma empresa jornalística que goza da maior credibilidade no mercado." No mesmo dia 30, um editorial, "A razão de ser da Radiobrás", de *O Estado de S.Paulo* afirmava:

> Na gestão de Bucci, a Radiobrás ressaltou que a sua razão de ser é veicular "com objetividade informações sobre Estado, governo e vida nacional". (...) A concepção defendida por Bucci representa um avanço mensurável pelas resistências que desperta. (...) Bucci é partidário da tese de que "só há um jeito de corrigir problemas da liberdade de imprensa: é com mais liberdade de imprensa". Permaneça ele ou não na Radiobrás, esse é o espírito que precisa deitar raízes na empresa — e no governo.

No dia 2 de dezembro, um editorial em *O Globo* apontou: "Eugênio Bucci faz uma precisa delimitação de espaços, incompreendida por muitos no governo e no partido." Outra vez na *Folha de S.Paulo*, Fernando Barros e Silva opinou: "O presidente da Radiobrás, Eugênio Bucci, deu algumas lições simples e oportunas de espírito público e compromisso democrático." No mesmo dia 4, em *O Estado de S.Paulo*, Carlos Alberto di Franco escreveu:

> Eugênio Bucci é um profissional sério e competente. Sua atividade à frente da Radiobrás tem sido marcada pelo profissionalismo. Ele procurou implantar na estatal um modelo de jornalismo republicano. Entende que a informação deve ser um serviço público e não uma louvação de governos e, muito menos, de partidos.

O professor Carlos Chaparro, mais de uma vez, entrou no debate em sua coluna no site "Comunique-se". Em uma delas disse que "a Radiobrás assumiu e cumpre o compromisso público de respeitar a verdade dos fatos, com objetividade e apartidarismo".

No dia 7 de dezembro, fui homenageado pela Associação Brasileira de Comunicação Empresarial (Aberje), em São Paulo, com o prêmio de "Comunicador do Ano". Para a ocasião, Gilberto Carvalho, chefe do Gabinete Pessoal do Presidente da República, enviou-me uma mensagem, que foi lida na entrega do prêmio: "O trabalho e a linha adotados pelo presidente da Radiobrás sempre tiveram total apoio do governo e do presidente Lula."

Dentro do PT e do governo, a solidariedade cresceu ao longo do mês de dezembro. No dia 22, uma carta foi encaminhada ao presidente do Partido, Marco Aurélio Garcia:

> Consideramos que foi um grande avanço na primeira gestão do governo Lula a comunicação apartidária implementada pela Radiobrás, baseada no princípio de que a comunicação é um direito público fundamental do cidadão. É de nosso conhecimento e de conhecimento público que o rompimento com a tradição de aparelhamento da Radiobrás, praticado a partir da firme determinação de seu presidente, Eugênio Bucci, foi apoiado durante os quatro anos do governo Lula por estar em sintonia com o projeto democrático e progressista deste governo.

Entre os signatários, estavam os ministros Paulo Vannuchi, dos Direitos Humanos, e Fernando Haddad, da Educação, além dos intelectuais Amélia Cohn, Maria Rita Kehl, Marilena Chaui, Olgária Mattos, Walnice Nogueira Galvão, Dalmo Dallari, Gabriel Cohn, Marco Antonio Barbosa, Paul Singer, Ricardo Azevedo, Ricardo Musse e Sérgio Cardoso, entre outros.

Quando o ano de 2006 terminou, eu tinha comigo um sentimento de gratidão, vasto e reconfortante. Não às pessoas que reconheceram acertos na trajetória da Radiobrás, pois a isso não cabe agradecer.

Era uma gratidão impessoal, não tinha objeto. Era intransitiva. Eu estava grato ao acaso, às contingências que tinham me permitido ficar em Brasília até o fim, porque já não teria mais que provar nada, ao menos por enquanto, e porque aquilo que parecia a muitos um ideal impossível tinha dado certo, ao menos em parte. Eu estava quite. Podia partir.

EPÍLOGO

Próximo!

Numa manhã de abril de 2007, o jornalista Franklin Martins me convidou para uma conversa em sua casa, no Lago Sul. Ele acabava de se demitir do cargo de comentarista político da Rede Bandeirantes para virar ministro. A Radiobrás deixaria de vincular-se à Secretaria Geral da Presidência da República, para pertencer à Secretaria da Comunicação Social, a pasta de Franklin. Era ele quem resolveria a minha saída, mas deixei o assunto para o final. Ele me ofereceu um café, e então eu comecei a falar. Expus a situação da empresa, passei ao novo ministro alguns documentos, entre eles o *Manual de jornalismo da Radiobrás* e fiz uma proposta para o futuro: dissolver a Radiobrás e a TVE do Rio de Janeiro numa só organização, regida pelos princípios públicos de independência financeira, administrativa e editorial.

A idéia talvez parecesse ousada, mas não era produto de um rompante. Passara por uma evolução silenciosa e consistente, num estudo que se estendeu por dois anos, dentro da Radiobrás, conduzido por mim e por Bruno Vichi. Para que ele pudesse conhecer melhor o assunto, entreguei-lhe um caderno de quase trinta páginas, contendo uma exposição de motivos e um projeto de lei. As razões da mudança estavam lá e continuavam valendo. Quanto ao projeto de lei propriamente dito, era até comedido. Estava ultrapassado. Ele fundia os conselhos das duas instituições num único, mas mantinha separadas as estruturas operacionais de cada uma delas. Aquilo tinha sido pensado quase um ano antes, eu expliquei ao ministro, e o quadro atual era diferente. O momento pedia um passo mais radical. Sugeri com insistência que ele acabasse com a Radiobrás e com a TVE. No lugar das duas, o governo deveria criar uma terceira entidade.

Os meus argumentos eram sólidos e tinham sido ainda mais reforçados num novo exercício de planejamento estratégico que tínhamos realizado no final de 2006. Em outubro, pouco antes do segundo turno das eleições presidenciais, tínhamos reunido na Enap a diretoria e mais alguns funcionários da empresa, entre eles o presidente que me antecedeu, Carlos Zarur, quadro de carreira da Radiobrás. O objetivo era atualizar a visão de futuro da organização, definindo caminhos e ações para o desenvolvimento da comunicação pública. Depois de um dia de debates, que tinham sido preparados em três reuniões anteriores, todos concordaram com a necessidade urgente de se promover a fusão da Radiobrás com a TVE.

Até então, a proposta que vínhamos estudando era apenas conhecida pela diretoria. Evitávamos tratar do projeto abertamente por temermos que ele fosse recebido como "um plano expansionista da turma da Radiobrás". Havia também o risco de que os próprios funcionários reagissem mal: o trauma da fusão abrupta com a EBN, em 1988, que gerou centenas de demissões, tinha deixado cicatrizes difíceis. No nosso novo planejamento, porém, a proposta ganhou apoiadores apaixonados, indicando que não haveria traumas. Ao contrário, haveria apoios. Aquele era o melhor horizonte possível para a empresa.

Argumentei com Franklin que a estrada estava aberta. Havia espaço para a mudança. Falei das limitações que sufocavam a Radiobrás, em função de seu regime antigo e enrijecido. Lembrei a disposição dos dirigentes da empresa em abraçar a proposta. Insisti que a fusão integral traria um considerável ganho de escala; a nova organização, maior, com um regime moderno de gestão, seria capaz de produzir mais e melhor e, o que era fundamental, com economia de recursos. Franklin se entusiasmou com a idéia.

Saí da reunião muito otimista. O novo ministro tinha vontade de mudar e de fazer acontecer. Depois da conversa de duas horas, eu soube que ele leu o longo documento e, no dia seguinte, já falava nos jornais sobre a criação da nova instituição, a que escolheu chamar de TV Brasil, aproveitando o nome da nossa TV Brasil – Canal Integración. A Radiobrás, finalmente, iria ser extinta para se dissolver numa outra instituição, melhor do que ela. O momento promissor, contudo, não alterou a minha decisão de sair. Eu apenas esperava que o governo escolhesse o momento mais adequado e me demitisse. O novo ministro, que no início me pediu para ficar, acabou aceitando a minha disposição e soube respeitá-la. Eu iria embora, mas antes firmei um compromisso com ele: mesmo depois de demitido, eu poderia ajudá-lo a preparar a fusão das duas organizações. Após a saída, eu planejava reservar pelo menos quatro meses de quarentena voluntária, embora, no meu caso, a lei não exigisse: não queria — e achava que não devia — voltar a trabalhar no mercado antes de cumprir um período mínimo de afastamento gradual da administração pública. Durante essa temporada, eu poderia, muito bem, apoiar o projeto que estava em preparação. Seria, como foi, uma ajuda informal, sem remuneração e sem vínculos com o governo. Participei de umas poucas reuniões, quatro ou cinco, se tanto, e redigi propostas para o funcionamento da nova entidade que surgiria. Com prazer, assessorei o ministro.

* * *

Uma tarde, quando já estava definido que eu deixaria mesmo a Radiobrás, Franklin Martins me perguntou quem poderia me substituir. "José Roberto Garcez", eu respondi. Não foi difícil sustentar a razão. Era o melhor nome. Gaúcho, do tipo que almoça churrasco diariamente, risonho, ainda que retraído, Garcez viera para a Radiobrás em 2003, depois de ter sido presidente da TVE do Rio Grande do Sul, durante o governo Olívio Dutra. Na primeira vez que nos encontramos, ele me falou de "jornalismo de esquerda", expressão que eu teria pronunciado em outros tempos e que já não me fazia o menor sentido. Acho que quase o atropelei: "Jornalismo de esquerda numa empresa pública? Você consegue definir o que é isso para mim, e como isso seria possível sem partidarização?" Garcez ainda usava um broche vermelho do PT na lapela, coisa que eu já tinha feito antigamente, e que também me incomodava.

Na época desse primeiro encontro, o diretor de jornalismo era Gustavo Krieger, um defensor contumaz do apartidarismo que começava a ser a nossa marca. Conversei com Gustavo e decidimos contratar Garcez para chefiar a área de televisão, mas sem o broche e sem aquela história de "jornalismo de esquerda". Não poderíamos ter feito melhor escolha. Sujeito trabalhador, do tipo que pega no batente às oito da manhã e não larga antes das nove da noite, ele veio para somar. Logo se destacou como um líder das transformações que começavam na empresa. Não apenas ele se deixou envolver pelas novas formulações que elaborávamos em torno de objetividade jornalística e foco no cidadão, como rapidamente se tornou um dos autores do projeto. Com a saída de Gustavo, ainda em 2003, assumiu, a meu convite, a direção de jornalismo. Em pouco tempo, firmou uma reputação de profissional sóbrio, hábil e muito dedicado. Sua sensibilidade e sua maturidade seriam decisivas para superarmos os conflitos que enfrentamos. A Radiobrás não teria percorrido tão bem o caminho acidentado que percorreu a partir de 2003 se ele não estivesse junto. Aquele era o cara. Franklin acolheu o nome.

No dia 20 de abril, às duas da tarde, pontualmente, no auditório do subsolo da Secom, tivemos a compostura de realizar uma posse de gente grande para José Roberto Garcez. Havia mais de duzentas pessoas no recinto. Ele já não usava broche do PT, mas de vez em quando ainda ia trabalhar com adereços vermelhos que dizia remeterem a uma legenda do Sul, conhecida pelo nome de "Internacional", cujos apoiadores se definiam como "colorados". Já não falava em jornalismo de esquerda, mas em jornalismo de espírito público. Aos 54 anos, virou presidente. Foi uma cerimônia bonita. À noite teve festa. Dancei, bebi, fiz discurso e dormi bem. Com Maria Paula, como de costume. Ela continuaria no governo, como chefe da Consultoria Jurídica do Ministério da Educação, e eu estava me mandando.

No dia seguinte, quando acordei, senti vontade de passear sem rumo, de comprar um carro novo, de me divertir de formas inconfessáveis, de conversar com os lagartos ao sol. Se alguém perguntasse sobre o meu destino, eu responderia apenas: para fora. Esse era o meu norte: o fora. Para trás, ficaram as coisas que acabaram e as outras que estavam prestes a acabar, como a própria Radiobrás. Morria em silêncio muito mais do que aquilo que eu pensei que pudesse ter fim. Eu tinha cruzado a porta de saída, estava praticamente livre. Praticamente: só me faltava uma pendência. Então saí da cama e fui cuidar de escrever o que termina aqui.

ÍNDICE

A Voz do Brasil: não obrigatoriedade
31, 35-7, 42,165-168, 170; a
notícia que não existiu e as
mudanças editoriais 151-56;
cinco mandamentos 163-64;
projeto da "Nova Voz" 171, 173-
75, 186

Abreu, João Batista de 87

Agência Brasil: queixas sobre a
cobertura política 33-4; origem
137-39; início do trabalho 139-
45; ataques ao "DIP" 143-148;
críticas à cobertura sobre o Haiti,
símbolo das discussões sobre o
modelo de comunicação 198-200;
reforma editorial 105, 219-20;
nova batalha pelo jornalismo
com foco no cidadão 59-60, 247,
272, 286

Amaral, Sérgio 96, 98

Andrade, Juliana 63

Angelis, Adriano de 246

Araújo, Márcio 243

Azevedo, Ricardo 281

Bastos, Alessandra 161

Bastos, Márcio Thomaz 192

Bergamo, Mônica 27

Barbosa, Marco Antonio 281

Barroso, Vera 26

Berzoini, Ricardo 46, 47, 214

Betancourt, Eduardo Díaz 223

Betto, Frei 197

Bierrenbach, Flávio 89

Biondi, Pedro 218

Bonassa, Elvis Cesar 140

Borges, Anelise 160

Brant, Helenise 59, 160

Brant, Roberto 215

Brossard, Paulo 89

Café com o Presidente: as gravações
49-53; ambigüidade do jornalismo e da propaganda de governo
54-6

Camarinha, Paulo Roberto 87, 88, 90

Cantanhêde, Eliane 280

Cardoso, Ana Paula 253

Cardoso, Fernando Henrique 56, 58,
96, 193

Cardoso, Sérgio 281

Carmona, Beth 213

Carvalho, Gilberto 50, 200, 210, 214,
228, 231, 281

Casaldáliga, dom Pedro 92

Castro, Fidel 223, 224

Chaparro, Carlos 281

Charf, Clara 130

Chaui, Marilena 281

Chinaglia, Arlindo 171, 177

Comunicação pública: princípios
básicos 17-9, 21-5, 40, 176, 255-
67; privatização da função
pública e o marketing político 29,

69-70, 267; poder do Estado anunciante 71, 76-7); relação entre o governo e a imprensa 191-94; sete pecados capitais do discurso autoritário 201-8;

Cohn, Amélia 281

Cohn, Gabriel 281

Costa, Humberto 151

Costa, Francenildo Santos 161

Covas, Mário 27

Crise do "mensalão": o desafio da cobertura da série de denúncias 45, 46, 212, 248

Cunha, João Paulo 243

Dallari, Dalmo 281

Daniel, Chico 236

Deak, André 218

Demolein, Raymond 131

Detoni, Márcia 185

Dettmar, Ubirajara 142

Dieguez, Flávio 212, 213, 216, 218, 219

Diniz, Waldomiro 34, 52, 53, 62, 238

Dirceu, José: bilhete sobre A Voz do Brasil 34- 42

Direito público: Lei 8.112, de 1990, sobre regime jurídico dos servidores públicos civis da União 23-4 ; Decreto 1.171, de 1994, sobre o código de ética profissional do servidor público civil do poder Executivo 23-4, 25; Artigo 37 da Constituição Federal 24; A Lei 6.301, de 1975, que definiu as regras da comunicação pública 81-2; Decreto 77.698, de 1976, que criou a Radiobrás 25-6;

Domingos, João 143, 144, 145

Domingos, Marina 160

Dulci, Luiz 50,152, 172, 228, 231

Egypto, Luiz 26

Faria, Tales 140

Fernandes, Zilmar 216

Fernandes, Rodrigo Barroso 216

Ferreira, Luiz Antônio Duarte Moreira 96

Figueiredo, João 91, 93, 94

Figueiredo, Dulce 91

Filho, Laurindo Leal 237

Firmeza, George 244, 245

Fleury, Sérgio Paranhos 131, 132

Fonseca, José Alberto da 136

Fortes, Leandro 140, 141, 149, 213

Fórum Nacional de TVs Públicas: 255

França, William 173

Franco, Carlos Alberto di 280

Frazão, Pedro 119, 121

Freire, Nilcéa 184

Galvão, Walnice Nogueira 281

Garcez, José Roberto 212, 213, 285, 286

Garcia, Marco Aurélio 241, 281

Garcia, Mauro 27

Garotinho, Anthony 52

Gil, Gilberto 184

Gomes, Ciro 185, 186

Gontijo, Roberto 96, 98, 118, 119, 135, 187

Grilo, Cristina 27

Guimarães, Samuel Pinheiro 241

Gushiken, Luiz: posse na Radiobrás 15-7; bilhete sobre A Voz do Brasil 34-37, 39-41

Haddad, Fernando 281

Hammoe, Sofia 186

Jefferson, Roberto 43, 44, 46,

Jornalismo: o paradigma da Radiobrás – foco no cidadão 59, 247, 272, 286; diferença entre jornalismo e publicidade 69-71; dever da liberdade 220, 224-230, 280; cobertura das eleições 233, 248; planejamento editorial e regras claras 251, 252; ouvidoria, o canal com o cidadão 259-65; nova batalha pelos conceitos 279-81

Júnior, Sebastião Alves dos Reis 183, 188

Júnior, Florestan Fernandes 236

Kaiser, Delorgel 240, 241

Kehl, Maria Rita 281

Kfouri, Juca 131

Knapp, Carlos 129,130, 131, 132, 133, 134, 136

Kobata, Henry 99, 101, 104, 112, 114, 115

Krieger, Gustavo 52, 139, 140, 141, 142, 149, 155, 158, 286

Kucinski, Bernardo 194, 213, 216, 277

Ladeira, Taís185

Lassance, Antonio 212, 213

Leite, Paulo Moreira 278

Lessig, Lawrence 219, 220

Letícia, Marisa 184

Levy, Joaquim 214

Lima, Jorge Cunha 26, 255

Lima, Maurílio Ferreira 95, 97

Lopes, Rui 95

Lucena, Cícero 216

Lula, Edla 161

Lussani, Maria Alice 236

Machado, Paulo 253

Maciel, André 244, 245

Magalhães, Antonio Carlos 94

Magalhães, Vera 278

Mamcasz, Eduardo 87, 88

Mantega, Guido 161

Marighella, Carlos 130, 131

Marinho, Luiz 214

Martins, Franklin 232, 283, 284, 285, 286

Matarazzo, Andréa 26-8,

Matheus, Rosinha 52

Matoso, Jorge 161

Mattos, Olgária 281

Monteiro, Luiz Fara 53, 157

Motta, Nelson 161

Melo, Dirce 187

Melo, Osman de Oliveira 187, 188

Mendes, Vanildo 140, 141, 149

Mendonça, Duda 57, 216

Mentor, José 216

Meireles, Andrei 52

Milani, Aloísio 218

Militino, Luiz 95, 97, 98

Miranda, Nilmário 63, 65

Moreno, Jorge Bastos 280

Mota, Vinícius 280

Musse, Ricardo 281

Naldoni, Thaís 191, 193

Neto, Antônio Frota 88

Neto, Marcelo 95

Novaes, Luiz Antônio 140

Nucci, Celso 251, 253, 255

Oliveira, Amílcar 187

Oliveira, Augusto 131

Oliveira, Francisco Alves de 187

Palocci, Antonio 161

Parente, Renato 241

Pascowitch, Joyce 159

Pimentel, Carolina 160

Pimentel, Fernando 216

Pimentel, Spensy 218

Pires, Luciano 140, 149

Pires, Waldir 215

Pontes, Ruy 95

Prado, Caio Graco 129

Priolli, Gabriel 26

Departamento de Rádio da Radiobrás: rádios públicas 174, 202; Rádio Nacional do Rio de Janeiro 124, 180-82, 202, 267; novas emissoras 124, 176, 184-88;
Radiobrás: a herança do partidarismo 21-2, 45-6, 80, 144-45, 249; legislação da imparcialidade e da impessoalidade 21-5, 249, 260; origem – a lei e a EBN 87-90; empresa híbrida demais 81-5; a empresa nos governos Sarney, Collor, Itamar e FHC 93-6; princípios da gestão 24, 30, 80, 157, 168; estrutura e orçamento 22, 97, 117-23, 135-36, 142-43, 146, 188; cobertura na crise política 49-66, 272; transmissão do presidente da República 49-51, 52-5; publicidade legal 127-29, 133-34; a economia da Radiobrás aos cofres públicos 125 128-29, 136; a morte dos funcionários no avião da Gol 187; carta de Eugênio Bucci com cargo à disposição 231-32; planejamento editorial 219, 251-52; o fim da Radiobrás e a dissolvição em uma nova organização 285-87
Ramos, Carlos Augusto 52
Rangel, Lia 245
Rebelo, Aldo 34, 52, 171-74
Rodrigues, Fernando 77, 140
Rohter, Larry 191-92, 221, 227
Rollemberg, Armando 243
Romagnoli, Luiz Henrique 57
Roosevelt, Franklin 56
Sá, Sérgio 156

Sá, Xico 142
Sarney, José 56, 87-9, 93-4, 241, 243
Sarney, Marli 89
Savazoni, Rodrigo 217-20, 255, 278
Seixas, Luca 157
Singer, Paul 281
Silva, Benedita da 52
Silva, Fernando Barros e 280
Silva, Luiz Inácio Lula da: 13, 63, 154,184, 191, 227, 243; discurso na Associação Nacional dos Jornais 227-29
Singer, André 50
Souza, Amaury de 26
Souza, Luiz Otávio de Castro 95
Stedile, João Pedro 26
Taddei, Roberto 220
Tavares, Ana 97
Teixeira, Mônica 26
Canais de televisão da Radiobrás: planejamento 124-26, 241-43; TV NBr 32, 124, 236, 237-8; retrospectiva "cor-de-rosa" do governo Lula 238-9; TV Brasil – Canal Integración 124, 240-43
TV Cultura de São Paulo 26-7, 32, 124, 261
TVE do Rio de Janeiro 26-7, 123, 126, 283-85
Vaia, Sandro 145
Valério, Marcos 215
Vannuchi, José Ivo 38
Vannuchi, Paulo 38, 281
Veloso, Carlos 243
Vichi, Bruno 183-84, 186, 255, 283
Vigilante, Chico 41-2
Zarur, Carlos 96-8, 188, 284

Este livro foi composto na tipologia Minion, no corpo 11,5/16,
e impresso em papel off-white 70g/m²
no Sistema Cameron da Divisão Gráfica da Distribuidora Record

Seja um Leitor Preferencial Record
e receba informações sobre nossos lançamentos.
Escreva para
RP Record
Caixa Postal 23.052
Rio de Janeiro, RJ – CEP 20922-970
dando seu nome e endereço
e tenha acesso a nossas ofertas especiais.

Válido somente no Brasil.

Ou visite a nossa *home page*:
http://www.record.com.br